NÉHÉ
LÈVE-TOI

NÉHÉMIE
LÈVE-TOI

Principes bibliques pour
DIRIGER UNE COMMUNAUTÉ

Gregory Toussaint

GT Enterprise
990 NE 125th Street, Suite 200
North Miami, FL 33161
Site Web: www.tabernacleofglory.net
Courriel: pastorgslibrary@gmail.com
(305) 899-0101

*Toutes les références bibliques, sauf indication contraire, sont tirées de la
Bible Louis Segond, 1910 (LSG).*

Perfect Bound ISBN: 978-1-63949-166-7
Hardcover ISBN: 978-1-63949-179-7
ebook ISBN: 978-1-63949-180-3

TABLE DES MATIÈRES

AVANT-PROPOS

DANS LE RÉCIT INTEMPOREL DE NÉHÉMIE, nous ne trouvons pas seulement un récit historique, mais une histoire puissante qui parle des profondeurs de l'expérience humaine et de l'appel lancé à nos cœurs. " Néhémie, Lève-toi " de Gregory Toussaint est une aventure remarquable qui nous emmène dans une exploration profonde de ce récit antique et nous montre comment il reflète les bruissements de la destinée dans nos propres vies.

Néhémie, un homme ordinaire comme vous et moi, a été choisi pour une mission extraordinaire : reconstruire les murs de Jérusalem. Dans son histoire, nous voyons la puissance inouïe de la foi et la façon dont elle peut transformer une vie ordinaire en un instrument de transformation. Le dévouement inébranlable de Néhémie au dessein de Dieu devient un symbole d'espoir pour nous tous, nous rappelant que nous sommes, nous aussi, choisis dans un but précis.

Dans Néhémie 2:18, le peuple déclare : "Levons-nous, et bâtissons". Ces mots résonnent à travers le temps, comme un appel à reconnaître la vocation unique qui repose sur les épaules de chacun d'entre nous. "Néhémie, Lève-toi" est le guide qui nous aide à découvrir cette vocation divine, à déceler les secrets de notre destinée et à illuminer la voie qui mène à son accomplissement.

Au fil des pages de ce livre, Gregory Toussaint ne se contente pas de relier l'histoire de Néhémie à la nôtre ; il nous aide aussi à comprendre que nous sommes tous porteurs de l'onction de Dieu. C'est une révélation qui transcende les écritures - elle est personnelle, intime et réelle. Au fil de la lecture, nous sommes encouragés à plonger au plus profond de notre âme, à la recherche de ce but caché, de cet appel unique que Dieu a placé en nous.

"Néhémie, Lève-toi" jette un pont entre la sagesse antique de la Bible et les défis et opportunités de nos vies modernes. Il nous enseigne que le leadership n'est pas une question de titres, mais d'impact ; il nous montre que le dévouement peut déplacer des montagnes et que la foi peut reconstruire des vies. Il dévoile la vérité selon laquelle l'appel de Dieu n'est pas réservé à quelques privilégiés, mais est un cadeau qui attend toute personne disposée à l'écouter et à y répondre.

En parcourant ces pages, faites-le avec un cœur ouvert, sachant que l'appel de Dieu sur votre vie n'est pas un concept lointain, mais une réalité vivante, qui attend d'être découverte. Que "Néhémie, Lève-toi" soit votre compagnon dans votre quête intérieure, qu'il vous inspire, qu'il vous donne les moyens d'agir et qu'il vous rappelle que vous êtes choisi, que vous pouvez vous élever et que vous pouvez construire un monde meilleur, un pas après l'autre.

Avec mes chaleureuses salutations,

PASTEUR MARCELLO TUNASI

INTRODUCTION

« Rien n'est plus puissant qu'une idée dont l'heure
est venue. »
Victor Hugo

Pendant cent quarante ans, les murailles de Jérusalem furent
abandonnées et désolées. Pourtant, en seulement 52 jours, une
génération d'individus motivés les ont relevées. Car, pour paraphraser
Victor Hugo, rien n'est plus puissant qu'une génération dont la saison
est venue. Au premier rang de cette génération se trouvait un homme
ordinaire du nom de Néhémie.

Ce n'est pas une coïncidence si *Néhémie, lève-toi !* est constitué
de douze sections. Tout au long de l'Écriture, le chiffre 12 est utilisé
plusieurs fois et reflète le plan parfait de Dieu ainsi que les projets pour
son peuple et sa création. Le livre de Néhémie relate la reconstruction
de la muraille de Jérusalem qui avait 12 portes. Chacune d'entre elles
portait le nom d'une tribu d'Israël (Ne. 3; 12:31-39). Ce qui est le plus
significatif dans cette étude, c'est que dans les Écritures le chiffre douze
symbolise la complétude ou la nation d'Israël dans son intégralité.

Le chapitre 12 du livre de Néhémie marque un moment monu-
mental. Il relate la réinstauration de la ville de Jérusalem en tant que
centre spirituel du peuple et il met en avant les efforts de Néhémie
malgré les diverses tentatives de sabotage de ses ennemis. Néhémie
avait compris le plan de Dieu, il résista aux distractions, il apaisa les
craintes du peuple et il persévéra jusqu'au moment de la célébration.

L'évènement qui est décrit au chapitre 12:31-43 met en scène deux
groupes de personnes. Chaque groupe est dirigé par sept prêtres et par
des musiciens, plus précisément, des Lévites qui louent le Seigneur

et qui marchent dans des directions opposées. Ils sont passés à travers les douze portes jusqu'à ce qu'ils se rencontrent dans un espace ouvert en face du temple. L'atmosphère était joyeuse, de nombreux sacrifices ont été offerts, et toutes les personnes présentes se réjouissaient. Néhémie, venu à Jérusalem pour veiller au bien-être de ses citoyens, les voyait maintenant se réjouir devant le temple. Grâce à sa détermination, sa prière et son discernement, il atteignit son objectif. Nous avons besoin de plus de gens comme Néhémie, des individus qui ont confiance en Dieu et qui persévèrent malgré l'opposition ou les complications. En faites-vous partie ?

Le message spirituel de Néhémie est un appel à chacun de nous: *Compter pour Dieu et s'engager dans les choses qui comptent pour Dieu*. Si nos vies comptent pour Dieu, elles comptent non seulement pour le temps, mais aussi pour l'éternité. La question cruciale devient donc: *Comment puis-je vivre et diriger ma vie de manière à ce qu'elle compte pour Dieu ?* Je prie pour que les leçons et les exemples de ce livre vous équipent précisément à cet appel.

Les dirigeants doivent être prêts à faire passer les besoins de leur communauté avant leurs désirs individuels; ils doivent être prêts à faire des sacrifices pour le bien de tous. Les efforts de reconstruction de Néhémie servent d'exemple, car il a travaillé avec diligence même face à l'adversité et au manque de ressources. Son courage nous a été transmis afin que nous puissions apporter des changements positifs dans notre monde. En tant que membres de la nouvelle « Génération Néhémie », vous comprenez l'importance de construire une base solide pour l'avenir. Je crois que c'est la raison pour laquelle vous avez choisi ce livre.

Dans les chapitres des douze sections qu'il contient, vous trouverez le plan pour devenir un véritable dirigeant comme Néhémie. Tout commence par reconnaître que nous avons été appelés à faire une différence dans le monde qui nous entoure. Nous devons rester fidèles à nos racines, savoir qui nous sommes et d'où nous venons. Nous ne pouvons pas oublier le passé, mais nous devons aussi regarder vers l'avenir avec espoir et détermination.

Le fardeau du leadership n'est pas facile. Pourtant, il est nécessaire si nous voulons voir au-delà de nous-mêmes et avoir un impact positif sur le monde. Nous devons avoir une vision commune, en suivant la même inspiration qui a animé Néhémie et ses compagnons de construction. Notre caractère doit être irréprochable, et nous devons être dignes de confiance dans tout ce que nous faisons.

Nous devons inspirer et motiver ceux qui nous entourent à se joindre à nous pour bâtir un avenir meilleur. De plus, nous devons reconnaître que nous faisons partie d'un petit nombre d'élus, d'un faible reste qui a été appelé à faire une différence dans le monde.

Relevons donc le défi, suivons l'exemple de Néhémie et de ses compagnons de construction, et construisons une base solide pour l'avenir. Nos actions auront un impact sur de nombreuses générations à venir, et nous avons la possibilité de faire une différence positive dans le monde qui nous entoure.

GÉNÉRATION NÉHÉMIE: NOTRE HEURE EST ARRIVÉE !

CHAPITRE 1

LA CAPTIVITÉ

NÉHÉMIE EST UN HOMME QUI A ressuscité une communauté des ruines de la désolation aux sommets de la renaissance. Mais avant de poursuivre, nous devons d'abord nous pencher sur son passé. Car au sein des racines entremêlées de l'histoire d'un homme, réside l'essence même de son être.

> **Au sein des racines entremêlées de l'histoire d'un homme, réside l'essence même de son être**

Le grand romancier américain William Faulkner a dit un jour: « Le passé n'est jamais mort. Il n'est même pas passé »[1]. Le passé respire et palpite dans le présent, le façonnant et le modelant à son image. Par conséquent, pour vraiment comprendre l'essence de Néhémie, nous devons exhumer les secrets de son passé.

Néhémie est né en exil, une circonstance considérée comme une malédiction en Israël. Moïse avait dit à Israël: « *L'Éternel vous dispersera parmi les peuples, et vous ne resterez qu'un petit nombre au milieu des nations où l'Éternel vous emmènera* ». (Deut 4:27, LSG). La loi indiquait clairement que si les Israélites ne suivaient pas les commandements du Seigneur, ils en subiraient les conséquences: ils seraient exilés, dispersés.

Le mot « disperser » vient du grec « *diaspeirein* », qui signifie « éparpiller, disséminer ». Dans la Grèce antique, le terme était à l'origine utilisé pour décrire la dispersion des graines. Plus tard, il a été utilisé pour décrire la dispersion des populations, en particulier du peuple juif qui a été contraint de quitter sa patrie et de vivre en exil dans tout le monde méditerranéen. Aujourd'hui, le terme désigne tout groupe de personnes qui ont été contraintes ou qui ont choisi de quitter leur terre natale pour créer une nouvelle communauté ailleurs.

Imaginez emmener votre famille dans un monde où tout vous est inconnu et étrange, où vous ne connaissez ni la langue ni les coutumes. Le sentiment d'être déconnecté de tout ce que vous avez connu toute votre vie ne serait surpassé que par la peur de la discrimination et de l'aliénation. Les gens n'agissent pas toujours gentiment envers les étrangers. La situation était encore plus désastreuse à l'époque de l'Ancien Testament, lorsque vivre en diaspora était considéré comme une malédiction imposée à un peuple en raison de sa désobéissance.

CAPTIVITÉ: LE SIGNE D'UNE MALÉDICTION

Lorsqu'Israël a conquis la Terre promise, ils se sont rapidement tournés vers l'adoration des idoles, violant la première loi des Dix Commandements qui stipulait strictement: « *Tu n'auras pas d'autres dieux devant ma face* » (Ex 20:3, LSG). Le Seigneur a appelé Jérémie, le dernier grand prophète, pour avertir le peuple.

Le Seigneur a parlé par l'intermédiaire du prophète, en disant: «*Y a-t-il une nation qui change ses dieux, Quoiqu'ils ne soient pas des Dieux? Et mon peuple a changé sa gloire contre ce qui n'est d'aucun secours!* » (Jé 2:11, LSG). Malgré ces avertissements, Israël a continué sur la voie de l'idolâtrie, que le Seigneur a qualifiée d'"*adultère avec la pierre et le bois*" (Jé 3:9). Je suis sûr que vous voyez dans cette comparaison avec l'infidélité conjugale, la gravité de la trahison d'Israël. Pour le dire dans le langage courant d'aujourd'hui, *Israël a trompé Jéhovah.*

Pendant vingt-trois ans, Jérémie et d'autres prophètes furent envoyés pour implorer Israël de revenir au Seigneur, mais ils ne voulurent pas écouter les prophètes. Par conséquent, le Seigneur a envoyé Jérémie pour les informer qu'ils seraient envoyés en exil pour leur infidélité.

« C'est pourquoi l'Éternel dit: « Tout ce pays deviendra une ruine, un désert, et ces nations seront asservies au roi de Babylone pendant soixante-dix ans».
— Jé 25:11 (LSG)

La prophétie trouvée dans Jérémie 25 aurait été écrite entre 626 et 586 av. J.-C. Environ trente-deux ans plus tard, le roi Nebucadnetsar lança la première des trois attaques contre Juda.

EMMENÉS EN CAPTIVITÉ

En 605 av. J.-C., au cours de sa première année en tant que roi de Babylone, Nebucadnetsar II commença une série d'attaques contre Juda qui durerait près de 18 ans. Lors de la première invasion, les Babyloniens emmenèrent en captivité certains jeunes de la famille royale, dont Daniel et ses amis, ce qui conduisit à la capitulation du roi de Juda (2R 24:10 ; Da 1:1-2). Lors du deuxième siège, son armée emmena beaucoup plus de prisonniers à Babylone, parmi lesquels le roi Jojakin et le prophète Ézéchiel (2R 24:14-16; Ez 1:1-3). Après avoir capturé le roi Jojakin, Nebucadnetsar installa Sédécias, quelqu'un qu'il pensait pouvoir contrôler, comme nouveau roi de Juda. Lorsque Sédécias finit par se rebeller contre la domination babylonienne (2R 24 :17-20), Nebucadnetsar lança sa dernière campagne contre Jérusalem en 586 av. J.-C. Puis, comme le prophète l'avait prévenu un demi-siècle auparavant, l'armée babylonienne a percé les murs de Jérusalem, incendié le palais royal et le temple et laissé la ville en ruines (2R 25:1-10). Sédécias a été forcé de regarder les Babyloniens assassiner ses fils avant de l'aveugler et de le jeter en prison. De nombreux Israélites furent capturés et emmenés en captivité à Babylone, y compris le prophète Jérémie (Jé 39:1-10), dont la tâche de conseiller et de réprimander les Israélites ne faisait que commencer.

LA PREMIÈRE GÉNÉRATION

Jérémie avait l'obligation divine de s'occuper des « anciens survivants » qui survécurent aux horreurs de la déportation. Il était évident qu'une sorte de structure sociale, semblable à celle de Juda, avait été transposée dans leur exil. Dans sa lettre, Jérémie donne des instructions pastorales aux anciens et aux pères de la communauté sur la manière de se comporter en exil.

La lettre que Jérémie leur adresse commence par ces mots:

« Ainsi parle l'Éternel des armées, le Dieu d'Israël, à tous les
captifs que j'ai emmenés de Jérusalem à Babylone »
(Jé 29:4, LSG).

Le Seigneur voulait que les Juifs comprennent que leur malheur n'était pas simplement un événement géopolitique. Leur souffrance n'était pas simplement le résultat d'une puissance impériale envahissant un pays plus faible et exploitant sa population pour obtenir une main-d'œuvre bon marché. C'était le jugement de Dieu.

Derrière la cause politique, il y avait une cause spirituelle. Derrière la main de Nebucadnetsar, il y avait la main de Dieu. Les gens devaient comprendre cela clairement afin de pouvoir reconnaître leurs péchés, modifier leurs habitudes et être prêts à rentrer chez eux le moment venu. Pendant ce temps, le Seigneur leur donna des conseils et des instructions sur la manière de construire une communauté solide dans un pays étranger.

INSTRUCTIONS POUR RÉUSSIR

Lorsqu'on arrive en tant qu'étranger dans un nouveau pays, c'est comme se réveiller dans un monde étrange. On fait de son mieux pour s'adapter. Sachant que les expatriés avaient besoin de s'intégrer, Jérémie les prépara à s'acclimater à leur nouvel environnement, en commençant par le respect des dirigeants de la communauté.

RESPECTER LES AÎNÉS

Jérémie a écrit:

« Voici le contenu de la lettre que Jérémie, le prophète, envoya de
Jérusalem au reste des <u>anciens</u> en captivité, aux sacrificateurs,
aux prophètes, et à tout le peuple, que Nebucadnetsar avait
emmenés captifs de Jérusalem à Babylone »
(Jé 29:1, LSG, *c'est moi qui souligne*).

Le premier secret que le Seigneur a donné pour bâtir une société prospère a été de reconnaître les pères de la communauté. Aux temps bibliques, ces dirigeants étaient appelés *anciens*. Les aînés étaient des pères (2 Ch 5:2) issus de différentes tribus qui occupaient des positions d'autorité en fonction de leur âge (Jug 2:7), de leur connaissance (Deut 31:7), de leur sagesse (Job 12:12) ou de leur popularité (Deut 3:7; 31:28). Israël avait des anciens avant même de devenir une nation, comme le mentionne Exode 3:16. Ils ont continué à avoir des anciens après être devenus une nation, comme l'indique 2 Chroniques 5:2. Les anciens étaient également présents pendant l'exil. Ces anciens étaient des dirigeants respectés qui maintenaient la cohésion de la communauté juive. C'étaient eux qui connaissaient l'histoire de la communauté (Deut 32:7), qui donnaient une légitimité aux dirigeants à venir (Ex 3:16; 2 S 5:3), les conseillaient et administraient la justice au sein de la communauté (Deut 21:18-21; 22 :15). Ces dirigeants respectés sont ceux qui ont maintenu la communauté juive en tant que nation pendant leur exil. Les communautés qui prospèrent aujourd'hui doivent mettre en œuvre une structure similaire.

Une forte communauté a besoin de pères. Il est essentiel d'avoir des dirigeants qui pensent au-delà de leurs besoins immédiats et qui prennent en compte le bien-être du peuple. Ces pères doivent être prêts à se sacrifier pour la communauté. En retour, la communauté devrait leur rendre l'honneur qu'ils méritent. Ayant reconnu l'importance des anciens, des prêtres et des prophètes, Jérémie donne maintenant aux exilés quelques conseils pratiques sur la manière de bien vivre à Babylone.

CONSTRUIRE DES MAISONS

Jérémie continue :

> « *Bâtissez des maisons, et habitez-les; plantez des jardins, et mangez-en les fruits. Prenez des femmes, et engendrez des fils et des filles; prenez des femmes pour vos fils, et donnez des maris à vos filles, afin qu'elles enfantent des fils et des filles; multipliez là où vous êtes, et ne diminuez pas.*»
>
> (Jé 29:5-6, LSG)

Jérémie a dit: « *Bâtissez des maisons, et habitez-les* ». En d'autres termes, *ayez une mentalité de permanence, faites comme chez vous* et *réalisez que vous serez là où vous êtes pendant un certain temps.* Alors, *faites ce qu'il faut non seulement pour survivre, mais aussi pour prospérer.*

Si le Seigneur s'adressait aujourd'hui aux membres de la communauté immigrante, il aurait peut-être dit quelque chose comme: « Apprenez la langue afin de pouvoir parler sans interprète. Apprenez quels sont les systèmes de transport afin de pouvoir vous déplacer sans avoir besoin d'un ami ou d'un membre de votre famille. Remplissez les documents nécessaires et gardez-les organisés et accessibles afin que vous puissiez vous assurer que vous êtes légal. Connectez-vous à une communauté pour ne pas affronter les défis seul. Familiarisez-vous avec les lois du pays, en particulier celles qui sont liées à l'immigration, afin d'éviter les complications judiciaires. Observez les coutumes des locaux et adaptez-vous pour éviter de vous faire remarquer pour les mauvaises raisons.

PLANTER DES JARDINS

Après avoir demandé aux exilés de respecter les anciens et de construire des maisons, le troisième conseil que Jérémie donne est de planter des jardins et d'en manger les fruits (Jé 29:5). Dans les temps anciens, l'économie reposait principalement sur l'agriculture et la plupart des gens travaillaient dans les champs. Lorsque le prophète conseille aux exilés de planter des jardins et d'en manger leurs fruits, il leur dit de trouver un moyen de gagner leur vie dans leur nouveau pays. Dans le langage moderne, Jérémie aurait dit: « trouvez un travail et gagnez de l'argent ». Il leur conseillait de trouver rapidement un moyen de subvenir à leurs besoins et à ceux de leurs familles. Dépendre trop longtemps des autres les rendrait indésirables, ce qui n'est pas la meilleure façon de se fondre dans la masse. Supposons qu'un parent ou un ami vous parraine pour venir aux États-Unis ou dans un autre pays. Il pourrait être tentant de compter indéfiniment sur leur soutien, ce qui entraînerait frustration et conflits à long terme. Les amis qui vous ont accueilli avec plaisir se lasseront tôt ou tard de vous. De plus, trop compter sur les autres peut limiter votre potentiel et vous empêcher de tirer le meilleur parti de vos compétences et capacités. Trouver un emploi offre une sécurité financière et peut également donner un sentiment d'utilité et d'appartenance à une communauté. Cela peut vous aider à développer de nouvelles compétences, à découvrir différentes cultures et coutumes et à nouer de nouvelles amitiés et de nouvelles relations. De la même manière, Jérémie enseignait aux gens à devenir autonomes et à contribuer à leur nouvelle communauté. Le conseil du prophète de planter des jardins et d'en manger leurs fruits nous rappelle de prendre notre vie en main et de devenir autosuffisants en obtenant un emploi et en établissant une base solide pour notre avenir – et pour les générations à venir.

FONDER DES FAMILLES

Des familles fortes conduisent à des communautés fortes. Le conseil suivant de Jérémie était donc de commencer à fonder les bases d'un héritage solide.

Il leur a donné les instructions suivantes :

> *« Prenez des femmes, et engendrez des fils et des filles; prenez des femmes pour vos fils, et donnez des maris à vos filles, afin qu'elles enfantent des fils et des filles; multipliez là où vous êtes, et ne diminuez pas ».*
> (Jé 29:5-6, LSG).

Jérémie a encouragé les membres de la communauté juive de Babylone à se marier et à avoir des enfants. Toute pratique de célibat volontaire, d'avortement ou d'homosexualité les empêcherait de souscrire à ce mandat. Telle famille, telle communauté.

Telle famille, telle communauté.

CONTRIBUER AU BIEN-ÊTRE DE LA GRANDE COMMUNAUTÉ

Lorsque Dieu a parlé aux enfants d'Israël par l'intermédiaire du prophète Jérémie, il leur a dit de rechercher le bien-être de la société babylonienne, de travailler à son succès et de s'efforcer d'instaurer la paix au sein de la communauté.

RECHERCHER LA PAIX

Il a dit -

> « *Et cherchez la paix de la ville où je vous ai transportés, et priez l'Éternel pour elle; car dans sa paix sera votre paix.* »
> (Jé 29:7, FRDBY)

Dieu a adressé ces paroles à Israël parce qu'Il savait qu'ils avaient été emmenés de force de leur pays vers Babylone et qu'ils risquaient donc de devenir rebelles, de provoquer des troubles ou de lancer une révolution. Le Seigneur dit qu'ils ne devraient rien faire de tout cela dans le pays qui les avait reçus. C'est à peu près la même chose pour chacun de nous.

En tant que membres de la communauté, nous devons être des agents de paix. Nous ne devons pas nous comporter de manière à devenir un objet de peur ou de mépris pour les autres. Nous ne devons pas nous livrer au vandalisme, aux émeutes ou à toute conduite désordonnée, même si nous ne recevons pas le meilleur traitement. Être un artisan de la paix ne signifie pas que nous devons garder le silence, mais cela signifie que nous devons exprimer nos griefs de manière ordonnée. Au lieu d'être une menace, nous devrions rechercher activement la paix et la sécurité de la communauté. En Jérémie, nous voyons plus qu'une instruction à être des *gardiens de la paix;* c'est l'expression de l'appel suprême de Dieu à ce que nous soyons des *artisans de la paix.*

Le mot hébreu traduit par « paix » ici est « *Shalom* » qui signifie « bien-être, prospérité ». Le Seigneur n'a pas simplement dit qu'Israël ne devait pas troubler la paix ni souhaiter la paix de la ville. Il leur a demandé de « rechercher » la paix de la ville. Dieu disait à Israël: *Vous devez rechercher des moyens de faire prospérer la grande communauté babylonienne et* travailler activement à la paix et au bien-être de la ville. Puis il leur a demandé d'aller plus loin: de prier pour la paix et la prospérité de leurs ravisseurs.

PRIER POUR LE BIEN-ÊTRE DU PAYS

> « *Et cherchez la paix de la ville où je vous ai transportés, et* __priez__ *l'Éternel pour elle; car dans sa paix sera votre paix.*
> (Jé 29:7, FRDBY, *c'est moi qui souligne*)

C'était une étrange suggestion que Jérémie faisait à son peuple exilé: rappelez-vous que les Juifs n'étaient pas en vacances. Ils avaient été prisonniers de guerre et vivaient désormais parmi des gens dont l'armée avait massacré leurs familles et leurs amis et réduit en cendres leurs maisons. Le Seigneur leur a demandé de prier pour la paix et la prospérité de leurs ennemis dans « la ville où je vous ai menés en captivité ». L'histoire montre qu'ils ont suivi ce modèle au cours des siècles de leur dispersion mondiale. Ils gardaient des liens étroits avec les pays dans lesquels ils résidaient, mais leurs yeux étaient fixés sur le retour dans leur pays d'origine. Un commentateur de l'Ancien Testament note: « Au cours des siècles, les préceptes énoncés ici ont été suivis par les Juifs dispersés. Aujourd'hui encore, ils prient dans leur culte, le jour du sabbat et les jours de fête, pour les dirigeants sous lesquels ils vivent »[2]. Dans le Nouveau Testament, le Seigneur commande à l'Église de suivre les mêmes préceptes, et en le faisant aujourd'hui, nous serons nous aussi bénis.

POURSUIVRE LA MANIFESTATION DU SUCCÈS

Dans la seconde moitié du verset 7, le Seigneur explique aux Juifs pourquoi il était important de rechercher et de prier pour le bien de Babylone:

> *« Car dans sa paix [shalom]sera votre paix[shalom] ».*
> (Jé 29:7, FRDBY)

Autres traductions:

> *« Parce que votre bonheur dépend du sien ».*
> (Jé 29:7, LSG)

> *«Car de son bien-être dépend le vôtre ».*
> (Jé 29:7, BDS)

> *« Car plus elle sera prospère, plus vous le serez*
> *vous-mêmes ».*
> (Jé 29 :7, FC)

Martin Luther King Jr. a déclaré: « Aucun homme n'est une île, un tout, complet en soi; tout homme est un fragment du continent, une partie de l'ensemble».

> **Martin Luther King Jr. a déclaré: « Aucun homme n'est une île, un tout, complet en soi; tout homme est un fragment du continent, une partie de l'ensemble».**

Les groupes minoritaires s'isolent souvent dans leur communauté, mais cela est malsain. Notre succès en tant que communauté est lié au succès de la société dans son ensemble.

Lorsque les Juifs arrivèrent à Babylone, ils s'impliquèrent dans les hautes sphères de la société. Daniel devint premier ministre à Babylone (Da 6:4), Esther devint reine de Perse (Est 2:17) et Néhémie échanson du roi (Né 1:11) ainsi que gouverneur de la province de Juda (Né 5:14).

Ces principes peuvent être appliqués à nos vies d'aujourd'hui, alors que nous cherchons à contribuer au bien-être et à la prospérité de nos communautés et de nos nations. Nous pouvons construire des ponts de compréhension et de coopération et promouvoir une plus grande paix et une plus grande harmonie dans notre monde, indépendamment de l'appartenance ethnique ou de l'origine. Ce n'est pas seulement la génération actuelle qui sera impactée. Les générations futures seront également influencées par les mesures que nous prenons aujourd'hui. Il est important de considérer les conséquences à long terme de nos décisions et de nous efforcer de créer un monde meilleur pour les générations à venir.

LES PROCHAINES GÉNÉRATIONS

Lorsque les exilés venaient d'arriver à Babylone, des faux prophètes leur ont dit que leur séjour y serait de courte durée; certains disaient seulement deux ans. Jérémie a averti les exilés de rester vigilants et de ne pas se laisser prendre aux mensonges proférés par les faux prophètes. À Babylone, tout comme en Juda, de telles prophéties se répandaient rapidement. Il s'agissait généralement d'un thème familier: l'annonce d'un retour rapide dans leur patrie d'origine. Les imposteurs ne proposaient que des rêves exagérément optimistes qui ne pouvaient qu'engendrer le chaos parmi les exilés. Les Israélites devaient vivre dans l'accomplissement de la prophétie du châtiment du Seigneur avant que leurs descendants puissent connaître la délivrance promise.

La lettre de Jérémie préparait la première génération à poser les fondements des générations suivantes, en leur donnant une glorieuse espérance.

> *« Car ainsi dit l'Éternel: Lorsque soixante-dix ans seront accomplis pour Babylone, je vous visiterai, et j'accomplirai envers vous ma bonne parole, pour vous faire revenir en ce lieu. »*
> (Jé 29:9-10, FRDBY)

13

Dieu avait établi des plans pour leur bénédiction, avec une durée d'exil de soixante-dix ans – la même durée que le règne de Nebucad-netsar. La «promesse bienveillante» était que le Seigneur les aiderait à retourner chez eux en Juda. Jérémie a délivré un message d'encou-ragement émouvant aux exilés captifs. Cependant, il est essentiel de comprendre que lorsque le Seigneur dit: « *Je vous visiterai* », il ne faisait pas référence au peuple parti en exil mais aux générations à venir. Voici comment nous savons cela:

Supposons que la plupart des personnes captives à Babylone étaient âgées de vingt à quarante ans. Au moment où le Seigneur leur rendrait visite soixante-dix ans plus tard, les plus jeunes auraient quatre-vingt-dix ans et les plus âgés 110 ans. Puisque, dans les temps bibliques tout comme aujourd'hui, la plupart des gens mouraient entre soixante-dix et quatre-vingts ans (Ps 90:10), la plupart d'entre eux seraient morts au moment où le Seigneur leur rendrait visite. Par conséquent, lorsque le Seigneur dit: « Après soixante-dix ans, je vous visiterai », cela signifiait qu'Il ferait appel à leurs enfants et petits-enfants. Lorsque le Seigneur a demandé à la génération exilée de prendre bien soin de ses descendants, c'est parce qu'ils *seraient* ceux qui réaliseraient sa promesse.

Nous avions vu précédemment que le mot « diaspora » vient de « diaspeiro », qui faisait initialement référence à la dispersion des graines. Cependant, lorsque des graines sont dispersées dans un jardin, elles semblent mortes pendant un certain temps; lorsque le bon moment viendra, la coquille s'ouvrira et produira une nouvelle vie. Un écrivain a dit: « Dans la mort de l'exil se trouvent les semences d'une vie nouvelle. »[3]

> « ‹Car je connais les projets que j'ai formés sur vous, dit
> l'Éternel, projets de paix et non de malheur, afin de vous
> donner un avenir et de l'espérance.› »
>
> (Jé 29:11, LSG)

Dieu a dit qu'Il avait un plan pour la nation juive, mais qu'il se révélerait à travers la génération née dans la diaspora en Perse. Esther,

Esdras et Néhémie faisaient tous partie de ce plan. Vous faites également partie du plan de ce que Dieu souhaite faire pour votre peuple. Vous êtes la vie de *votre* peuple; vous êtes la vie de *votre* communauté.

> *« Vous m'invoquerez, et vous partirez; vous me prierez, et je vous exaucerai. Vous me chercherez, et vous me trouverez, si vous me cherchez de tout votre coeur.*

> (Jé 29:12-13, LSG)

Il existe une génération qui sera la réponse à de nombreuses générations de prières! Il existe une génération qui sera le résultat d'innombrables générations de jeûne! Il y a une génération qui sera le baume après des années et des années de souffrance! Et cette génération, c'est vous!

DEUX QUI ONT ATTENDU : HACALIA ET HACHIKO

Le premier chapitre du livre de Néhémie commence par: « Paroles de Jérémie, fils de Hacalia... » Le nom « Hacalia » signifie: *Attendez Yahweh.* Le père de Néhémie faisait partie de la génération précédente qui attendait depuis longtemps que le Seigneur agisse.

La génération d'Hacalia était constituée de pères exilés, aspirant à une nouvelle patrie qui ne virent jamais. Cependant, alors qu'il était en exil, Hacalia engendra un fils. Alors que « Hacalia » signifie *Attendez le Seigneur,* « Néhémie », lui, veut dire *Dieu a réconforté.* Le père attendait le réconfort promis qui arrivait par l'intermédiaire du fils. Si vous avez attendu que le Seigneur agisse, sachez ceci: le réconfort arrive! Vous ne serez pas comme Hacalia.

À Shibuya, Tokyo, Japon, se trouve la statue d'un chien appelé Hachiko. La statue se trouve juste à l'extérieur de la gare de Shibuya et constitue un point d'intérêt populaire pour les habitants et les touristes. Elle est reconnue comme un symbole de loyauté et de dévouement. Voilà pourquoi...

Hachiko était un chien japonais fidèle qui avait l'habitude d'accompagner son maître à la gare tous les matins et d'attendre son retour le soir. Cependant, lors d'une nuit tragique en 1925, son maître n'est pas revenu. Il est décédé alors qu'il se trouvait dans une autre ville ce jour-là. Hachi ne connaissait son propriétaire que depuis quelques mois; pourtant, le fidèle compagnon se rendait chaque soir à la gare, attendant désespérément le retour de son propriétaire. Hachi restait assis à la gare pendant une heure chaque soir avant de rentrer chez lui sans son ami. Jour après jour, nuit après nuit, pendant dix ans! Hachi est décédé le 8 mars 1935 dans une rue proche de la gare de Shibuya. Hachi était un chien fidèle, mais il est mort le cœur brisé car il n'a jamais vu le retour de son maître. Ne désespérez pas. Votre histoire n'est pas comme celle de Hachi. L'arrivée du réconfort promis approche! Vous *ne mourrez pas* en attendant !

Votre génération ne passera pas sans voir la manifestation des promesses de Dieu.

> *« Consolez, consolez mon peuple, Dit votre Dieu. »*
> (Es 40:1, LSG)

Vous êtes la génération qui apportera du réconfort à votre peuple, à votre communauté et à votre pays. Mais vous ne pouvez pas inaugurer un changement significatif tant que vous ne savez pas qui vous êtes.

IDENTITÉ : RESTER FIDÈLE À NOS RACINES

CHAPITRE 2

IDENTITÉ ETHNIQUE

Nous vivons dans une génération où notre perception des autres est souvent liée à leur métier. Aux États-Unis, lorsque nous rencontrons quelqu'un pour la première fois, presque immédiatement après lui avoir demandé son nom, nous disons: « Que faites-vous dans la vie ? » Parfois, lorsqu'on présente les gens, on n'attend même pas la question. Nous disons: « Voici John. Il travaille pour...» Il semble que notre valeur perçue soit liée au travail que nous effectuons, à l'argent que nous gagnons ou à notre statut social. Dans les temps anciens, cependant, l'identité était évaluée à travers la lignée familiale. Il était important de savoir de quelle famille vous êtes issu et votre place au sein de cette famille. Regardez David dans 1 Samuel 17 lorsqu'il aborde un processus crucial de sélection des guerriers.

Les Philistins ont été les ennemis perpétuels du roi Saül tout au long de son règne. À cette occasion, les deux forces opposées campaient entre deux villes situées dans les contreforts occidentaux de Juda. Les Israélites se trouvaient sur une colline au nord, et les Philistins sur une colline opposée, avec une vallée entre les deux. Un défi entre les guerriers les plus puissants de chaque camp s'imposait pour prouver quel royaume était le plus fort. C'était un concours de champions, et Saül cherchait un combattant capable de vaincre le Philistin Goliath.

Le champion Philistin était un géant, « *mesurant plus de neuf pieds de haut* » (1 Samuel 17:4) avec une armure tout aussi impressionnante, pesant 125 livres et une lance en fer qui pouvait percer n'importe quelle cuirasse sur laquelle elle était enfoncée. À la vue de

Goliath, le roi Saül et ses hommes ainsi que les fils aînés d'Isaï, qui avaient suivi Saül au combat, étaient comme des poules mouillées.

Sachant à quoi ses fils étaient confrontés, Isaï (ou Jessé) envoya son fils benjamin avec des provisions de céréales et de fromages. Alors que David s'enquit de ses frères, Goliath s'avança, crachant ses insultes et ses railleries. Quelque chose a vu le jour chez le jeune David.

« Qui est donc ce Philistin, cet incirconcis, pour insulter l'armée du Dieu vivant ? »

Les soldats lui dirent que celui qui abattrait Goliath aurait comme récompense la fille du roi et l'exemption d'impôts. Alors David se présenta au roi, qui était sceptique au début. Mais David convainquit Saül en disant: *« L'Éternel, qui m'a délivré de la griffe du lion et de la patte de l'ours, me délivrera aussi de la main de ce Philistin. Et Saül dit à David: Va, et que l'Éternel soit avec toi!»* (1 Samuel 17:37).

Saül offrit à David sa propre armure, pour tenter d'égaliser les chances, mais elle ne lui convint point. David l'enleva donc et s'approcha du champion de l'armée philistine avec seulement cinq pierres lisses qu'il avait ramassées dans la rivière et sa fronde.

> *« David dit au Philistin: Tu marches contre moi avec l'épée, la lance et le javelot; et moi, je marche contre toi au nom de l'Éternel des armées, du Dieu de l'armée d'Israël, que tu as insultée. Aujourd'hui l'Éternel te livrera entre mes mains, je t'abattrai et je te couperai la tête; aujourd'hui je donnerai les cadavres du camp des Philistins aux oiseaux du ciel et aux animaux de la terre. Et toute la terre saura qu'Israël a un Dieu. Et toute cette multitude saura que ce n'est ni par l'épée ni par la lance que l'Éternel sauve. Car la victoire appartient à l'Éternel. Et il vous livre entre nos mains.»*
> (1 Samuel 17:45-47 LSG)

Il frappa Goliath au front avec une seule pierre, faisant tomber le géant au sol. David prit alors l'épée de Goliath et lui coupa la tête. Alors que David entrait dans le camp israélite, le commandant de l'armée le conduisit à Saül. Alors que David tenait encore la tête de Goliath par les cheveux, Saül lui demanda: « De qui es-tu le fils, jeune homme ?»

« Je suis le fils de ton serviteur Jessé, de Bethléem. »

Saül n'a pas posé de questions sur la profession de David, son éducation, ni sur l'endroit où il vivait, ni où il était né. Au lieu de cela, il lui a demandé: « *Qui est ton père ?* » Il s'est concentré sur la lignée de David, reliant son identité à sa famille.

Quelle que soit la manière dont nous nous présentons ou ce que nous considérons être une information importante ou impressionnante, notre identité ethnique fondamentale n'est pas liée à notre profession ni même à notre lieu de naissance. Elle est ancrée dans nos racines familiales. Regardez encore comment Néhémie commence son livre:

« *Néhémie, fils de Hacalia...* »

Néhémie n'a jamais perdu de vue son identité de fils de Hacalia. Il n'a jamais oublié la famille qui lui a donné naissance et l'a mis au monde. Il s'est présenté en utilisant le nom de son père. Un fils ou une fille était connu autant par le caractère de son père que par ses propres actions. Un homme était également respecté ou rejeté en fonction de la réputation attachée à ses racines culturelles. Néhémie l'avait compris.

LE SENS DU « NOUS »

Néhémie est resté connecté à ses racines juives, s'identifiant à leur foi et à leurs échecs. Lorsqu'il a prié pour la nation, il a confessé: « *Nous t'avons offensé* » (Né 1: 7 LSG), et « *nous n'avons point observé les commandements, les lois et les ordonnances* » (Né 1:7 LSG). Et puis: « *Vous voyez le malheureux état où nous sommes!* » (Né 2:17 LSG). Même s'il était séparé de ces personnes spécifiques par plus de cent ans et mille kilomètres, il n'a pas mentionné *ces Juifs*. Il n'a pas dénigré *ces Israélites*. Au lieu de cela, il a embrassé son héritage et a dit: « Nous ». La première étape pour résoudre nos problèmes communautaires actuels est de développer un sentiment d'*identité* .

Nous ne pouvons pas résoudre les problèmes des Noirs si nous disons: « Ces Noirs ». Nous ne pouvons pas résoudre les problèmes d'Haïti en disant: « Ces Haïtiens ». Nous ne pouvons pas résoudre les problèmes au sein de la communauté chrétienne si nous continuons à dire: « Ces chrétiens-là ». L'exemple de Néhémie est profond: en reconnaissant que « *nous* avons péché », « *nous* avons agi de manière corrompue » et « *nous* sommes dans la détresse », il pouvait proclamer avec confiance: « Venez, *rebâtissons* » (Né 2:17, LSG, c'est *moi qui souligne*). Vous ne pouvez pas faire partie de la solution si vous ne vous considérez pas comme faisant partie du problème. Le vrai changement commence toujours par « nous ».

> **Vous ne pouvez pas faire partie de la solution si vous ne vous considérez pas comme faisant partie du problème. Le vrai changement commence toujours par « nous ».**

RACINES ROBUSTES, ARBRES STABLES

Néhémie savait qu'il était juif, fils de Hacalia, et il restait lié à ses racines. Il est resté connecté à ses frères, à sa langue, à ses coutumes, à sa terre et surtout à sa foi. Considérons successivement ces cinq aspects.

FORT COMME UNE FAMILLE

Premièrement, Néhémie restait connecté aux autres Juifs et les considérait comme des frères. Ainsi, lorsqu'il parlait de Hanani, il l'appelait « l'un de mes frères » (1:2; 7:2). Lorsqu'il parlait de ceux qui exerçaient des fonctions de leadership avec lui, Néhémie les appelait « mes frères » (Né 5:14). Lorsqu'il parlait des prêtres qui servaient avec le grand prêtre, ils étaient appelés « ses frères » (Né 3:1). Dans Néhémie 5:7, lorsque certains Juifs réclamèrent des intérêts à d'autres Juifs, il s'exaspéra et dit: « Vous prêtez à intérêt à vos frères ! » Il appelait les autres Juifs vendus à d'autres nations « nos frères juifs » (Né 5:8). Vous voyez, pour Néhémie, peu importe dans quelle partie du monde vivait un compatriote juif, quelle était la couleur de sa peau ou quelle langue il parlait, chaque Juif était son frère. Aujourd'hui encore, le peuple élu de Dieu porte en lui le sentiment que tous les autres Juifs du monde sont leurs frères.

Si vous allez en Israël aujourd'hui, vous entendrez parler différentes langues dans les rues. Selon la région dans laquelle vous vous trouvez, vous reconnaîtrez peut-être l'hébreu, l'arabe, le russe, le français, l'espagnol et le yiddish. Au total, plus de trente-cinq langues sont parlées en Israël. Pourquoi tant de langues? Chacune représente des groupes de Juifs nés dans différentes parties du monde. Pourtant, ils sont tous juifs. En raison de leur lignée, peu importe où ils sont nés, ils sont accueillis à bras ouverts et reçoivent la pleine citoyenneté dans le pays.

Un bon exemple de cette mentalité est l'entrée des Juifs éthiopiens en Israël dans les années 1990. Il y avait un groupe de Juifs qui vivaient en Éthiopie depuis longtemps. À la couleur de leur peau, on ne pouvait pas dire qu'ils n'étaient pas africains. Ils avaient les mêmes caractéristiques physiques que ceux d'Éthiopie. Cependant, ils prétendent qu'ils sont les descendants du roi Salomon et de la reine de Saba par l'intermédiaire de Ménélik Ier. Ils observent le sabbat, pratiquent la circoncision, organisent des services à la synagogue dirigés par les prêtres du village (kohanim) et suivent les lois alimentaires spécifiques du judaïsme.

Au cours des années 1980, au milieu de troubles politiques, une famine est apparue en Éthiopie. Le gouvernement israélien a organisé des opérations militaires – Opération Moïse (1984) et Opération Salomon (1991), transportant par avion plus de 22 000 d'entre eux depuis l'Éthiopie vers Israël, sans compter les multitudes venues par d'autres moyens, y compris à pied. Tous ceux qui ont été transportés par avion et les masses venues de différentes manières, y compris à pied, sont arrivés en Israël et on leur a offert la pleine citoyenneté, comme n'importe quel Juif né et élevé dans le pays.

Aujourd'hui, il y a plus de 160 000 Juifs éthiopiens en Israël. Certains d'entre eux occupent souvent des postes importants dans la société et au sein du gouvernement.[4]

- Pnina Tamano-Shata, par exemple, une politicienne israélienne d'origine éthiopienne, a été nommée ministre de l'Immigration et de l'Intégration en mai 2020.[5]

- Adisu Massala, ancien homme politique israélien du Parti travailliste et plus tard de One Nation, a été le premier Israélien éthiopien à siéger à la Knesset.[6]
- Shlomo Molla, homme politique israélien et ancien membre de la Knesset du parti Kadima, est également d'origine éthiopienne.[7]

Ces Juifs éthiopiens ne sont techniquement qu'à moitié juifs; ils ont une couleur de peau différente et leur ascendance en Israël remonte à 3 000 ans. Pourtant, ils sont accueillis, reçoivent la pleine citoyenneté et sont intégrés dans la société israélienne parce qu'ils sont considérés comme des frères et sœurs. Pour former des communautés chrétiennes solides, nous devons considérer ceux qui partagent notre ascendance, notre foi et notre humanité comme *une famille*. Comment fait-on cela?

Nous pouvons commencer par favoriser une meilleure compréhension entre les dénominations et les traditions au sein du christianisme. Nous pouvons nous tourner vers les Juifs éthiopiens pour voir comment des personnes d'histoires différentes, bien que techniquement distinctes, peuvent être considérées comme faisant partie d'une même famille. Nous avons la responsabilité de reconnaître nos croyances communes, notre héritage commun et notre objectif unifié dans les enseignements du Christ.

Lorsque nous reconnaissons que chaque personne a la même valeur aux yeux de Dieu, il devient plus facile de nouer des liens plus solides avec ceux qui partagent notre foi, indépendamment de toute autre différence qui pourrait menacer de nous diviser.

FORT GRÂCE À LA COMMUNICATION

Néhémie n'était pas seulement uni à ses *frères*, mais il restait également connecté à sa langue. Il ne parlait peut-être pas l'hébreu aussi couramment que la première génération de Juifs qui avaient quitté Israël et étaient nés dans le pays, mais il faisait de son mieux pour parler la langue.

Au début du livre, Néhémie écrit: « *La vingtième année du règne d'Artaxerxès, au mois de Kislev, je me trouvais dans la citadelle de Suse...* » (Né 1:1 BDS). Ce passage est intéressant car « Kislev » est juif, tandis que « Artaxerxès » est persan. Un érudit détermine que c'est « peut-être un indice quant à la mesure dans laquelle il s'était habitué à la culture persane tout en conservant son héritage juif. Le mois de Kislev (fin novembre et début décembre) marquait le début de l'hiver selon le calendrier juif. » Néhémie mélangeait les systèmes juif et persan de mesure de l'heure tout en parlant encore l'hébreu. Il refusait de se déconnecter de la langue de ses ancêtres. Il pouvait se montrer violemment intolérant envers quiconque avait abandonné l'hébreu.

Un jour, Néhémie rencontra plusieurs hommes qui avaient épousé des femmes d'Ashdod, d'Ammon et de Moab. Leurs enfants parlaient la langue d'Ashdod et non l'hébreu. Il a décrit l'altercation en disant: « *Je leur fis des réprimandes, et je les maudis; j'en frappai quelques-uns, je leur arrachai les cheveux, et je les fis jurer au nom de Dieu, en disant: Vous ne donnerez pas vos filles à leurs fils, et vous ne prendrez leurs filles ni pour vos fils ni pour vous.* » (Né 13:23-25, LSG). Néhémie tenait sa langue ethnique en haute estime et considérait le refus de la parler ou de l'enseigner comme une offense au peuple juif.

Néhémie n'était pas seulement attaché à la langue de son peuple, mais il lisait également les écrits de ce dernier. Néhémie était un lettré «imprégné de la littérature de l'Ancien Testament, en particulier de sa partie deutéronomiste». Il étudiait les Écritures, sinon il n'aurait pas pu utiliser l'Ancien Testament avec autant de largesse. Le livre de Néhémie contient plusieurs allusions au livre du Deutéronome: la prière de Néhémie au chapitre 1 qui fait écho au passage de Deutéronome 7:9; le peuple se rassemblant pour écouter la lecture de la Loi à haute voix au chapitre 8, qui reflète Deutéronome 31:10-13; Néhémie 9 est une longue prière de confession et de repentance qui s'inspire largement du Deutéronome, tandis que le renouvellement de l'alliance au chapitre 10 comprend un langage et des phrases faisant écho à l'accent mis par le Deutéronome sur le respect des commandements de Dieu et l'observation de ses statuts. Néhémie est resté connecté à la langue parlée et écrite de son peuple. Les communautés désireuses de rester connectées à leurs racines doivent maintenir un lien avec la langue et l'enseigner à leurs enfants.

La communauté cubaine a parfaitement réussi à le faire aux États-Unis. Les enfants peuvent parler anglais à l'école et avec des amis. Pourtant, à la maison, les parents communiquent en espagnol avec eux afin qu'ils puissent parler couramment la langue tout en préservant leur culture où qu'ils soient. La communauté haïtienne doit faire de même si nous voulons que la prochaine génération d'Haïtiens ne perde pas son identification à travers la langue créole. La langue de son appartenance ethnique est essentielle pour maintenir la pertinence et la croissance d'une culture; il en va de même pour les communautés religieuses.

En tant que chrétiens, nous utilisons certaines expressions et terminologies qui nous identifient en tant que croyants. L'Église primitive avait son propre jargon. Ils se saluaient avec l'expression « Maranatha », qui signifie *le Seigneur vient.* Quiconque voit passer des frères et sœurs chrétiens dans la rue saura qu'ils sont croyants à la manière dont ils se saluent. Les entreprises développent leur propre langage et embauchent des consultants en marketing pour s'assurer qu'elles sont connues par des expressions spécifiques. Les organisations parleront de « protection de la marque » pour s'assurer que chaque mot et symbole révèlent qui elles sont. Que dit votre « marque » personnelle de vous ? Qu'est-ce que vos commentaires et votre caractère révèlent à votre sujet?

En tant que chrétiens, nos paroles doivent rester fidèles à la foi que nous exprimons et aux valeurs que nous épousons. Lorsque nous parlons, nous voulons que les autres écoutent parce que quelque chose dans nos paroles révèle notre lien avec Christ et nos croyances. Nos paroles ne doivent pas contredire ce que nous croyons; nous devons rester fidèles à nous-mêmes et diffuser le message de l'amour de Dieu. Pour que les communautés conservent leur identité, chacune doit valoriser les éléments intrinsèques à sa culture, comme l'a fait Néhémie.

FORTIFIÉS PAR LES COUTUMES ET LES TRADITIONS

Lorsque le frère de Néhémie lui apporta la nouvelle que Jérusalem était désolée, il dit: « *Lorsque j'entendis ces choses, je m'assis et je pleurai...* » (Né 1:4, LSG). Warren Wiersbe, le grand commentateur biblique, écrit: « Inconsciemment, Néhémie imitait les captifs juifs en deuil qui avaient été exilés à Babylone des années auparavant (Ps. 137:1). L'auteur du Psaume 137, qui avait probablement vécu la captivité, décrit la douleur nostalgique des enfants d'Israël: « *Sur les bords des fleuves de Babylone, Nous étions assis et nous pleurions en nous souvenant de Sion* » (Ps 137:1, LSG). Il était d'usage pour les Sémites de s'asseoir lorsqu'ils pleuraient plutôt que de rester debout. Nous voyons cela à plusieurs reprises dans les Écritures.

Quand Agar pensait que son fils allait mourir de soif, « *elle s'assit donc vis-a-vis de lui, éleva la voix et pleura* » (Gn 21:16, LSG). Après leur défaite contre la tribu de Benjamin, la douleur des enfants d'Israël est ainsi exprimée par l'auteur du livre des Juges: « *Tous les enfants d'Israël et tout le peuple montèrent et vinrent à Béthel; ils pleurèrent et restèrent là devant l'Éternel, ils jeûnèrent en ce jour jusqu'au soir...* » (Jug 20:26, LSG). Chaque culture a des coutumes et des pratiques qui unissent ses habitants, son peuple.

Dans la communauté haïtienne, on boit de la soupe *joumou* (soupe au potiron) le 1er janvier, jour de l'Indépendance. Selon la tradition, le *joumou* était un mets délicat réservé aux maîtres d'esclaves; il était interdit aux esclaves de boire de cette soupe. Le 1er janvier de chaque année, nous buvons donc du *joumou* toute la journée pour célébrer notre indépendance. Boire cette soupe pour nous, c'est comme boire à la fontaine de la liberté.

En tant que chrétiens, nous devons honorer et célébrer les aspects positifs de notre culture tout en rejetant tout ce qui va à l'encontre des normes de Dieu. Rejeter certaines pratiques culturelles ou traditions qui entrent en conflit avec la Parole de Dieu ne signifie pas perdre son identité; c'est plutôt une opportunité d'affiner et de renforcer notre identité en Christ. Il n'y a rien de mal à ce qu'un croyant haïtien célèbre la Fête du drapeau haïtien le 18 mai, mais il y a quelque chose de profondément mauvais à participer à une cérémonie vaudou ce jour-là. Il n'est pas nécessaire de tout embrasser dans une culture pour en faire partie.

Dieu ne s'attend pas à ce que nous gardions des traditions qui vont à l'encontre de Sa Parole. Tout ce dont nous héritons de nos ancêtres n'est pas en soit mauvais mais tout n'est pas aussi bon à suivre.

> *« Sachant que ce n'est pas par des choses périssables, par de l'argent ou de l'or, que vous avez été rachetés de la vaine manière de vivre que vous avez héritée de vos pères, mais par le sang précieux de Christ, comme d'un agneau sans défaut et sans tache »*
>
> — 1 P 1:18-19 (LSG)

Nous avons besoin de discernement biblique pour savoir quelles pratiques culturelles conserver et lesquelles abandonner. La norme est la suivante: garder ce qui est conforme à la Parole de Dieu; rejeter ce qui ne l'est pas. L'abandon de certains traits culturels qui ne répondent pas à la norme de la Parole de Dieu ne diminue pas notre identité. Jésus-Christ nous donne l'exemple parfait de la manière dont nous devrions nous comporter vis-à-vis de la culture. Il a observé les traits de la culture juive qui étaient conformes à la Parole et a évité ceux qui s'y opposaient. Il a été élevé dans les coutumes juives. Il fut présenté au temple selon «ce qu'ordonnait la loi » (Luc 2:27). Chaque fois qu'on lui demandait d'enfreindre la loi de Dieu en faveur de ses coutumes juives, il refusait catégoriquement. Le critère doit être le même pour nous, croyants. Nous ne pouvons permettre à aucune tradition ou pratique de violer notre marque d'identification qui l'emporte sur toutes les autres: la sainteté en tant qu'enfants du Dieu Très-Haut.

Nous ne pouvons permettre à aucune tradition ou pratique de violer notre marque d'identification qui l'emporte sur toutes les autres: la sainteté en tant qu'enfants du Dieu Très-Haut

DES LIENS SOLIDES AVEC LA MÈRE PATRIE

Néhémie est resté en contact avec son peuple en gardant des liens solides avec son pays natal, une pratique beaucoup plus compliquée qu'elle n'y paraît. Un certain contexte géographique et historique pourrait vous aider à mieux apprécier les liens de Néhémie avec sa terre ancestrale.

Néhémie vivait dans la citadelle de Suse, tandis que les Juifs se trouvaient dans la ville de Jérusalem. Suse et Jérusalem étaient à 2414 km l'une de l'autre. Vous pouvez prendre votre 4x4 et parcourir la même distance, disons de Miami à La Tuque, au Québec, en 25 heures. À l'époque de Néhémie, il fallait trois mois. Le monde était donc bien différent.

De plus, Nebucadnetsar avait détruit le temple de Jérusalem 141 ans après l'émigration de la famille de Néhémie à Babylone, faisant de Néhémie un Perse de quatrième génération. Néanmoins, ni le temps ni la distance ne pouvaient diluer l'amour de Néhémie pour sa patrie et son peuple. Même si Néhémie était déconnecté de sa terre depuis 141 ans et plus de 2 400 km, il était toujours si attaché à sa terre ancestrale que lorsqu'il apprit que les murs étaient détruits et les portes brûlées par le feu, il tomba dans la dépression pendant quatre mois jusqu'au moment où le ciel lui parla et que le roi le remarqua.

Néhémie a dit: « *Lorsque j'entendis ces choses, je m'assis, je pleurai, et je fus plusieurs jours dans la désolation. Je jeûnai et je priai devant le Dieu des cieux* » (Né 1:4, LSG). Plus tard, lorsque Néhémie alla apporter du vin au roi, Artaxerxès lui demanda: «*Pourquoi as-tu mauvais visage? Tu n'es pourtant pas malade; ce ne peut être qu'un chagrin de cœur. Je fus saisi d'une grande crainte, et je répondis au roi: Que le roi vive éternellement! Comment n'aurais-je pas mauvais visage, lorsque la ville où sont les sépulcres de mes pères est détruite et que ses portes sont consumées par le feu?*» (Né 2:2-3, LSG). Veuillez noter que Néhémie n'a pas dit: «le lieu où je suis né est en ruine». Il a dit: « la ville où sont les sépulcres de mes pères... », ce qui signifie que Jérusalem n'était pas un endroit où il avait l'habitude de vivre; la ville était une terre à laquelle il était lié par l'intermédiaire de son père. L'identité se transmet par la lignée. Les communautés qui souhaitent

29

conserver leur identité doivent apprendre à leurs enfants à valoriser leur patrie.

Au moment où nous implantions notre première église à Port-au-Prince, en Haïti, ma femme et mes fils ont vécu en Haïti pendant deux ans. Ce fut l'une des expériences les plus marquantes de leur vie. Cela leur a donné une autre vision de qui ils étaient. À leur retour, ils étaient changés pour toujours. Il y a quelque chose dans le fait d'être connecté à son pays natal qui vous donne le pouvoir d'atteindre la grandeur. Les juifs orthodoxes encouragent leurs enfants à aller à Jérusalem après le secondaire et à servir pendant deux ans dans l'armée. Et vous? Comment gardez-vous vos enfants connectés à votre pays d'origine ?

Peut-être pourriez-vous organiser un voyage en famille dans votre pays natal et montrer à vos enfants d'où vous venez ou d'où viennent vos parents ou grands-parents. S'il s'agit d'un endroit modeste, n'en ayez pas honte. Au contraire, soyez fier de laisser un héritage de persévérance et de courage aux générations futures. On ne saurait trop insister sur l'importance de savoir d'où l'on vient pour savoir où l'on va.

LE DESTIN À TRAVERS LA DÉCOUVERTE

Néhémie a été élevé en Perse, ce qui lui a conféré de nombreux avantages, notamment la capacité de communiquer dans plusieurs régions différentes. La langue officielle de la Perse était l'araméen. Quiconque souhaitait mener des affaires officielles ou partager avec d'autres devait parler cette langue.

De plus, de nombreux ouvrages intellectuels produits par les Juifs pendant l'exil étaient écrits en araméen, comme le Livre de Daniel et les Targums babyloniens, qui étaient des interprétations/commentaires de l'Ancien Testament. Le fait que Néhémie parlait l'araméen lui a donné accès à ces œuvres littéraires, lui permettant de mieux comprendre les besoins de son peuple vivant dans la diaspora perse.

À l'époque de Néhémie, l'hébreu n'était parlé que par un groupe minoritaire. S'il avait seulement parlé cette langue, il n'aurait jamais été capable de coordonner toutes les ressources dont il avait besoin dans tout l'empire perse pour reconstruire le mur.

Certaines communautés parlent des langues peu connues dans le monde. Je parle le créole haïtien, qui est une belle langue. Cependant, il n'est parlé que par les Haïtiens. Les communautés ethniques doivent conserver leur langue maternelle et apprendre la langue du pays d'accueil pour les connecter au monde dans lequel elles vivent. Après tout, « ipsa scientia potestas est » – *La connaissance c'est le pouvoir.*

LA CONNAISSANCE, C'EST LE POUVOIR!

Le roi Darius le Grand (550 – 486 av. J.-C.) a institué l'enseignement des sciences pratiques et théoriques dans les écoles perses. Les Perses, à l'époque de Néhémie, étaient très avancés sur le plan scientifique, ainsi que dans les domaines des mathématiques, de la philosophie et de la littérature. Quand est venu le temps de reconstruire le mur de Jérusalem, le haut niveau d'éducation et l'esprit critique de Néhémie lui ont permis de faire des calculs précis, de communiquer efficacement, et cela lui a valu le respect de son entourage.[8]

L'Empire perse était très développé et le plus grand que le monde n'ait jamais connu, couvrant une superficie de 5,5 millions de kilomètres carrés depuis les Balkans et l'Égypte à l'ouest jusqu'à l'Asie centrale et la vallée de l'Indus à l'est. Comme le note un auteur: « À l'ère moderne, l'Empire achéménide est reconnu pour avoir imposé un modèle efficace d'administration centralisée et bureaucratique, pour sa politique multiculturelle, pour la construction d'infrastructures complexes, telles que des réseaux routiers et un système postal organisé, pour l'utilisation de langues officielles sur l'ensemble de son territoire et pour le développement de services civils, y compris la possession d'une armée nombreuse et professionnelle. Ses progrès ont inspiré la mise en œuvre de styles de gouvernance similaires par divers empires ultérieurs ».[9]

Lorsque nous avons le privilège d'être exposés à la grandeur, nous devons reproduire cette connaissance. Les communautés qui veulent aller de l'avant doivent offrir à leurs enfants la meilleure éducation qu'elles peuvent se permettre, y compris une compréhension et une appréciation de la beauté et de la distinction du monde qui les entoure.

Nous avons examiné comment le fait d'avoir grandi en Perse a donné à Néhémie certains avantages pour le préparer à atteindre son objectif. Pourtant, ces privilèges ne le rendirent pas mémorable en Perse. Tout le monde en Perse bénéficiait des mêmes avantages. Ce qui a en effet fait sortir Néhémie du lot, c'est qu'il a continué à s'identifier à son ascendance juive, ce qui lui a donné une motivation et un aperçu de la meilleure façon d'aider son peuple.

LE DESTIN À TRAVERS LA CONCEPTION

Néhémie portait dans son esprit quelque chose que les autres Perses ne portaient pas. Parce qu'il était également juif, il ressentait un fardeau envers Juda. Il était porteur d'un destin parce qu'il était conscient de son origine et qu'il y était attaché. Beaucoup étaient conscients du sort de Jérusalem, mais ne s'en souciaient pas ou n'étaient pas assez émus pour agir. Lorsque Néhémie a entendu parler de la situation critique de son peuple, son sens de l'identité lui a conféré un fardeau, un but et un avantage distinctif, ce qui le rendit particulièrement qualifié.

Néhémie a maintenu son identité ethnique et s'est interrogé sur le bien-être des Juifs au fil des années, ce qui l'a aidé à communiquer et à se connecter immédiatement avec ses frères. Lorsqu'il est arrivé dans le pays de ses ancêtres, il a simplement dit: «Construisons» (Né 2:17) – une connexion instantanée s'est produite. S'il s'agissait de quelqu'un d'autre, d'un autre Juif qui avait abandonné ses racines, les gens ne lui auraient peut-être pas fait confiance. De plus, si Néhémie ne parlait pas l'hébreu, il aurait été confronté à une barrière linguistique qui aurait certainement rendu beaucoup plus difficile l'exécution des travaux au moment de construire. Néanmoins Néhémie est resté connecté à son peuple et à sa langue, ce qui lui a permis d'accéder à une communauté et de lever une armée d'ouvriers rapidement et facilement. Le mur devait être reconstruit, alors le Seigneur désigna un Juif qui embrasserait ses racines et naîtrait dans le grand empire de Perse, où il pourrait être éduqué et équipé pour cette tâche.

LE BÂTISSEUR DE LA VILLE

Néhémie est né en Perse, parlait l'araméen comme tous les autres Perses, allait à l'école comme tous les autres Perses et aimait les arts comme tous les autres Perses. Mais s'il n'avait été que cela, il aurait été un homme ordinaire perdu parmi la multitude des Perses. Néhémie a passé sa vie en Perse, mais il n'était pas connu pour ce qu'il avait fait pour les Perses mais pour ce qu'il avait fait pour les Juifs.

On ne se souvient pas de Néhémie comme d'un échanson en Perse, mais comme d'un bâtisseur de villes en Juda (Né 6:5). Si Néhémie avait renié son héritage, nous n'aurions jamais entendu parler de lui aujourd'hui. Sa grandeur était cachée dans ses racines. Votre origine est le tremplin vers votre destin. Votre avenir est voilé dans votre passé; votre grandeur est cachée dans votre ascendance.

CHAPITRE 3

IDENTITÉ SPIRITUELLE

POUR AVOIR CONFIANCE EN CE QUE nous pouvons accomplir, nous devons savoir qui nous sommes; pour commencer à découvrir cette connaissance précieuse, nous devons connaître Dieu, à l'image duquel nous avons été créés.

> « *Puis Dieu dit: Faisons l'homme à notre image, selon notre ressemblance, et qu'il domine sur les poissons de la mer, sur les oiseaux du ciel, sur le bétail, sur toute la terre, et sur tous les reptiles qui rampent sur la terre.* »
>
> Gn 1:26 (LSG)

CONNAÎTRE LE PÈRE

Après avoir créé la terre et tout ce qui l'habiterait, Dieu a créé l'homme à son image. Il est notre Père, et connaître le Père, c'est se connaître soi-même.

> **Connaître le Père, c'est se connaître soi-même.**

Le Père est puissant

Dans l'Antiquité, les dieux étaient considérés comme des entités locales. Leur autorité ne s'étendait donc pas au-delà des frontières du territoire où ils étaient vénérés. Les Philistins avaient Dagon, et son pouvoir était confiné à l'intérieur des frontières de la Philistie (1 Samuel 5). Assur était le dieu des Assyriens et son autorité s'étendait jusqu'aux frontières de l'Assyrie (2R 19:37). Kemoch était le dieu des Moabites. Son influence se limitait aux frontières de Moab (1 Rois 11:7). Lorsqu'ils priaient leurs dieux, ils se référaient à eux par leur nom et la région qu'ils dominaient. À chaque salutation, sans s'en rendre compte, ils affirmaient que leur dieu avait des limites. Néhémie priait différemment.

Lorsque Néhémie priait, il ne s'adressait pas à Dieu en disant « le Dieu de Juda » ou « le Dieu d'Israël ». Il disait plutôt « Seigneur, Dieu des cieux » (Né 1:5). En s'adressant à Dieu comme au Dieu des cieux, Néhémie soulignait que le pouvoir et l'autorité de Dieu n'étaient pas limités à des frontières régionales. Le Dieu de Néhémie - notre Dieu - règne sur le monde et sur l'immensité de l'univers. Néhémie a compris la toute-puissance de Yahvé et n'a pas eu à s'inquiéter de la capacité d'action du Seigneur ou de la sienne.

Néhémie n'était pas préoccupé par le fait qu'il était un fils d'immigrés élevé dans un pays étranger, car il avait confiance en la souveraineté de Dieu sur tous les pays, y compris la Perse. Il savait qu'il servait un Dieu puissant, capable d'influencer le cœur du roi perse pour qu'il accède à sa demande, même si son père avait adoré Dieu en Israël.

Dieu influencera également le cœur des rois en votre faveur. Si vous ne vous sentez pas dans votre élément, rappelez-vous que votre Père est le Seigneur du ciel et de la terre. Il n'y a aucune limite pour Lui.

Pour que la diaspora chrétienne ait un impact sur ses différentes communautés à travers le monde, il faut qu'elle croie en la puissance du Dieu qu'elle sert. Partout où il y a un Dieu dans le monde, il reste le même. Le ciel n'est pas divisé par la race, l'ethnie ou le statut socio-économique. Le même Dieu règne sur tous, et les chrétiens doivent croire qu'il a le pouvoir de changer les choses dans leurs communautés et leurs nations. Lorsque le Seigneur vous envoie vers votre objectif, soyez sûrs qu'il est celui qui pourvoira à sa réalisation, comme il l'a fait lorsque nous avons fondé notre église.

Il y a de nombreuses années, le Seigneur nous a conduits à fonder une église dans la communauté haïtienne en Floride. Un ami pasteur nous avait alors conseillé de chercher du soutien auprès d'une organisation blanche parce que, selon lui: « les Haïtiens ne contribuent pas ». J'ai été déconcerté. Je lui ai répondu que je crois au Dieu de toutes les races et que nous ne chercherions pas d'aide extérieure. Par la grâce de Dieu, nous avons pu construire un ministère prospère au sein de notre communauté, sans aucune aide extérieure. De plus, nous avons pu aider de nombreuses organisations au fil des ans, y compris des organisations caucasiennes. Je ne divulgue pas cela par orgueil, mais seulement pour vanter les mérites du pouvoir inébranlable et de la fidélité du Dieu d'amour que nous servons.

LE PÈRE EST AIMANT

Dans sa prière, Néhémie fait appel à l'amour de Dieu en disant: « *O Éternel, Dieu des cieux, Dieu grand et redoutable, toi qui gardes ton alliance et qui fais miséricorde à ceux qui t'aiment et qui observent tes commandements!* » (Né 1:5, LSG) Le mot hébreu pour « amou » dans ce passage est « hesed ». Des études approfondies ont été menées pour comprendre ce que ce mot représente vraiment. Pourtant, chacun a découvert que les contraintes du langage ne sont pas à la hauteur du concept de l'amour de Dieu pour nous. Cela dépasse l'entendement humain, mais nous allons essayer.

UN AMOUR ACTIF

La version de Webster de la prière de Néhémie traduit *hesed* par amour bienveillant ou bonté, qui dénote un amour activement exprimé. Le Psalmiste a utilisé le même mot dans Ps 17:7, (LSG):

> « *Signale ta bonté, toi qui sauves ceux qui cherchent un refuge, Et qui par ta droite les délivres de leurs adversaires!* »

Hesed apparaît environ 250 fois dans l'Ancien Testament. Plus de la moitié d'entre eux se trouvent dans le livre des Psaumes. Cela apparaît d'abord dans Genèse 19:19 et enfin dans Zacharie 7:9. [10]

Lorsque Néhémie fit appel à la bonté de Dieu, il lui demanda de manifester son amour comme il l'avait fait à l'époque de Moïse.

Lorsque Moïse rencontra Dieu sur le mont Sinaï, la description que Dieu fit de lui-même comportait la caractéristique « hesed ».

> « Et l'Éternel passa devant lui, et s'écria: L'Éternel, l'Éternel, Dieu miséricordieux et compatissant, lent à la colère, riche en bonté et en fidélité, qui conserve son amour jusqu'à mille générations, qui pardonne l'iniquité, la rébellion et le péché, mais qui ne tient point le coupable pour innocent, et qui punit l'iniquité des pères sur les enfants et sur les enfants des enfants jusqu'à la troisième et à la quatrième génération! »
>
> (Exod 346-7, LSG)

Hesed incarne une émotion, il est lié au salut, il lie les gens à Dieu par des alliances, il agit comme une force active dans nos vies, et il ne s'éteindra jamais.

UN AMOUR INÉBRANLABLE

Il existe de profondes distinctions entre l'amour de Dieu et l'amour humain. Le premier est illimité, motivé par la grâce et immuable. Le second est sélectif, intéressé et varie en fonction des sentiments et des circonstances, s'estompant souvent avec le temps. L'humanité peut être inconstante et motivée par des désirs ou des intérêts égoïstes. Nombreux sont ceux qui abordent leur relation avec Dieu en s'attendant au même flux et reflux imprévisible des émotions. Comme nous le montre hesed, l'amour du Seigneur n'est pas une simple émotion. Regardez la version anglaise NIV de Néhémie 1:5:

> « O Éternel, Dieu des cieux, Dieu grand et redoutable, toi qui gardes ton alliance d'amour à ceux qui t'aiment et qui observent tes commandements! »
>
> (Né 1:5, NIV)

En faisant appel à l'amour inébranlable de Dieu, Néhémie reconnaît qu'il peut toujours compter sur l'amour de Dieu, qui n'est pas sujet à des sautes d'humeur. L'amour inébranlable de Dieu est si sûr qu'il dit: « Quand les montagnes s'éloigneraient, Quand les collines chancelleraient, Mon amour ne s'éloignera point de toi, Et mon alliance de paix ne chancellera point, Dit l'Éternel, qui a compassion de toi. » (Es 54:10, LSG). Néhémie a fait appel à cet amour parce qu'il savait qu'il s'agissait d'une ancre sûre qui ne vacillerait pas et ne changerait pas. Il est lié à hesed par l'alliance.

UN AMOUR D'ALLIANCE

Néhémie était sûr et confiant dans le caractère et la fiabilité du Seigneur, sachant qu'il « respecterait son alliance d'amour [encore une fois, hesed] ». Une alliance établit une relation; le mariage est considéré comme une alliance entre un homme, une femme et Dieu. Une femme immorale qui abandonne le compagnon de sa jeunesse est considérée comme ayant oublié « l'alliance de son Dieu » (Prov. 2:16). On dit des hommes qui tournent le dos à leur mariage, qu'ils ont abandonné « la compagne de leur jeunesse » (Malachie 2:14). L'amour d'alliance n'est pas basé sur des sentiments, mais sur le fait qu'un lien éternel ait été établi.

Lorsque Israël a conclu une alliance avec Dieu au Mont Sinaï, la nation entière est devenue servante de Dieu. Cette alliance a cimenté une relation spéciale entre eux et le Seigneur. Néhémie se sentit en confiance pour demander à Dieu d'intervenir en faveur de son peuple, convaincu que l'amour de Dieu pour eux le pousserait à agir et sachant que Dieu honorerait son engagement dans cette relation.

> « *Que ton oreille soit attentive et que tes yeux soient ouverts:*
> *écoute la prière que ton serviteur t'adresse en ce moment,*
> *jour et nuit, pour tes serviteurs les enfants d'Israël, en*
> *confessant les péchés des enfants d'Israël, nos péchés contre*
> *toi; car moi et la maison de mon père, nous avons péché.* »
> (Né 1:6 , LSG)

Néhémie savait que Dieu avait des oreilles pour entendre et des yeux pour voir parce qu'il n'était pas aveugle à la douleur des Israélites en Égypte. Lorsque les enfants d'Israël souffrirent, Dieu se montra à

Moïse et dit: « J'ai entendu le cri de mes enfants, et je suis descendu pour les délivrer » (Ex 3:7-12).

Si l'amour de Dieu ne repose pas uniquement sur des émotions, il n'en est pas non plus dépourvu. La Bible dit: « *Comme un père a compassion de ses enfants, L'Éternel a compassion de ceux qui le craignent..* » (Ps 103:13, LSG).

Néhémie savait que ses cris seraient entendus parce qu'il connaissait le hesed de Dieu sous ses nombreuses formes et attributs. Dieu s'est soucié des gens qui étaient en difficulté à Juda. Il s'est soucié du fait que les murs étaient détruits, laissant le peuple dans l'insécurité. Il se souciait de l'absence de commerce qui contraignait le peuple à vivre dans la pauvreté. Dieu se souciait du fait qu'Israël était un objet d'opprobre aux yeux des nations et qu'il vivait dans une honte constante. Cela comptait pour Dieu à l'époque, et cela compte pour lui aujourd'hui. Ne devrait-il pas en être de même pour nous?

Pour transformer nos communautés, nous devons être convaincus que Dieu se soucie et désire montrer sa bonté envers nos voisins à travers nous. Nous sommes les mains tendues de sa bonté envers ceux qui ne peuvent pas payer leur loyer, nourrir leur famille ou se payer des médicaments lorsqu'ils sont malades. Il prouve son amour constant et inébranlable par notre constance et notre volonté de nous lier d'amitié avec un enfant qui grandit sans la présence d'un parent. Il se soucie des mariages qui s'effondrent et souhaite que nous les soutenions sans porter de jugement. Tout ce qui fait partie du caractère de Dieu est aussi dans notre ADN - sa puissance, son amour et sa fidélité.

> **Tout ce qui fait partie du caractère de Dieu est aussi dans notre ADN**

LE PÈRE EST FIDÈLE

Néhémie fit appel au Dieu qui se souciait suffisamment de lui pour le pousser à agir et qui avait la puissance et le pouvoir d'accomplir tout ce qu'il entreprenait. Néhémie savait également que Dieu était fidèle à sa parole.

« Souviens-toi de cette parole que tu donnas ordre à Moïse, ton serviteur, de prononcer. Lorsque vous pécherez, je vous disperserai parmi les peuples; mais si vous revenez à moi, et si vous observez mes commandements et les mettez en pratique, alors, quand vous seriez exilés à l'extrémité du ciel, de là je vous rassemblerai et je vous ramènerai dans le lieu que j'ai choisi pour y faire résider mon nom. »

(Né 1:8-9, LSG)

Pourquoi Néhémie rappelle-t-il à Dieu sa promesse? Bien que cela puisse paraître audacieux, s'appuyer sur la Parole de Dieu pour déclarer ce qui doit se passer par la suite est l'acte de foi ultime pour Néhémie et pour nous. En tant que père de deux enfants, je peux comprendre cette motivation.

> **S'appuyer sur la Parole de Dieu pour déclarer ce qui doit se passer par la suite est l'acte de foi ultime**

Tout parent peut vous dire que si vous faites une promesse à vos enfants, ils vous rappelleront vos paroles. Pourquoi? Parce qu'ils se sont accrochés à votre promesse; c'est ce qui les a motivés à accomplir leurs tâches ou à s'efforcer d'obéir à vos instructions. Je crois qu'il en va de même pour nous lorsque nous prions, ainsi que pour Néhémie. Parce que Dieu est fidèle, le respect de sa parole est une priorité absolue. La Parole de Dieu dit: *« Car ta renommée s'est accrue par l'accomplissement de tes promesses »* (Ps 138:2, LSG). Le mot « renommée » ici se « réfère à la réputation du caractère de Dieu »[11] . S'il y a une caractéristique que Dieu apprécie plus que toutes les autres, c'est la fidélité à sa Parole. On peut compter sur Dieu pour accomplir la promesse qu'il a faite. Il n'a pas d'autre choix que de le faire. C'est sa nature; cela devrait donc être aussi la nôtre.

SE CONNAÎTRE SOI-MÊME

Dieu a créé en nous des motivations, des passions, des plaisirs et des raisonnements qui reflètent les siens. Pour développer ces attributs, nous devons vivre en étroite collaboration avec notre Père. Néhémie était un fervent disciple de Dieu, et sa foi transparaissait dans sa vie de prière et ses prises de décision. Lorsque Néhémie a prié pour la délivrance de son peuple, il savait que Dieu était puissant, donc qu'il pouvait le faire; que Dieu était bienveillant, donc qu'il voulait le faire; et que le Seigneur était fidèle, donc qu'il allait le faire. La connaissance de Dieu qu'avait Néhémie et sa relation personnelle avec le Seigneur lui ont servi de référence pour s'atteler à la tâche monumentale de la construction de la muraille. Néhémie savait qu'il était lié à Dieu. Et qu'il était lié à Dieu par une alliance.

LIÉS PAR ALLIANCE

Une alliance est un accord formel entre deux entités où les deux parties s'engagent à faire des promesses et à travailler ensemble pour atteindre un objectif commun. Laban a dit à Jacob:

« *Viens, faisons alliance, moi et toi, et que cela serve de témoignage entre moi et toi!* ». (Gn 31:44, LSG). Les signataires d'une alliance ne sont plus libres d'agir comme ils l'entendent. Ils doivent respecter les termes convenus dans le pacte.

L'alliance de Dieu est un engagement d'amour éternel qui supplante les contrats commerciaux ou les traités entre nations. La Bible définit clairement ce qu'implique cet amour, et toutes les promesses de Dieu sont des démonstrations de son engagement envers nous.

Une alliance est comme une entrave attachée aux pieds, qui empêche tout mouvement en dehors de celui qui est attaché à l'autre extrémité. Néhémie comprenait les alliances grâce à ses relations d'affaires avec de simples mortels. Il a fait confiance à l'accord de Dieu avec Israël parce qu'il a compris la fidélité du Seigneur à sa parole. Comme un berger compte et sépare ses brebis, le Seigneur a promis à Israël: « *Je vous ferai passer sous la verge, et je vous mettrai dans les liens de l'alliance.* » (Ez 20:37, LSG). Dans la Bible, Dieu conclut plusieurs alliances avec les humains pour sauver son monde et rétablir l'humanité dans sa vocation divine.

RESTAURÉS PAR ALLIANCE

Tout au long de l'Ancien Testament, ces partenariats font avancer le récit jusqu'à ce qu'il atteigne son point culminant en Jésus. Raconter l'histoire de la rédemption de l'humanité par Dieu à travers Jésus signifie raconter toute l'histoire de la relation de Dieu avec les humains sur la base de ses engagements dans son alliance.

L'ALLIANCE ABRAHAMIQUE

Lorsque Dieu appela Abram (appelé plus tard Abraham) hors de Mésopotamie pour s'installer en Canaan, Son intention ultime était de bénir le monde entier à travers lui. Ainsi, le Seigneur lui dit: «Je bénirai ceux qui te béniront, et je maudirai ceux qui te maudiront; et toutes les familles de la terre seront bénies en toi. Je bénirai ceux qui te béniront, et je maudirai ceux qui te maudiront; et toutes les familles de la terre seront bénies en toi. » (Gn 12:3, LSG). Dieu a scellé ces paroles près de vingt-cinq ans plus tard par une alliance et un changement de nom.

Le Seigneur a stipulé les termes de la promesse faite à Abraham. Il a dit: « *C'est ici mon alliance, que vous garderez entre moi et vous, et ta postérité après toi: tout mâle parmi vous sera circoncis.* » (Gn 17:10, LSG). Tout comme la promesse faite par Dieu à Noé après le retrait des eaux du déluge, l'Alliance abrahamique marque un nouveau départ et un retour à la bénédiction originelle de Dieu.

L'ALLIANCE MOSAÏQUE

L'alliance de Dieu avec Moïse était la quatrième alliance conclue par Yahweh, celle formée dans le jardin d'Eden étant la première. Contrairement aux alliances précédentes, l'Alliance mosaïque était un accord plus complet et plus complexe avec des règles, des cérémonies et un tabernacle, ce qui permettait aux humains de s'approcher de Yahweh. «Contrairement aux autres alliances, l'alliance mosaïque, bien qu'elle contienne des dispositions relatives à la grâce et au pardon, repose néanmoins sur l'idée que l'obéissance à Dieu est nécessaire pour obtenir la bénédiction. Bien que cela soit vrai dans une certaine mesure dans toutes les dispensations, l'alliance mosaïque était fondamentalement une alliance par les œuvres plutôt qu'une alliance par la grâce. Le principe des œuvres, cependant, se limitait à la question de la bénédiction dans cette vie et n'avait aucun rapport avec la question du salut pour l'éternité. »[12]

L'alliance est devenue effective pour le peuple d'Israël, lorsque Moïse l'a convoquée sur le Mont Sinaï et lui a lu le livre de l'alliance. Le peuple répondit qu'il obéirait, après avoir entendu les lois d'Israël: « *Il prit le livre de l'alliance, et le lut en présence du peuple; ils dirent: <u>Nous ferons tout ce que l'Éternel a dit, et nous obéirons</u>.* » (Ex 24:7, LSG) *Moïse prit le sang, et il le répandit sur le peuple, en disant: Voici le sang de l'alliance que l'Éternel a faite avec vous selon toutes ces paroles.* (Ex 24:8, LSG) L'alliance de Dieu avec la nation d'Israël est devenue effective par l'intermédiaire de Moïse. Cependant, elle n'avait pas encore été activée pour les païens. Ce n'est que par Jésus-Christ que l'alliance de Dieu s'appliquerait aux païens. Le Seigneur a parlé de la venue de Jésus-Christ par l'intermédiaire du prophète Ésaïe, 800 ans avant sa naissance.

> « *Voici mon serviteur, que je soutiendrai, Mon élu, en qui mon âme prend plaisir. J'ai mis mon esprit sur lui; Il annoncera la justice aux nations.* »
>
> (Es 42:1, LSG)

Ésaïe annonce l'évènement du baptême du Christ dans l'Esprit, rapporté plus tard par l'évangéliste Mt.

> « *Dès que Jésus eut été baptisé, il sortit de l'eau. Et voici, les cieux s'ouvrirent, et il vit l'Esprit de Dieu descendre comme une colombe et venir sur lui.* »
>
> (Mt 3:16, LSG)

Les Évangiles synoptiques font chacun allusion au verset d'Ésaïe dans leurs récits du baptême de Jésus, lorsque le Saint-Esprit descend comme une colombe sur Jésus et qu'une «voix des cieux» l'acclame comme «Mon *Fils bien-aimé, en qui j'ai mis toute mon affection.*» (Mt 3:17; Marc 1:11; Luc 3:22).

Continuant à parler à Ésaïe, le Seigneur poursuit: « *Moi, l'Éternel, je t'ai appelé pour le salut, Et je te prendrai par la main, Je te garderai, et je t'établirai pour traiter alliance avec le peuple, Pour être la lumière des nations.* » (Es 42:6, LSG). C'est une excellente nouvelle pour les païens qui n'ont pas d'alliance avec Dieu. De la même manière qu'Israël avait une alliance avec Dieu par l'intermédiaire de Moïse, nous sommes également dans une relation d'alliance avec le Seigneur par le sang de son Fils.

Lorsque le Seigneur Jésus a célébré la communion, il a dit à ses disciples: « Et il leur dit: Ceci est mon sang, le sang de l'alliance, qui est répandu pour plusieurs. » (Marc 14:24, LSG). L'alliance juive était destinée à tous les Juifs, et la nouvelle alliance fut destinée à tous les païens, mais tout le monde n'en bénéficiera pas. Paul a écrit à l'Église de Rome: « *Car tous ceux qui descendent d'Israël ne sont pas Israël.* » (Rm 9:6, LSG).

Au sein de chaque nation ethnique, il existe une nation spirituelle appelée l'Église. C'est avec l'Église que Dieu a une alliance dans chaque nation. Le Seigneur s'est adressé à l'Église en disant: « *Vous, au contraire, vous êtes une race élue, un sacerdoce royal, une nation sainte, un peuple acquis, afin que vous annonciez les vertus de celui qui vous a appelés des ténèbres à son admirable lumière.* » (1 P 2:9, LSG). Par le sacrifice de Jésus-Christ et par l'intermédiaire de l'Église, l'alliance de Dieu avec Abraham est étendue aux nations. Tout comme Néhémie a pu invoquer l'alliance de Dieu au nom de sa nation, et que Dieu n'a eu d'autre choix que de répondre, les croyants du monde entier peuvent invoquer l'alliance de Dieu pour leurs nations respectives, et Il répondra.

En tant que croyants, nous avons le privilège d'intercéder pour nos peuples et d'invoquer les promesses de l'alliance de Dieu pour leur rédemption et leur restauration. Nous pouvons prier et croire en la manifestation des bénédictions de Dieu sur nos nations, sachant qu'il est fidèle à sa parole.

SACHEZ QUI VOUS ÊTES

Néhémie était un fidèle serviteur de Dieu qui se considérait comme tel, et c'est donc à partir de cette position qu'il a prié:

> « *Que ton oreille soit attentive et que tes yeux soient ouverts: écoute la prière que ton serviteur t'adresse en ce moment, jour et nuit, pour tes serviteurs les enfants d'Israël, en confessant les péchés des enfants d'Israël, nos péchés contre toi; car moi et la maison de mon père, nous avons péché.* »
> (Né 1:6, LSG)

Les serviteurs de Dieu font partie de sa maison et travaillent pour le servir. La nation d'Israël était un exemple de ce type de servitude; Moïse était un serviteur fidèle dans la maison de Dieu. Mais ceux qui suivent le Christ reçoivent une grâce plus extraordinaire.

Nous sommes appelés ses fils et ses filles. Un serviteur travaille pour son maître, tandis qu'un fils ou une fille peut hériter avec le Christ s'il est une progéniture loyale. L'apôtre Paul écrit: « *Ainsi tu n'es plus esclave, mais fils; et si tu es fils, tu es aussi héritier par la grâce de Dieu.* » (Ga 4:7, LSG). Vous et moi, en tant que fils et filles de Dieu, avons la nature divine de notre Père céleste.

> « *... Comme sa divine puissance nous a donné tout ce qui contribue à la vie et à la piété, au moyen de la connaissance de celui qui nous a appelés par sa propre gloire et par sa vertu, lesquelles nous assurent de sa part les plus grandes et les plus précieuses promesses, afin que par elles vous deveniez participants de la nature divine ...* »
> (2 Pierre 1:3-4, LSG)

Nous partageons l'ADN de Dieu. Tout comme notre ADN physique détermine nos traits physiques, notre ADN spirituel détermine nos traits spirituels. Amour, patience, compassion, bonté, compréhension, puissance, sainteté: tous les beaux attributs de notre Père sont dans nos gènes.

Vous êtes un fils ou une fille du Dieu Très-Haut, tout comme moi, et nous portons son image. L'apôtre Jean déclare: « *Vous, petits enfants, vous êtes de Dieu, et vous les avez vaincus, parce que celui qui est en vous est plus grand que celui qui est dans le monde.* » (1 Jean 4:4, LSG). Nous pouvons affronter n'importe quel géant grâce à la présence de Dieu en nous.

> **Nous pouvons affronter n'importe quel géant grâce à la présence de Dieu en nous.**

SACHEZ DE QUOI VOUS ÊTES CAPABLE

Lorsque nous comprenons et acceptons que nous sommes des enfants de Dieu, nous sentons notre valeur augmenter, car qui a-t-il de plus précieux qu'un véritable enfant du Tout-Puissant ? Si nous nous considérons tel que Dieu nous considère, la honte et le sentiment d'insécurité ne peuvent plus nous hanter, car nous reconnaissons notre valeur divine et, comme Néhémie, nous devenons capables de dépasser nos limites.

SUCCÈS

Néhémie connaissait le Dieu qu'il servait, il savait qu'il réussirait dans ses entreprises et il savait exactement d'où venait sa force, même lorsqu'il était l'échanson du roi Artaxerxès.

> « *Ah! Seigneur, que ton oreille soit attentive à la prière de ton serviteur, et à la prière de tes serviteurs qui veulent craindre ton nom! Donne aujourd'hui du succès à ton serviteur, et fais-lui trouver grâce devant cet homme! J'étais alors échanson du roi.* »
>
> (Né 1:11, LSG)

La muraille de Jérusalem était détruite depuis 141 ans, et aucune tentative de reconstruction n'avait été couronnée de succès. Néhémie avait une responsabilité à l'égard de son peuple, mais il ne travaillait pas dans un domaine qui lui était utile. Néhémie était échanson son travail consistait à boire le vin du roi et d'autres boissons pour s'assurer que celles-ci n'étaient pas empoisonnées. Pourtant, Néhémie croyait qu'avec Dieu, l'impossible pouvait se produire. Les croyants qui construiront leurs communautés doivent croire que l'impossible est possible.

Lorsque je m'adresse à mes collaborateurs, je leur dis souvent de supprimer le mot « impossible » de leur vocabulaire. L'impossibilité n'existe que dans l'esprit de l'homme, et tout ce qui est possible aujourd'hui a semblé impossible à un moment donné de l'histoire de l'humanité.

Il fut un temps où il m'aurait été impossible de voir aussi clairement qu'en plein jour à 1 heure du matin. Mais en 1879, l'invention de l'ampoule électrique par Thomas Edison a rendu cela possible. Il aurait été inimaginable de s'envoler d'une ville à l'autre jusqu'à ce que les frères Wright réussissent à faire voler leur avion en 1903. Nous avons aujourd'hui accès à l'information en quelques secondes parce qu'en 1969, un groupe de scientifiques a fondé ARPANET, aujourd'hui connu sous le nom d'Internet. Ces choses et tant d'autres « impossibles » sont aujourd'hui banales parce que quelqu'un a eu une idée et n'a vu aucune raison de ne pas la réaliser. Toutes ces personnes n'avaient pas le doute qui empêchait les hommes et les femmes inspirés de réussir. Ils savaient de quoi ils étaient capables. Si ces personnes accomplies étaient si sûres d'elles sans relation personnelle avec Dieu, combien plus pouvons-nous accomplir en tant que croyants avec l'aide du Créateur des idées et des possibilités. L'impossible est possible, alors préparez-vous à transformer votre monde. Comme pour les réalisations de Néhémie rendues possibles grâce à l'alliance de Dieu, le changement commence par un fardeau.

PARTIE 3

LE FARDEAU: NOUS DEVONS VOIR AU-DELÀ DE NOUS-MÊMES

CHAPITRE 4

LE CHOIX DU STATU QUO

S'ABANDONNER AU STATU QUO PEUT ÊTRE dangereux s'il conduit à la complaisance et à l'inaction. Cependant, l'acceptation peut aussi être un acte de sagesse et de courage si elle est effectuée correctement. Selon un article paru dans Psychology Today, *"l'acceptation en psychologie humaine est l'assentiment d'une personne à la réalité d'une situation, reconnaissant un processus ou une condition sans tenter de le changer, de protester ou d'en sortir".*[13] D'un côté, cela ressemble à un abandon. Cependant, lorsque le peuple juif fut pour la première fois capturé par les Babyloniens, l'acceptation et l'assimilation dans son nouvel environnement étaient nécessaires à sa survie. À ce moment-là, c'était courageux et sage d'adopter ce comportement. Il existe néanmoins un danger de s'installer dans des situations ou des relations qui ont dépassé depuis longtemps leur utilité. Plus de 100 ans après la destruction de Jérusalem par Nabuchodonosor, l'autosatisfaction constituait peut-être la plus grande menace pour Israël.

L'ASSIMILATION DE LA DIASPORA

Lorsque le roi Nabuchodonosor marcha sur Jérusalem, démolit les murs, brûla le temple et emmena les artisans qualifiés du pays, ce fut un choc dévastateur. Jérémie a écrit cinq «chants de la plus profonde tristesse», déplorant la destruction terrible et tragique de Jérusalem par les envahisseurs babyloniens, un événement cruel dont Jérémie a personnellement été témoin (*Livre des Lamentations*). Grâce à ses conseils, les Juifs déplacés ont appris à s'adapter et à s'intégrer dans leur environnement.

UNE NOUVELLE LANGUE

Daniel et ses trois amis furent capturés lors du premier raid de Nabuchodonosor sur Jérusalem. Ils commencèrent, immédiatement leur endoctrinement sur l'histoire des Babyloniens, leurs coutumes et leur langue. Ceux qui étaient choisis pour faire partie de la cour royale avaient des tuteurs spéciaux pendant trois ans avant d'entrer au service du roi.

> *«Le roi donna l'ordre à Aschpenaz, chef de ses eunuques,*
> *d'amener quelques-uns des enfants d'Israël de race*
> *royale ou de famille noble, de jeunes garçons sans défaut*
> *corporel, beaux de figure, doués de sagesse, d'intelligence et*
> *d'instruction, capables de servir dans le palais du roi, et à*
> *qui l'on enseignerait les lettres et la langue des Chaldéens.»*
> — Da 1:3-4 (LSG)

Ainsi, les Juifs, en particulier les jeunes nobles, parlèrent rapidement l'araméen.

Après que Jérémie leur ait fait comprendre que même ceux qui n'étaient pas d'affiliation royale seraient sous la domination babylonienne pour le reste de leur vie, ils comprirent qu'il était avantageux de s'intégrer comme ils le pouvaient.

UN NOUVEAU NOM

Aux temps bibliques, les noms donnés aux gens étaient spéciaux et avaient une signification profonde. Le nom du roi David signifiait «bien-aimé», et il était connu comme l'homme selon le cœur de Dieu (1 Samuel 13:14, LSG). De plus, dans certains cas, Dieu changeait le nom d'une personne pour lui donner une nouvelle vision ou un nouveau rôle dans Son royaume. Lorsque Dieu a conclu une alliance concernant l'avenir d'Abram, il a changé son nom en Abraham, ce qui signifie «père de nombreuses nations» (Gn 17:5, LSG).

On dit qu'à l'époque, un nom exprimait l'essence d'une personne et révélait sa nature. Connaître le nom de quelqu'un signifiait connaître tout son caractère et son destin. Le changement de nom n'était pas une mince affaire. C'est d'ailleurs pour cette raison que les Babyloniens ont procédé au changement massif des noms du peuple juif, afin de porter un coup significatif à son identité.

Concernant Daniel et ses amis, la Bible déclare: « *Le chef des eunuques leur donna des noms, à Daniel celui de Beltschatsar, à Hanania celui de Schadrac, à Mischaël celui de Méschac, et à Azaria celui d'Abed Nego.*» (Da 1:6-7, LSG). Cet acte était une façon de les forcer à adopter la mentalité babylonienne pour rompre leur lien avec leur héritage et leurs croyances. Au fil du temps, les Juifs ont accepté cette situation et ont souvent choisi, de leur propre chef, de se rebaptiser voire de rebaptiser leur famille (*voir Esther 2:7, LSG*).

UN RÉGIME DIFFÉRENT

Daniel accepte l'éducation royale et le changement de nom, mais il reste ferme lorsqu'il s'agit de manger les mets du roi. Pour lui, ce serait une démonstration publique de sa loyauté envers Nabuchodonosor; ce que Daniel refuse de faire. Sa confiance repose uniquement sur le Seigneur. Les Babyloniens étaient connus pour leur consommation de viande de porc et de cheval, ce qui était tabou aux yeux des Juifs. Il était également courant qu'ils sacrifient leur nourriture et leur vin en hommage aux faux dieux. Quelle que soit la raison de Daniel, il «*résolut dans son cœur de ne pas se souiller avec la portion des mets délicats du roi, ni avec le vin qu'il buvait; c'est pourquoi il demanda au chef des eunuques de ne pas l'obliger à se souiller*» (Da 1:8, LSG). Beaucoup d'autres Juifs furent amenés au palais et mangèrent à la table du roi, y compris le roi Jojakin qui, en acceptant les mets, indiqua sa loyauté envers Babylone (2R 25:29).

UN CONFORT PÉRILLEUX

Lors de leur première captivité, le plus grand danger pour les Juifs était de ne pas s'intégrer. Après 140 ans, ils s'étaient tellement habitués à leur mode de vie babylonien que leur plus grande menace était peut-être de trop bien s'intégrer. Ils ne se voyaient pas quitter le confort de la Babylonie, centre de la civilisation, pour se rendre en Juda, qui était une sous-province de l'empire perse. Ils étaient tellement ancrés dans leurs nouvelles habitudes que lorsque Cyrus arriva au pouvoir en 539 av. J.-C. et donna à chacun d'eux (des millions de Juifs) la possibilité de rentrer chez eux, seuls 50 000 environ acceptèrent.

Le théologien allemand John Peter Lange a écrit: «*Il est triste de penser que lorsque Cyrus a offert une telle opportunité de retour en Terre sainte, ce sont seulement 50 000 Juifs qui en ont profité, sur un total probable de plusieurs millions. La manière dont les affaires de la province juive se sont déroulées depuis l'époque de Cyrus jusqu'à l'époque de Néhémie, soit une période de près de cent ans, n'était pas due uniquement ou principalement à l'opposition des ennemis locaux, soutenus par le gouvernement perse, mais avait sa principale cause dans l'apathie et l'égoïsme du peuple juif. La piété de Néhémie n'est donc pas un type de la condition religieuse des Juifs de son époque mais constitue une exception flagrante à l'état général de son peuple.*[14]»

Au moment où Babylone est devenue la Perse, les Juifs s'étaient complètement assimilés à la société perse et ne se distinguaient plus des autres Perses. Esther était considérée comme une Perse par tout son entourage, même par son mari, jusqu'à ce qu'elle décide de se révéler juive. Les trois jeunes amis hébreux de Daniel finirent par travailler dans le palais du roi, tandis que Daniel devint Premier ministre. Esther devint reine, et Néhémie, échanson du roi. Beaucoup de Juifs qui avaient intégré le système babylonien ont pu obtenir un emploi intéressant.

De nombreux Juifs vivent dans de grands pays du monde, notamment aux États-Unis, en France et au Royaume-Uni. Seul un petit pourcentage d'entre eux est retourné vivre en Israël, devenant confortable et prospère là où il vivait.

Je peux comprendre le fait de me sentir à l'aise dans un environnement qui me semblait autrefois étrange et difficile. Lorsque j'ai quitté Haïti pour m'installer aux États-Unis en avril 1988, j'ai eu l'impression d'arriver sur une autre planète. Mais au bout d'un certain temps, je me suis habitué à ce mode de vie. J'ai appris la langue, j'ai apprécié la nourriture, j'ai joui du système éducatif et j'avais un revenu décent. Ma «normalité» avait changé et je ne pensais pas vraiment à Haïti. De temps en temps, je recevais des invitations à voyager pour prêcher en Haïti. Je me disais: «*Je suis un prédicateur de la diaspora. Il y a beaucoup de grands prédicateurs, et Haïti en a en abondance.*» C'était mon attitude pendant longtemps. Pourtant, les stations de radio diffusaient mes messages en Haïti et les gens vendaient mes cassettes de prédication dans les rues. Mais je me voyais ailleurs, *partout ailleurs sauf en Haïti.*

Lorsque j'étais adolescent, Dieu m'avait donné la vision d'exercer mon ministère dans différentes nations du monde. Un jour, alors que j'avais une trentaine d'années et que je débutais dans le ministère pastoral, j'ai prié en disant: «*Seigneur, tu m'as montré que tu allais m'emmener dans les nations du monde. Mais je ne vois rien de tout cela se produire. Quand cela va-t-il se réaliser?*» Je n'oublierai jamais la réponse du Seigneur:

« *Je t'ai donné Haïti et tu as refusé de faire quoi que ce soit dans ce pays. Maintenant tu me demandes d'autres nations.*»

Après ce rappel de Dieu, en 2018, j'ai décidé d'organiser notre toute première croisade en Haïti. Depuis ce premier voyage, nous sommes revenus à plusieurs reprises pour exercer notre ministère à travers des actions sociales ainsi que des croisades, et nous avons implanté des églises dans mon pays d'origine. C'est bien que ma famille se sente en sécurité et accueillie aux États-Unis, mais je n'oublierai plus jamais les besoins des gens de la terre qui m'a vue naître. Les Juifs du temps de Néhémie étaient, en revanche, retranchés et avaient tourné le dos à Juda.

Lorsque les enfants d'Israël étaient sur le point d'être exilés à Babylone, le prophète Jérémie leur a conseillé de rechercher la paix de Babylone et de prier pour cette ville. Il leur a expliqué que leur bien-être était étroitement lié à celui de la ville. Si la communauté ne va pas bien, il en sera de même pour les familles. Le peuple juif s'était habitué à son mode de vie et avait oublié ses racines.

> **Si la communauté ne va pas bien,
> il en sera de même pour les familles.**

Lorsque Néhémie entra dans la ville de Jérusalem pour reconstruire ses murs, il rassembla les habitants de la ville et dit: «*Vous voyez la détresse dans laquelle nous sommes, comme Jérusalem est déserte et ses portes sont brûlées par le feu...*» (Né 2:17, LSG). Le cœur des gens était si éloigné de la dévastation de leur pays qu'il fallait le leur rappeler. Malgré tout, ils étaient désintéressés et démotivés pour entreprendre la reconstruction. Ils avaient des problèmes personnels plus urgents que ceux liés à l'infrastructure publique. Leurs conditions socio-économiques étaient désastreuses. Voici comment le prophète Aggée a décrit leur situation:

> «*Vous semez beaucoup, et vous recueillez peu, Vous mangez, et vous n'êtes pas rassasiés, Vous buvez, et vous n'êtes pas désaltérés, Vous êtes vêtus, et vous n'avez pas chaud; Le salaire de celui qui est à gages tombe dans un sac percé.*» - (Ag 1:6, LSG)

Achtemeier résume cette situation avec éloquence: «La sécheresse a conduit à de mauvaises récoltes (1:10-11), à la faim (1:6) et à l'empiétement du désert sur leurs terres agricoles. L'inflation, toujours causée par la pénurie, fait des trous dans leurs bourses (1:6). L'hostilité des étrangers samaritains au nord et des rebelles à l'intérieur du pays, quelques années auparavant, les avait dissuadés de toute tentative de reconstruction de leur lieu de culte (cf. Esd 4:4-5, LSG). Les dures réalités de la vie doivent finalement déterminer ce que l'on fait dans ce monde ».[15] Les gens se concentraient sur leur bien-être personnel, celui de leur maison et de leur famille. Le prophète Aggée, contemporain de Néhémie et d'Esdras, a été chargé d'expliquer pourquoi ils se trouvaient dans une situation aussi difficile.

> «*Vous comptiez sur beaucoup, et voici, vous avez eu peu; Vous l'avez rentré chez vous, mais j'ai soufflé dessus. Pourquoi? dit l'Éternel des armées. A cause de ma maison, qui est détruite, Tandis que vous vous empressez chacun pour sa maison.*»

(Ag 1:9, LSG).

Le Seigneur a clairement indiqué à travers Aggée, qu'en raison de leur désintérêt pour son temple - sa maison – quel que soit le bien qu'ils avaient accumulé, « il l'a fait disparaître ». Ils étaient tellement absorbés par leurs intérêts personnels, qu'ils ne se préoccupaient pas de la construction du temple et n'avaient aucune inclination à ériger les murs. Vivre dans une ville en ruines était devenu leur nouvelle norme. Ils ne voyaient plus les tas de décombres et ils n'étaient pas horrifiés par la désolation. Peu à peu, ils sont devenus insensibles à des conditions qui auraient dû leur causer une grande détresse. Ils avaient le choix: passer à l'action ou accepter leur sort. Tout comme la grenouille cuite à mort.

Le principe est que si une grenouille est mise soudainement dans de l'eau bouillante, elle en sautera instinctivement, mais si la grenouille est mise dans de l'eau tiède, elle ne percevra pas le danger et ne fera rien pour se sauver car la chaleur amène lentement l'eau à ébullition. Cette anecdote est souvent utilisée comme une métaphore illustrant l'incapacité ou le refus des gens de réagir ou d'être conscients des menaces qui surgissent progressivement plutôt que soudainement. C'est là le grand danger de la complaisance.

Nous pouvons être dans une mauvaise situation pendant si long-temps que nous ne nous rendons plus compte qu'elle est néfaste. Nous pouvons vivre dans une maison sale pendant tellement longtemps que nous ne voyons plus son état; nous pouvons vivre dans une communauté pauvre pendant si longtemps que nous ne nous rendons pas compte qu'elle est démunie; ou, nous pouvons vivre dans une communauté analphabète pendant si longtemps que nous ne voyons pas de problème parce que nous nous adaptons bien aux autres autour de nous. La com-plaisance est le pire ennemi du progrès. Les Juifs avaient fermé les yeux et le cœur sur leurs racines, et le temple de Jérusalem faisait partie de cette identité abandonnée. Ils avaient commis une grave erreur; une situation à laquelle nous ne pouvons pas tomber dans nos propres communautés.

La complaisance est le pire ennemi du progrès.

Il est important que nous ne fassions pas preuve de complaisance quant au bien-être de notre communauté. Si quelque chose ne va pas, nous devons faire ce que nous pouvons pour y remédier. Cela signifie que nous devons être vigilants et proactifs dans l'identification des problèmes qui peuvent affecter notre communauté et prendre des mesures pour les résoudre. Qu'il s'agisse de faire du bénévolat, de faire un don à une organisation humanitaire ou simplement en dénonçant l'injustice, il existe de nombreuses façons d'avoir un impact positif sur le monde qui nous entoure. En travaillant ensemble et en assumant la responsabilité de nos actes, nous pouvons créer un avenir meilleur pour nous-mêmes et pour ceux qui nous entourent, quelle que soit notre position.

Dans notre société actuelle, il y a des gens, comme les Juifs de Babylone avant notre ère, qui ne se sentent pas capables d'aider les autres parce qu'ils sont eux-mêmes opprimés et désespérés. Leur objectif principal est de s'en sortir et de résoudre leurs propres problèmes, cependant ils ne se rendent pas compte que chacun a quelque chose à offrir. Ces derniers, malgré le fait qu'ils soient nombreux à vouloir sortir de cette situation, ne le peuvent malheureusement pas. Mais il y a pire: ceux qui en sont capables, mais qui ne le veulent pas.

> **Malgré le fait qu'ils soient nombreux à vouloir sortir de cette situation, ne le peuvent malheureusement pas. Mais il y a pire: ceux qui en sont capables, mais qui ne le veulent pas.**

REFUSER LE STATU QUO

Il existe de nombreuses raisons pour lesquelles une personne aisée ne se soucie guère de redonner à la communauté. Certains peuvent avoir le sentiment d'avoir déjà suffisamment contribué à la société par leur travail ou leurs impôts, tandis que d'autres peuvent se concentrer davantage sur leurs propres passions et priorités. De plus, certaines personnes haut placées peuvent se croire trop occupées ou trop importantes pour répondre aux besoins d'une classe sociale infé-rieure. Néhémie aurait certainement pu trouver ces excuses; c'était un homme occupé et important en Perse et très épanoui dans son travail et son statut social.

SATISFACTION AU TRAVAIL

Néhémie travaillait comme échanson pour le roi. En Perse, l'échanson était bien plus qu'un majordome ou un serviteur. Le titre a été donné à quelqu'un qui était un assistant personnel de la cour du roi, lui confiant également la responsabilité des tâches administratives. La personne qui occupait ce poste jouissait généralement d'une grande confiance de la part du roi; c'était particulièrement vrai dans le cas de Néhémie.[16]

Moisés Silva, traducteur de la New American Standard Bible et d'autres versions, a expliqué que «à cette époque, seul un homme d'une fiabilité exceptionnelle aurait obtenu ce poste, car le père d'Artaxerxès avait été assassiné et lui-même avait accédé au trône par une révolution de palais. La position d'échanson devait être occupée par un homme irréprochable; le sort du peuple de Dieu pourrait en dépendre.»[17]

Le Livre de Tobie (référencé uniquement comme source histo-rique, non considérée comme la Parole inspirée de Dieu), donne plus de détails sur l'honneur de la position d'échanson. Les mémoires de Tobie disent que la personne qui portait la chevalière lorsqu'elle n'était pas entre les mains du roi était l'échanson. La chevalière était utilisée pour imprimer le sceau du roi sur tous les documents officiels, prouvant ainsi la validité du document. Une fois qu'un document était signé avec cet anneau, il était irrévocable. Néhémie est l'homme à qui l'on a confié la garde du sceau pour éviter qu'il ne soit utilisé à des fins malveillantes.

Lorsque Haman s'est mis en colère contre l'oncle d'Esther, Mardo-chée, pour ne pas s'être incliné devant lui, il n'a pas pu tuer Mardochée sur le coup. Alors il a conçu un complot pour dissimuler ses véri-tables intentions. Convainquant le roi Assuérus (alias Xerxès) que le peuple juif représentait une menace pour lui, le roi donna à Haman son anneau pour publier un décret visant à anéantir tous les Juifs du royaume de Perse et le signa avec la chevalière du roi (Est 3:12, LSG). Quand Assuérus découvrit le complot, il fit tuer Haman, mais même si cela signifiait la mort de sa femme, il ne put annuler le décret car il avait été officialisé avec sa marque. Au lieu de cela, le roi a contré le décret de mort par un autre rédigé par la reine Esther et Mardochée.

> « Le roi Assuérus dit à la reine Esther et au Juif Mardochée:
> Voici, j'ai donné à Esther la maison d'Haman, et il a été
> pendu au bois pour avoir étendu la main contre les Juifs.
> Écrivez donc en faveur des Juifs comme il vous plaira, au
> nom du roi, et scellez avec l'anneau du roi; car une lettre
> écrite au nom du roi et scellée avec l'anneau du roi ne peut
> être révoquée.»
>
> (Est 8:7-8, LSG)

C'était l'autorité du sceau officiel du roi; c'était la puissance importante que Néhémie devait protéger en tant qu'échanson. Néhémie prouvait quotidiennement sa loyauté, mettant sa vie en danger pour s'assurer qu'aucun poison ne passait par les lèvres du roi. C'est vrai qu'il était également chargé de goûter la nourriture et le vin du maître pour s'assurer qu'ils n'étaient pas altérés.[18]

Les échansons « devinrent parmi les fonctionnaires les plus dignes de confiance et jouirent, dans tout le Proche-Orient, d'une grande influence auprès de leurs maîtres. »[19] Néhémie avait un travail important et de haut niveau qui le plaçait dans la même pièce que l'homme le plus puissant de l'empire perse, le fils du roi Assuérus, le roi Artaxerxès.

POSITION DE FORCE

Néhémie avait un accès direct au roi (Né 2:1, LSG). Dans le domaine politique, l'accès équivaut au pouvoir. H.G. Williamson explique: « Dans l'Antiquité, les échansons royaux, outre leurs compétences en matière de sélection et de service du vin et leur devoir de le goûter pour vérifier qu'il n'est pas empoisonné, étaient également censés être

des compagnons conviviaux et pleins de tact du roi. Étant en grande
partie dans sa confidence, ils pouvaient ainsi exercer une influence
considérable par le biais de conseils et de discussions informelles»[20].

De nombreuses sources anciennes du Proche-Orient (y compris
achéménides) sous forme de textes et d'images prouvent que Néhémie
avait l'oreille du roi.[21] Il était digne de confiance, compétent et exerçait
un pouvoir politique considérable, juste derrière le roi, vivant même
dans le palais.

VIVRE COMME UN ROI

Néhémie avait non seulement un travail prestigieux et une influence
politique, mais il résidait dans la citadelle de Sise (Né 1:1, LSG). Vivre
dans un palais royal en Perse était une expérience unique, pleine d'ex-
travagance et d'opulence. Ces palais ont été construits pour démontrer
la richesse et le pouvoir du roi, ainsi que pour impressionner les visi-
teurs. L'ensemble de la structure repose sur une plate-forme surélevée
dont les murs sont ornés de gravures, de peintures et de sculptures
exquises. Des tapis et des carrelages colorés recouvraient les sols.
Des pièces étaient prévues pour différentes activités comme des
quartiers d'habitation, des salles de réception, des salles à manger et
des chambres privées. L'espace de vie du roi était particulièrement
somptueux, avec des meubles fabriqués à partir de bois exotiques et
ornés de pierres précieuses et de touches d'or ou d'argent. Séjourner
dans un palais royal perse à l'époque achéménide reflétait prestige et
influence. Et Néhémie vivait au cœur de celui-ci.

PROSPÉRITÉ ET INVESTISSEMENTS SAINS

Certains utilisent leur richesse et leur statut pour en acquérir davantage; ils vivent sans se soucier de qui que ce soit en dehors de leur
bulle protégée et luxueuse, d'autres, cependant, prennent en compte
les conditions des autres en dehors de leur propre style de vie de
riches et de célébrités. Le simple fait de savoir que certaines personnes
souffrent, leur brise le cœur. La poétesse américaine Emma Lazarus

a dit: « Tant que nous ne sommes pas tous libres, nous ne sommes pas libres. » [22] Néhémie se battait pour la liberté de son peuple, et le roi Artaxerxès l'avait remarqué.

Lorsque le roi perse vit la tristesse de Néhémie face au sort de son peuple, il autorisa Néhémie à retourner en Juda et le nomma gouverneur de la province. Le Seigneur avait placé Néhémie dans une position de richesse et d'influence et l'avait mis en contact avec d'autres personnes influentes.

> *« J'avais à ma table cent cinquante hommes, Juifs et magistrats, outre ceux qui venaient à nous des nations d'alentour. On m'apprêtait chaque jour un boeuf, six moutons choisis, et des oiseaux; et tous les dix jours on préparait en abondance tout le vin nécessaire. Malgré cela, je n'ai point réclamé les revenus du gouverneur, parce que les travaux étaient à la charge de ce peuple.»*
> (Né 5:17-18, LSG)

En tant que dirigeant de Juda, les «provisions du gouverneur» étaient un impôt destiné à couvrir les dépenses liées à de tels rassemblements. Néhémie avait le droit de facturer ses invités comme l'avaient fait les gouverneurs précédents. Au lieu de cela, il a couvert toutes les dépenses avec ses finances personnelles. En raison des revenus que Néhémie avait économisés grâce à sa position en Perse, il put s'occuper de 150 Juifs, d'autres dirigeants et des gens d'autres nations pendant plus de douze ans. Néhémie réussissait très bien en Perse et il décida d'investir dans le peuple de Juda.

LE DANGER DU SUCCÈS

Kodak était un acteur majeur de l'industrie de la photographie depuis sa création en 1888, gagnant une renommée grâce à ses produits cinématographiques et à ses appareils photo. Dans les années 1980, cette marque détenait le monopole de 90% du marché cinématographique aux États-Unis. Malheureusement, Kodak a hésité à s'adapter à la photographie numérique alors qu'elle gagnait du terrain, qu'il était évident qu'il s'agissait du support préféré des consommateurs. Cette incapacité à suivre les tendances du secteur l'a conduit à sa faillite en 2012.[23]

La chute de Kodak nous rappelle les pièges du succès: s'il est important de célébrer et de s'appuyer sur vos réalisations passées, vous devez également être attentif à l'évolution des tendances et innover continuellement sous peine de devenir obsolète. Si vous devenez trop à l'aise avec vos succès passés, vous risquez de prendre du retard et devenir peu pertinent.

Néhémie a réussi, mais il n'a pas fait preuve de complaisance. Il était ouvert aux nouveautés que Dieu voulait apporter dans sa vie. Le succès de Néhémie aurait pu le conduire à devenir complaisant et satisfait de ses réalisations. Il aurait pu simplement se réveiller tous les jours et profiter de la vie. Cependant, ce n'était pas ce qu'il voulait. Il y avait quelque chose en lui qui le poussait à faire plus dans la vie. Si Néhémie s'était contenté de ses succès passés et n'avait pas eu la volonté de faire plus dans la vie, nous n'aurions pas entendu parler de lui aujourd'hui, tout comme nous ne connaissons aucun des autres échansons qui existaient à son époque. Néhémie était censé faire plus. L'évangéliste des Bahamas, Myles Munroe, a dit un jour: «*Le plus grand ennemi du progrès est votre dernier succès.*» Cette citation nous rappelle que nous ne devrions jamais nous sentir trop à l'aise avec nos réalisations passées et que nous devrions toujours nous efforcer d'en faire plus. Êtes-vous ouvert à Dieu malgré votre position? Demandez au Seigneur de vous aider à voir au-delà de vous-même. Comme Néhémie, au lieu de vous détourner des besoins des autres et d'avancer, ouvrez votre cœur et laissez-vous toucher par ce qui compte pour Dieu.

Myles Munroe, a dit un jour: «Le plus grand ennemi du progrès est votre dernier succès.»

CHAPITRE 5

TRANSFORMER LA COMPASSION EN ACTION

Néhémie portait toujours dans son cœur un fardeau pour son peuple, bien qu'il menait une vie d'opulence à Babylone. En effet, il avait un statut socioprofessionnel élevé qui lui conférait, non seulement un emploi prestigieux et bien rémunéré, mais également l'accès à une résidence royale située en Perse. Par contre, tout comme Moïse, qui n'avait pas laissé le luxe du palais de Pharaon l'éloigner de son peuple, Néhémie non plus, n'a pas laissé son style de vie opulent le déconnecter de la criante et dure réalité dans laquelle se trouvaient ses frères à Babylone. Dans ce contexte, il ne s'était pas contenté de *constater* les besoins, comme le feraient plus d'uns aujourd'hui. Mais, il avait plutôt mis en place une stratégie afin d'y apporter une réponse appropriée. Contrairement à certaines personnes, qui, une fois qu'elles ont goûté au succès dans un pays d'accueil, manifestent une totale indifférence par rapport à ce qui se passe dans leur pays d'origine, surtout s'ils ont développé des éléments d'attaches avec ce pays d'accueil.

Comme susmentionné, certains immigrants, ayant atteint un seuil de vie élevé dans un pays d'accueil, peuvent délibérément éviter de développer des relations avec d'autres compatriotes. En ce sens, j'ai déjà rencontré des Haïtiens qui ont affiché un tel comportement. En effet, au Texas, où j'ai vécu vingt-cinq ans de cela, on trouvait très peu d'Haïtiens qui s'identifiaient comme tels. Dans les rues, je n'ai jamais eu la chance de croiser ou de rencontrer quelqu'un à l'épicerie qui se présenta comme Haïtien. La seule façon d'identifier un autre Haïtien était qu'un tiers vous le présente. Même dans ce cas, beaucoup d'entre eux ne montraient guère d'intérêt à garder le contact. On m'a parlé d'une conversation entre deux Haïtiens au Texas. Lorsqu'ils se firent leurs adieux, l'un d'eux a déclaré ce qui suit: « *Si jamais vous dites à un autre Haïtien que vous m'avez rencontré, je quitterai le Texas à cause de vous.* » Je sais que cela peut paraître extrême, mais certains immigrants ne regardent et n'entendent aucune nouvelle provenant de leur pays d'origine.

Dans ce contexte, de nombreuses années de cela, j'ai rencontré un ancien responsable du gouvernement haïtien qui dirigeait à l'époque une importante institution financière du pays. Lorsque je lui ai demandé comment se portait le pays, il a catégoriquement répondu: « Je n'écoute aucune nouvelle d'Haïti. » L'argumentaire avancé pour justifier sa position se basait sur le fait qu'il était tellement écœuré par ce qui se passait dans le pays qu'il avait donc pris la décision formelle de se déconnecter totalement de cette réalité. « *C'était tout simplement trop douloureux,* » s'exclamait-il.

Néhémie avait ressenti également ce même type de douleur, mais, au lieu de se montrer indifférent, il avait plutôt choisi d'y faire face avec beaucoup de courage parce qu'il avait perçu la réalité avec d'autres yeux.

MANIFESTATION DE LA COMPASSION DE NÉHÉMIE

La compassion de Néhémie l'avait poussé à s'impliquer activement dans la résolution de la situation critique qui prévalait en Juda. En effet, la requête ci-après qu'il avait adressée à l'un de ses frères témoigne combien il s'en souciait.

> «*Au mois de Kislev, la vingtième année, alors que j'étais à Suse, la citadelle, Hanani, l'un de mes frères, arriva avec des hommes de Juda; et je leur ai posé des questions concernant les Juifs qui s'étaient échappés, qui avaient survécu à la captivité, et concernant Jérusalem.*
> (Né 1:1-2, LSG).

Même si son pays était en ruine, ou était devenu une honte internationale, même si son peuple vivait dans une pauvreté abjecte, Néhémie ne s'en détournait pas. Au contraire, il épousait leur cause au point de toujours chercher à savoir comment allaient Juda et son peuple. J'aimerais que beaucoup plus d'Haïtiens reproduisent le comportement de Néhémie et manifestent autant d'intérêt face à ce qui se passe dans leur pays.

LES GENS SE SOUCIENT-ILS DE SAVOIR QUE:

- Environ 2,5 millions de personnes en Haïti vivent dans une pauvreté extrême, ce qui signifie qu'elles vivent avec moins de 1,25 dollar par jour.[24]
- Haïti importe environ 60% de la nourriture qu'il consomme, ce qui favorise l'inflation et augmente le coût des produits de première nécessité. C'est pourquoi Haïti est l'une des plus grandes populations en insécurité alimentaire au monde. Selon un rapport présenté par l'ONU, « *Au total, 4,9 millions de personnes en Haïti – soit près de la moitié de la population du pays – connaissent des niveaux élevés d'insécurité alimentaire aiguë.* » Pour mettre ces statistiques en perspective, si un enfant haïtien reçoit un plat par jour, il ne sait pas quand le suivant arrivera.[25]
- Sur le plan environnemental, la dégradation du sol constitue un problème crucial et préoccupant. En effet, selon les données disponibles « Seulement 3% de la superficie du pays est couverte de forêts ». Ce qui augmente le risque d'augmenter considérablement les cas de mortalité surtout pendant la saison des ouragans.[26]

LES GENS SE SOUCIENT-ILS DE SAVOIR QUE:

- En Haïti, 59 % des femmes vivent en concubinage et 70 % des enfants grandissent sans père.[27]
- De nombreuses familles ne peuvent pas payer les frais de scolarité de leurs enfants. Par conséquent, « *Seulement 55 % des enfants en âge d'aller à l'école primaire sont scolarisés* ».

De plus, « *un tiers des enfants âgés de 15 à 24 ans sont analphabètes...* » D'autre part, il a été révélé que dans le cadre du système restavek, près de « *300 000 jeunes, dont trois quarts de filles, travaillent comme domestiques non rémunérés* ». En fait, un restavek (ou restavec) est un enfant haïtien offert par ses parents, pour travailler dans une maison d'accueil en tant que domestique par manque de ressources nécessaires pour subvenir aux besoins de leur enfant.[28]

LES GENS SE SOUCIENT-ILS DE SAVOIR QUE:

- L'Organisation mondiale de la santé a déclaré qu'Haïti *a le taux de mortalité le plus élevé des Amériques, avec un taux de mortalité adulte de 33,42 décès pour 100 habitants. L'espérance de vie moyenne en Haïti est de 68 ans.*
- De nos jours, des gangs violents imposent leur loi en Haïti. En effet, selon Bloomberg, il existe actuellement près de 90 gangs en Haïti réunissant près de 10 000 membres. Devant l'impuissance des Forces de Police, même le plus petit des gangs détient la capacité de fermer ou d'ouvrir le pays à sa guise. Ainsi, ces jeunes, au lieu d'être un levier contribuant au développement du pays, en constituent plutôt un véritable frein, coûtant au pays près de « *4,2 milliards de dollars par an, soit 30% de son produit intérieur brut* ». En accomplissant leur forfait, les gangs ont réussi, non seulement à effrayer les investisseurs étrangers, mais également à provoquer des pénuries de carburant, lesquelles ont paralysé certaines parties du pays et favorisé la montée galopante de l'inflation.[29]

LES GENS SE SOUCIENT-ILS DE SAVOIR QUE:

- Alors que sa patrie était en ruines et que son propre peuple se bouchait les yeux et les oreilles, Néhémie a voulu savoir - il s'est soucié suffisamment pour demander. Si nous voulons faire une différence dans la vie de tous les gens, nous devons être délibérément conscients, en recherchant les informations que le Seigneur utilisera pour réveiller en nous un fardeau et une obligation.

NÉHÉMIE S'EN EST SOUCIÉ AU POINT DE PLEURER

Lorsque Néhémie interrogea son frère sur les conditions de vie du peuple et du pays, Hanani lui a ainsi répondu: « *Les survivants de la captivité dans la province sont dans une grande détresse et dans un grand opprobre. La muraille de Jérusalem est également démolie, et ses portes sont brûlées par le feu*» (Né 1:3, LSG). Dans ce contexte, la détresse faisait référence à leur condition socio-économique. En effet, une grave famine et une sévère sécheresse ravageait le pays (Aggée 1:6-11, LSG). De plus, il y a eu une inflation galopante (Ag 1:6, LSG), une lourde charge fiscale (Né 5:1-5, LSG). Le pire, de nombreux Juifs avaient compromis leur foi en épousant des femmes étrangères (Esd 9:10-14, LSG).

En recevant les nouvelles de son peuple et de son pays, Néhémie était submergé par la tristesse et a ainsi décrit son état d'âme: «*Je m'assis, je pleurai et je pleurai pendant plusieurs jours...*» (Né 1:4, LSG). Donc, Néhémie se souciait suffisamment de son peuple au point que sa situation critique lui fasse éprouver une grande tristesse, car le désespoir était insupportable.

En ce sens, Warren Wiersbe a dit avec éloquence: «*Ce qui fait rire ou pleurer les gens est souvent une indication de leur caractère*»[30]. Néhémie était un homme de compassion. Comme le Seigneur Jésus-Christ, qui partageait le fardeau de l'humanité, Néhémie était prêt à partager les souffrances de ses frères.

L'état des lieux présenté par Hanani à Néhémie reflétait la situation d'oppression et du ridicule que le peuple était forcé d'endurer de la part de leurs voisins étrangers (Esd 9:10-14, LSG). En réalité, avoir la capacité de participer à la souffrance des autres est l'un des plus excellents signes de caractère. Une communauté ne devient forte que lorsque ses membres développent une conscience et une compassion les suscitant à poser des actions. Autrement dit, nous faisons preuve d'unité lorsque nous répondons aux besoins d'autrui avec le même souci et le même engagement que nous manifestons envers nous-mêmes. Prenons l'exemple de l'histoire de l'enfant à deux têtes:

> **Une communauté ne devient forte que lorsque ses membres développent une conscience et une compassion les suscitant à poser des actions.**

Cet enfant était né dans une famille aisée et à un moment donné, la famille se posait la question sur le montant de l'héritage que l'enfant devrait un jour recevoir: un montant pour une personne ou une double portion? Selon l'avis de certains, l'enfant devrait être considéré comme une seule personne, étant donné qu'il ne pouvait se trouver qu'à un seul endroit à la fois. Mais pour d'autres, ils s'agissait de deux personnes puisque l'enfant avait deux têtes. Ne pouvant pas arriver à une entente, la famille a donc décidé de faire appel à un rabbin juif afin de les aider à résoudre le dilemme.

Arrivé sur les lieux, le rabbin leur a fait la proposition suivante: «Versez de l'eau bouillante sur la tête d'un enfant et observez la réaction de l'autre. Si l'autre ne crie pas, cela signifie que deux personnes vivent dans un seul corps. En d'autres termes, ils sont distincts et indépendants, ou ils ne sont pas connectés au niveau de l'âme. Mais si vous versez de l'eau chaude sur la tête de l'un et que l'autre crie et pleure, vous devez déduire que vous avez affaire à une seule personne. Ils partagent une seule âme. »

La morale de l'histoire nous permet de comprendre qu'une communauté devient puissante lorsqu'un membre peut ressentir la souffrance d'un autre. Autrement dit, lorsque la communauté atteint ce niveau de maturité émotionnelle, cela signifie que les différents membres sont connectés au point de devenir une seule personne. Les actions de l'un impactent l'autre. Ainsi, ils ne seront plus considérés comme des doigts individuels mais se comportant comme un poing serré, luttant ensemble pour atteindre un objectif commun. Sommes-nous un? Avons-nous assez d'empathie pour pleurer lorsque nos frères et sœurs du monde entier souffrent? Laissons-nous toucher par la douleur d'une autre personne à tel point que son poids réussisse à nous mettre à genoux.

IL S'EN SOUCIAIT ASSEZ POUR PRIER

Néhémie a compris que la prière était l'outil essentiel afin de bâtir une communauté. En ce sens, la Bible nous dit: « *Priez pour la paix à Jérusalem*: « *Qu'ils prospèrent ceux qui vous aiment! Que la paix soit dans vos murs, la prospérité dans vos palais.* » Pour le bien de mes frères et compagnons, je dirai maintenant: « *Que la paix soit parmi vous.* » À cause de la maison de l'Éternel notre Dieu, je rechercherai votre bien » (Ps 122:6-9, LSG). Les Juifs étaient encouragés à prier pour la paix, la sécurité et la prospérité de Jérusalem, ainsi que pour le bien-être de leurs frères et compagnons. Les Babyloniens prenaient ce commandement très au sérieux.

Ainsi, lorsque l'édit royal, selon lequel personne ne devait adorer un autre dieu que Darius dans le royaume fut publié, la Bible nous donne un aperçu de la vie de prière de Daniel, en relatant ceci: «Lorsque Daniel apprit que l'écrit était signé, il rentra chez lui. Et dans sa chambre haute, avec ses fenêtres ouvertes vers Jérusalem, il s'agenouilla trois fois ce jour-là, pria et rendit grâces devant son Dieu, comme c'était sa coutume depuis les premiers jours. » (Da 6:10, LSG)

L'Écriture nous donne une compréhension de ce pour quoi Daniel priait, par le geste qu'il a posé d'ouvrir ses fenêtres vers Jérusalem. Le sujet principal de la prière de Daniel était la restauration de Jérusalem. Il priait pour cette restauration trois fois par jour. En réalité, lorsque les Juifs babyloniens vivaient en captivité, ils priaient trois fois par jour pour leur pays, en ouvrant leurs fenêtres vers Jérusalem. Aujourd'hui, le Mur Occidental, également connu sous le nom de Mur des Lamentations, est le symbole de cette perpétuelle tradition. Chaque jour, des Juifs du monde entier viennent prier en ce lieu saint, et beaucoup suivent la pratique de faire face à Jérusalem pendant leurs prières.

La restauration de Jérusalem reste un événement crucial dans l'histoire juive, et l'acte de prière envers la ville rappelle le profond lien spirituel que les Juifs entretiennent avec leur patrie ancestrale. En tant que croyant haïtiano-américain, je suis également convaincu du pouvoir de la prière. Même si certains peuvent considérer la prière excessive ou comme une forme de superstition ou de comportement irrationnel, je sais qu'à la suite de catastrophes naturelles ou de troubles politiques, la prière apporte l'espoir et le réconfort face à des défis immenses. Peu importe d'où vous venez ou où vous vivez aujourd'hui, la prière attire l'attention de Dieu bien au-delà de la paix mentale et émotionnelle qu'elle offre.

LA PRIÈRE FAIT BOUGER LA MAIN DE DIEU

Au début du XXe siècle, le Pays de Galles était dans un état désastreux. La pauvreté, le chômage et l'abus d'alcool étaient tous endémiques et il régnait un sentiment général d'apathie spirituelle. Par la suite, Evan Roberts a commencé à prier intensément pour son pays. Il croyait fermement que Dieu pouvait provoquer un changement profond, si les gens se détournaient de leurs péchés, et le recherchaient sincèrement. Alors que Roberts commençait à prêcher dans tout le pays, les gens répondirent par des réunions de prière passionnées dans tout le Pays de Galles. Ces rassemblements avaient une atmosphère de repentance et de nostalgie de Dieu. En effet, les gens ont commencé à confesser leurs péchés et à implorer le pardon et la guérison. Miraculeusement, les taux de criminalité ont chuté, les bars ont fermé leurs portes et les mineurs de charbon sont devenus plus productifs et plus pacifiques. [31]

Le réveil a également fait monter en flèche le taux de fréquentation des églises et l'œuvre missionnaire a surgi dans tout le pays. Ce réveil gallois n'est qu'un exemple de la puissance de la prière pour transformer une nation. En priant pour les autres, un changement s'opérera dans nos cœurs.

LA PRIÈRE AUGMENTE LE FARDEAU

Lorsque nous nous investissons dans le bien-être spirituel des autres, nous accomplissons l'un des objectifs fondamentaux de notre existence, qui est d'aider les autres et de rendre le monde meilleur. Nous devenons ainsi nous connecter à eux dans leurs luttes et leurs désirs en luttant pour leur victoire. En effet, lorsque les fardeaux et la joie d'autrui deviennent nôtres, nous expérimentons une autre dimension dans notre relation avec les autres. Nous sommes devenus beaucoup plus compatissants et empathiques envers nos semblables et nous commençons à percevoir le monde sous un angle différent – une vision comme celle de Néhémie.

Nous avons vu comment la prière a intensifié le fardeau que Néhémie portait pour sa communauté et comme il a fait de lui un instrument de restauration pour la ville. Le professeur et théologien Kyle Yates a expliqué les différentes interventions de Néhémie en ces mots:

« Le devoir de Néhémie allait au-delà de son objectif initial: reconstruire les murs de Jérusalem. Ainsi, il a su éveiller le sens de l'honneur national et restaurer la dignité à Jérusalem. Il nomma des officiers à qui l'autorité fut déléguée afin d'exercer une gouvernement efficace. Il a réparé de nombreux abus, réglé des griefs difficiles et rétabli l'ordre public. Il a aussi relancé le culte, en encourageant la lecture de la loi, en célébrant la Fête des Tabernacles, en observant les jeûnes nationaux et en renouvelant l'alliance. Il a également protégé Jérusalem en ordonnant qu'un sur dix doit résider dans les murs de la ville. Il a, en outre, enlevé tout ce qui était souillé afin de purifier le temple et d'améliorer le service du sacerdoce et de revitaliser l'observance du sabbat.[32]

La tâche de Néhémie allait au-delà de la reconstruction physique du mur, car, elle a eu pour conséquence le «transfert du sentiment de honte et d'humiliation des Juifs sur leurs ennemis». Cependant, la motivation ultime de Néhémie ne sera révélée qu'après l'achèvement de la restauration.

« La muraille fut donc achevée le vingt-cinquième jour d'Eloul, en cinquante-deux jours. Et il arriva que lorsque tous nos ennemis l'apprirent et que toutes les nations autour de nous virent ces choses, ils furent très découragés à leurs propres *yeux; car ils comprirent que cette œuvre était faite par notre Dieu.* » (Né 6:15-16 LSG)

Le motif de Néhémie était la gloire de Dieu. Il voulait que le Seigneur reçoive toute la gloire pour tout ce qu'il avait fait. Néhémie savait que la main de Dieu travaillait à travers ses mains et celles du peuple (Né 6:9; 4:17, 9, LSG). Nous pouvons accomplir de grandes choses pour Dieu dans nos communautés, si nous désirons effectivement aider les gens et glorifier Dieu. Ainsi, pour y arriver, nous devons chercher à connaître son plan et son dessein.

LA PRIÈRE AIGUISE VOTRE VISION

Néhémie était en prière depuis quatre mois, il devenait de plus en plus accablé mais déterminé. Lorsque le roi remarqua la tristesse de Néhémie et lui demanda ce dont il avait besoin, Néhémie n'eut pas à y réfléchir à deux fois.

> *«Et je dis au roi: « Si le roi le trouve bon et si ton serviteur a trouvé grâce à tes yeux, je te demande de m'envoyer en Juda, dans la ville des tombeaux de mes pères, pour que je la rebâtisse. Alors le roi me dit (la reine était également assise à côté de lui): « Combien de temps durera ton voyage ? Et quand reviendras-tu ? Il plut donc au roi de m'envoyer; et je lui ai fixé une heure. »*
> — (Né 2:5-8, LSG).

Selon Warren Wiersbe, «Trop souvent, nous planifions nos projets et demandons ensuite à Dieu de les bénir; mais Néhémie n'a pas commis cette erreur. Il s'est assis et a pleuré (Né 1:4, LSG), s'est agenouillé et a prié, puis s'est levé et a travaillé parce qu'il savait qu'il avait la bénédiction du Seigneur sur ce qu'il faisait. La prière fera bouger la main de Dieu, augmentera votre fardeau et aiguisera votre vision du travail à accomplir.»[33]

Comme pour Néhémie, pendant que nous passons du temps seul avec Dieu, le Seigneur aiguisera notre vision, nous fera prendre pleinement conscience, non seulement de l'objectif à poursuivre, mais il nous révélera également quelles sont les ressources nécessaires et disponibles pour l'accomplir, la durée, ainsi que les risques à encourir. Donc, Néhémie, pendant son temps de communion personnelle avec

Dieu, le Seigneur lui a donné une vision claire sur tous ces éléments clés. Autrement dit, il était parfaitement conscient de l'objectif qu'il fallait atteindre, le temps que cela prendrait et des risques à encourir. Malgré tout, aucun sacrifice n'est supposé être trop grand, car notre fardeau concerne des personnes pour lesquelles Christ est mort. Ainsi, nous n'aurons d'autre choix que d'agir.

ASSEZ SOUCIEUX POUR AGIR

Néhémie n'était pas seulement soucieux pour demander, pleurer et prier, mais il a aussi agi. Certaines personnes sont prêtes à mettre en œuvre les trois premiers mais laissent l'action à quelqu'un *de plus qualifié, moins occupé, plus performant, moins coincé*, ou tout autres excuses. Dans ce contexte, Warren Wiersbe soutient que: « *La prière ne consiste pas à accomplir la volonté de l'homme au ciel, mais à accomplir la volonté de Dieu sur terre. Cependant, pour que la volonté de Dieu soit faite sur terre, il a besoin que des personnes soient disponibles pour qu'il puisse les utiliser* [...] Si Dieu veut répondre à la prière, il doit commencer par travailler chez celui qui prie! »[34]

Il n'y a pas de changement sans action

Il n'y a pas de changement sans action

Néhémie n'avait pas reculé devant l'énormité de la tâche. Il a dit: «*Donne du succès à ton serviteur aujourd'hui*» (Né 1:11, LSG). Parfois, nous voulons que Dieu réponde à la prière, mais nous ne voulons pas qu'il réponde à travers nous. Si vous éprouvez de la rancœur envers quelqu'un d'autre, comment réagissez-vous? Hésitez-vous parfois à lui offrir un coup de main? En fait, si vous voyez le besoin et ressentez le fardeau, c'est peut-être parce que vous avez été appelé à faire une différence.

LA DÉCOUVERTE DU BUT

Lorsque Néhémie a décidé de répondre à l'appel de Dieu au cours de sa vie, il s'est rendu compte que Dieu l'avait préparé *pour une période comme celle-ci.* Depuis de nombreuses années, les Juifs retournaient petit à petit à Jérusalem. Néhémie aurait également pu faire le voyage, mais il sentait qu'il devait rester en Perse et servir. Il servit pendant de nombreuses années dans l'administration d'Artaxerxès. Le moment venu, il réalisa que les années qu'il avait passées au service du monarque le plus puissant du monde l'avaient non seulement préparé à reconstruire les murs de Jérusalem, mais également à devenir gouverneur de cette ville.

Ainsi, le palais de Suse était le lieu de préparation de Néhémie, mais ne constituait pas le lieu de sa destinée. Le désert était le lieu de préparation de Moïse, mais pas son lieu de destinée. La bergerie de Jessé était le lieu de préparation de David, mais pas le lieu de sa destinée. Assurez-vous de ne pas confondre votre lieu de préparation avec votre destination.[35] Alors, quand Dieu vous appelle, posez une action.

LA CONNEXION FARDEAU/OBJECTIF

Le principe est simple: notre fardeau est lié à notre objectif. Ce qui nous dérange indique notre divine vocation. Par conséquent, nous ne devons pas fuir les responsabilités que Dieu a placées dans nos pensées et sur nos épaules. Au contraire, nous devons les accepter, car elles peuvent nous aider à trouver notre but dans la vie. Par exemple, Martin Luther King n'aurait pas découvert son but dans la vie s'il n'avait pas été accablé par la souffrance de ses frères et sœurs noirs.

Martin Luther King Jr. est né à Atlanta, en Géorgie, le 15 janvier 1929. En grandissant, il a été victime de discrimination raciale et de ségrégation aux États-Unis, ce qui l'avait profondément marqué. Par contre, cette expérience avait alimenté son désir de justice sociale. En tant que jeune homme, King est devenu pasteur baptiste et a commencé à dénoncer l'injustice raciale qui ravageait la société américaine. Il s'est fait connaître lors du boycott des bus de Montgomery en 1955, où il a été porte-parole de la communauté afro-américaine. Le boycott, qui a duré plus d'un an, a été organisé en vue de protester contre la ségrégation qui se pratiquait dans le système de transport public de la ville.

Le leadership de King et ses discours puissants ont inspiré les citoyens de tout le pays à agir contre le racisme et la discrimination. Il a joué un rôle crucial dans le mouvement des droits civiques, lequel visait à garantir l'égalité des droits et des protections pour les Afro-Américains. Tout au long de son militantisme, King a dû faire face à de nombreux défis et revers. En effet, il a été arrêté à plusieurs reprises et sa famille a reçu des menaces de mort. Il restait néanmoins attaché à sa cause et continuait de se battre pour la justice.

L'un des discours les plus célèbres de King «I Have a Dream», a été prononcé lors de la *Marche pour l'emploi et la liberté à Washington* en 1963. Dans ce discours, il a appelé à la fin du racisme et à ce que tous les gens soient jugés sur la base du contenu de leur caractère plutôt que de la couleur de leur peau. Mais tragiquement, King a été assassiné le 4 avril 1968 à Memphis, Tennessee. Cependant, son héritage en tant que leader dans la lutte pour les droits civiques perdure et traverse des générations.

Le fardeau de King qui le portait à lutter pour les droits des Afro-Américains, l'a conduit à son objectif, qui était de créer une société plus juste et plus équitable. Il a consacré sa vie à cette cause, inspirant d'autres à se joindre à lui dans la lutte pour la justice sociale. Son engagement inébranlable envers ses convictions lui a fait découvrir le pouvoir de la détermination ainsi que l'importance de défendre ce qui est juste. Si MLK n'avait été qu'un simple observateur et n'avait pas résisté, l'histoire aurait pu suivre un cours différent. Plusieurs grands hommes à travers les âges ont pu démontrer que leur fardeau s'était identifié à leur objectif. Considérons en ce sens ces quelques exemples:

- Lorsque Moïse vit ses frères souffrir en Égypte, son fardeau était de les voir délivrés. Ainsi, dans un premier temps, il a eu recours à la violence et a même tué un Égyptien qui maltraitait l'un de ses frères. Lorsque Dieu chercha quelqu'un pour délivrer les enfants d'Israël des Égyptiens, il choisit Moïse parce que tout simplement il portait le fardeau. (Ex 2-3, LSG).

- Gédéon, quant à lui, a prié pour que les enfants d'Israël soient libérés des Madianites. Il l'a fait à cause du fardeau qu'il éprouvait face à leur sort. Malgré ses doutes et ses craintes, lorsque Dieu cherchait quelqu'un pour libérer les enfants d'Israël, il choisit Gédéon à cause de son fardeau (Jug 6, LSG).
- Nelson Mandela n'aurait pas trouvé sa raison d'être s'il n'avait pas été accablé par le sort des Noirs en Afrique du Sud, victimes de l'Apartheid. Enfin, Mère Teresa, elle non plus, n'aurait pas découvert sa raison de vivre si elle n'avait pas partagé la souffrance des pauvres de Calcutta, en Inde.

Comme ces héros de l'Histoire, comment comptez-vous changer le cours de l'humanité lorsque qu'un désir ardent émanera de votre cœur? Sachez-le, quelle que soit votre vocation, le chemin ne sera pas sans obstacles. Comme l'a si bien dit, avec éloquence, Joshua J. Marine: *« Les défis sont ce qui rend la vie intéressante et les surmonter est ce qui donne un sens à la vie.»* Néhémie a eu bien des difficultés pour réaliser son projet de reconstruction du mur de Jérusalem.

comment comptez-vous changer le cours de l'humanité lorsque qu'un désir ardent émanera de votre cœur?

À l'époque de Néhémie, la plupart des Juifs acceptaient le statu quo. La diaspora juive s'était résignée à s'adapter à la condition misérable dans laquelle vivait Jérusalem. Mais Néhémie, pour sa part, était révolté par cette situation, il portait le fardeau et languissait de voir ses frères capables de rester chez eux. Il se souciait d'eux suffisamment pour demander, pleurer, prier et agir. Comme nous l'avons évoqué dans ce chapitre, l'action doit être entreprise dans le contexte d'une vision claire et convaincante.

PARTIE 4

VISION : RECONSTRUIRE GRÂCE À UNE VISION PARTAGÉE

CHAPITRE 6

DE LA RÉVÉLATION
À LA RESTAURATION

DES AFRICAINS ONT ÉTÉ EMMENÉS EN masse en Haïti en 1510 pour travailler comme esclaves sous l'ordre du roi Ferdinand d'Espagne. En 1522, la première de près de 300 ans de révoltes noires a eu lieu dans la demeure de Diego Colon, qui se trouve aujourd'hui du côté dominicain de l'île. Ce n'est qu'en janvier 1804 qu'Haïti devint une nation indépendante. Pourquoi a-t-il fallu si longtemps pour que le mouvement réussisse? La réponse est: *le leadership*.

Les esclaves noirs d'Haïti ont toujours protesté et lutté contre l'esclavage en empoisonnant, en attaquant de manière impromptue les maîtres blancs et en ravageant les animaux et les plantations. Même lors de la révolte de 1791, que de nombreux historiens considèrent comme la genèse de la révolution haïtienne, les esclaves visaient avant tout à se venger des Blancs pour ce qu'ils avaient fait. La véritable voie vers l'indépendance n'est venue que lorsque le leader visionnaire Toussaint L'Ouverture a émergé. Il a transformé la révolte de 1791 en révolution en lui donnant une vision et une stratégie tout en forgeant une discipline pour la soutenir. Les esclaves aspiraient à retourner en Afrique et considéraient Haïti comme un enfer où ils étaient forcés de travailler; Toussaint a été le premier à appeler Haïti «mon pays».

Il a vaincu les Espagnols et les Britanniques grâce à sa diplomatie et à sa puissance militaire. Ensuite, il posa les bases pour la défaite des Français. Après la mort de Toussaint, l'un de ses anciens lieutenants, Jean-Jacques Dessalines, a mené la bataille gagnante pour Haïti, forçant les Français à quitter l'île et déclarant Haïti une nation libre.[36] Il faut un leader visionnaire pour réaliser les rêves.

> **Il faut un leader visionnaire pour réaliser les rêves.**

Comme Toussaint L'Ouverture, Néhémie était un leader visionnaire.

RECONSTRUIRE LE MUR

Néhémie était déterminé et muni des lettres du roi autorisant sa visite et sa mission, il alla trouver les autorités juives, protégé par l'escorte militaire du roi. Les ennemis d'Israël, Sanballat le Horonite et Tobija, un fonctionnaire ammonite, furent « profondément troublés » parce que Néhémie était là pour « rechercher le bien-être des enfants d'Israël ». Néhémie inspecta secrètement Jérusalem pendant trois jours, à l'insu de tous, sauf de Dieu. Sachant que la grâce de Dieu était sur lui, Néhémie exhorta les prêtres, les nobles et les autres fonctionnaires à se joindre à lui pour reconstruire la muraille afin que l'opprobre ne pèse plus sur le peuple de Dieu et sur la ville de Dieu.

> «Venez, rebâtissons la muraille de Jérusalem, et nous ne serons plus dans l'opprobre.»
> — Né 2:17 (LSG)

Néhémie avait une vision claire de ce qu'il voulait faire, mais ce n'était pas un travail aussi simple qu'on pourrait le croire. Pour les Juifs de cette époque, reconstruire le mur signifiait reconstruire la ville, la communauté, restituer la fierté nationale et la gloire de Dieu dans le pays.

Aux temps bibliques, *muraille* était synonyme de *ville*. Nous pouvons les voir associés dans les Ecritures :

> «La fortune est pour le riche une ville forte; Dans son imagination, c'est une haute muraille.»
> – Pr 18:11 (LSG)

«Comme une ville forcée et sans murailles, Ainsi est
l'homme qui n'est pas maître de lui-même.»
- Pr 25:28 (LSG)

«Nous avons une ville forte; Il nous donne le salut pour
murailles et pour rempart.»
- Es 26:1 (LSG)

Dans ces passages et dans d'autres, nous voyons que lorsqu'une armée ennemie s'emparait du mur, elle prenait possession de la ville. Si le mur était infranchissable, la ville était impénétrable. De certains points de vue, tout ce qu'un étranger connaissait d'une ville était le mur d'enceinte qui la protégeait. À cette époque, la muraille ne se limitait pas à l'interdiction des étrangers ou à la protection des citoyens, elle consistait aussi à établir les institutions de la ville.

RECONSTRUIRE LA VILLE

De nombreuses fonctions essentielles de la vie communale se déroulaient aux portes de la ville, y compris les questions relatives au siège du pouvoir judiciaire. De nombreux jugements y furent rendus (Deut 21:19; 22:15; 25:7), y compris le verdict concernant un fils rebelle.

«Si un homme a un fils indocile et rebelle, n'écoutant ni la
voix de son père, ni la voix de sa mère, et ne leur obéissant
pas même après qu'ils l'ont châtié, le père et la mère le
prendront, et le mèneront vers les anciens de sa ville et à la
porte du lieu qu'il habite.»
— Deut 21:18-19 (LSG)

Reconstruire les murs et les portes signifiait rétablir le système juridique, organiser des mariages, conclure des accords et maintenir le commerce.

Les portes de la ville étaient le lieu où se déroulaient les activités commerciales. Ceux qui travaillaient dans les fermes et les champs à l'extérieur arrivaient tôt pour établir un marché à l'entrée, et d'autres achetaient et vendaient leurs marchandises près de l'entrée animée. Quand Élisée prophétisa la prospérité du pays, il dit: «*Ainsi parle l'Éternel: Demain, à cette heure, on aura une mesure de fleur de farine pour un sicle et deux mesures d'orge pour un sicle, à la porte de Samarie*» (2R 7:1, LSG).

Les portes étaient également liées à des activités politiques. C'était l'endroit où siégeaient un roi ou d'autres personnalités politiques éminentes. David était «assis à la porte» lorsqu'il reçut la nouvelle de la mort d'Absalom (2 S 18:24) et il y revint une fois la période de deuil terminée.

«*Alors le roi se leva, et il s'assit à la porte. On fit dire à tout le peuple : Voici, le roi est assis à la porte. Et tout le peuple vint devant le roi. Cependant Israël s'était enfui, chacun dans sa tente*». — 2 S 19:8 (LSG)

Le but de Néhémie était bien plus que de construire un périmètre brique sur brique autour de la ville. Leland Ryken, professeur émérite au Wheaten College, explique comment le Perse donnait une nouvelle vie à Jérusalem:

«Dans le monde antique, la construction d'une ville était le summum du succès d'une société, une activité qui la définissait comme ordonnée, civilisée et cultivée. D'un autre côté, les régions désolées, sans structures ou avec des structures en ruine, étaient considérées comme chaotiques, désordonnées, non civilisées, voire monstrueuses et laides. Les villes et les bâtiments représentaient la création, la vie, l'ordre et la beauté. Les structures en mauvais état et en décomposition étaient associées au chaos et à la mort. Construire ou reconstruire une structure impliquait de puissantes associations émotionnelles. C'était plus qu'une simple activité d'ingénierie; c'était un mouvement du chaos à l'ordre, de la mort à la vie. Cette connotation peut être vue dans la moquerie de Sanballat à l'égard des Juifs alors qu'ils reconstruisaient les murs de la ville: «*Redonneront-ils vie à des pierres ensevelies sous des monceaux de poussière et consumées par le feu?*» (Né 4:2, LSG). En utilisant le radical piel du verbe ḥ («donner la vie, faire revivre»), le projet de reconstruction est interprété comme un acte «donnant la vie».[37]

La vision de Néhémie était de reconstruire le mur pour faire revivre la ville. Pour changer la vie d'une communauté, nous devons rétablir l'ordre, rétablir la communication entre voisins et rétablir les moyens de subsistance et les institutions qui nous permettent d'avancer.

RECONSTRUIRE LA COMMUNAUTÉ

Reconstruire les murs ne signifiait pas seulement reconstruire les institutions de la ville, mais aussi reconstruire la vie même des habitants. Lorsque Néhémie a appelé les Juifs à reconstruire, il a dit: «*Venez, rebâtissons la muraille de Jérusalem, et nous ne serons plus dans l'opprobre.*» — Né 2:17 (LSG). Il ne s'intéressait pas seulement à la réparation des bâtiments: il savait que Dieu rendait la dignité à son peuple.

SÉCURITÉ

À propos de Jérusalem, le Psalmiste a écrit: «*Que la paix soit dans tes murs, Et la tranquillité dans tes palais!*» (Ps 122:7, LSG). Des murs sécurisés apportaient la paix au peuple car «lorsque des raids ou des guerres menaçaient, le mur se dressait entre les citoyens et l'ennemi; cela leur donnait même un avantage en hauteur, leur permettant de mépriser les assaillants et de leur lancer des projectiles.»[38]

> «*Tu donneras à tes murs le nom de salut, Et à tes portes celui de gloire.*»
>
> — Es 60:18 (LSG)

S'il y avait un mur entre vous et votre ennemi, vous étiez en sécurité en cas d'attaque. Les gens étaient rassurés par cette protection et par l'existence d'un lieu sûr où ils pouvaient rentrer chez eux.

SÉRÉNITÉ

Aujourd'hui, nous travaillons dans les villes et vivons dans les banlieues. Dans l'Antiquité, les gens travaillaient dans les banlieues parce que la plupart d'entre eux pratiquaient l'agriculture; ils vivaient dans les villes pour être protégés des guerres courantes. Ils avaient un endroit où aller après une longue journée de travail. C'est pourquoi le Psalmiste prie à nouveau concernant Jérusalem: «*Que la paix* [shalom] *soit dans tes murs, Et la tranquillité dans tes palais!*» (Ps 122:7, LSG). Ryken note: «Même en temps de paix, rentrer chez soi dans les murs d'enceinte d'une ville où la famille se réunissait, dînait et se reposait devait apporter confort et sérénité.»[39]

Un mur apporte la tranquillité aux palais ou aux maisons. En construisant les murs de Jérusalem, Néhémie offrait aux gens la possibilité de rentrer chez eux et de passer du temps avec leurs familles en toute tranquillité.

SOCIABILITÉ

Les portes de la ville étaient un lieu social, animé d'entreprises et de convivialité. Les gens se mélangeaient pour partager de bonnes et de mauvaises nouvelles. On pouvait y trouver de tous les genres. Les œuvres de l'épouse vertueuse étaient «louées aux portes» (Pr 31:31). Un ivrogne y chantait des chansons sur David (Ps 69:12). Néhémie voulait reconstruire la ville de Jérusalem «pour en faire un point focal pour la communauté juive dispersée dans tout Juda».[40] Les murs en ruine ont laissé les gens sans le lieu de rassemblement dont ils avaient besoin pour s'épanouir socialement et ont laissé une marque honteuse sur leur communauté.

RESTITUER LA FIERTÉ NATIONALE

L'état des murs d'une ville était un signe de succès ou d'échec, un symbole d'honneur ou de disgrâce. Des murs immenses et des portes solides étaient une œuvre de beauté. Durant la période Davidique, les Juifs avaient des raisons d'être fiers de Jérusalem. L'un d'entre eux invitait les passants à «marcher autour de Sion, et à la contourner». «*Parcourez Sion, parcourez-en l'enceinte, Comptez ses tours, Observez son rempart, Examinez ses palais, Pour le raconter à la génération future.*» (Ps 48:12-13, LSG).

Aujourd'hui, de grands bâtiments reluisants, des paysages soignés et des routes bien entretenues sont les signes d'une région bien développée. Mais à l'époque, ils s'enorgueillissaient de hautes murailles et de solides portes. Sans cela, ils risquaient d'être ridiculisés.

Lorsque le roi Nebucadnetsar détruisit Jérusalem, Jérémie déplora l'événement en ces termes: « *L'Éternel avait résolu de détruire les murs de la fille de Sion; Il a tendu le cordeau, il n'a pas retiré sa main sans les avoir anéantis; Il a plongé dans le deuil rempart et murailles, Qui n'offrent plus ensemble qu'une triste ruine (...) Tous les passants battent des mains sur toi, Ils sifflent, ils secouent la tête contre la fille de Jérusalem : Est-ce là cette ville qu'on appelait une beauté parfaite, La joie de toute la terre ?*» (Lamentations 2:8 et 15, LSG). Dans son état de délabrement, Jérusalem était un objet de mépris, de dédain et de moquerie aux yeux des passants. Comble de tristesse pour le peuple juif, dans leur mentalité, la beauté d'une ville est une manifestation de la gloire de Dieu. Sous sa direction, Néhémie espérait voir la gloire de Dieu revenir sur le peuple de Dieu.

RESTAURER LA GLOIRE DE DIEU DANS LE PAYS

Il nous est peut-être difficile aujourd'hui de voir le lien, mais les rois israélites qui construisirent de grands bâtiments étaient considérés comme bénis de Dieu. Lorsque le roi Asa accéda au pouvoir, Dieu lui avait donné du repos de tous côtés, alors il dit à son peuple: «*Bâtissons ces villes, et entourons-les de murs, de tours, de portes et de barres; le pays est encore devant nous, car nous avons recherché l'Éternel, notre Dieu (...) Ils bâtirent donc, et réussirent.*» (2 Ch 14:7, LSG).

Le Psalmiste a écrit : «*Oui, l'Éternel rebâtira Sion, Il se montrera dans sa gloire*» (Ps 102:16, LSG). Puis, une fois le temple achevé, ils commencèrent une prière de confession ainsi:

«*Que l'on bénisse ton nom glorieux, qui est au-dessus de toute bénédiction et de toute louange !*»

— Né 9:5 (LSG)

Le leadership visionnaire de Néhémie ne se limitait pas à construire un mur; il voulait restaurer la vie communautaire, la fierté de la communauté et la gloire de Dieu dans le pays. Pour avoir un bon impact communautaire, nous devons avoir une vision qui améliore la vie des gens et reflète la gloire de Dieu.

UNE GRANDE VISION

Pour accomplir les œuvres de Dieu, nous devons avoir une excellente vision de la tâche qui nous attend. Nous devons posséder une foi inébranlable et un engagement inébranlable envers la mission pour concrétiser cette vision. Il ne suffit pas de simplement désirer faire le bien dans le monde; nous devons avoir un plan à la fois précis et ambitieux. La vision de Néhémie était à la fois claire et audacieuse.

UNE GRANDE VISION EST CLAIRE

Lorsqu'il arriva en Juda, Néhémie rassembla le peuple, devenu insensible à la désolation qui l'entourait, et lui montra l'état de Jérusalem. Puis il dit: «*Venez, rebâtissons la muraille de Jérusalem*» (Né 2:17, LSG). La vision était limpide. La clarté est essentielle à tout concept, surtout si vous voulez que les autres s'y alignent.

Les gens ne peuvent pas suivre une vision qui ne leur est pas claire. Lorsque Dieu parlait au prophète Habacuc concernant l'avenir d'Israël, Il lui dit: «Écris la prophétie: *Grave-la sur des tables, afin qu'on la lise couramment*» (Ha 2:2, LSG). L'une des responsabilités les plus importantes d'un dirigeant est de s'assurer que le rêve qui lui tient à cœur est bien défini pour ceux qui pourraient le suivre, comme ce fut le cas pour l'église qui a vu le jour au 9 Willoughby Street, au Nigéria.

L'Église Chrétienne Rachetée de Dieu (RCCG) a débuté en 1952 à Lagos (Nigeria) et est actuellement la plus grande église protestante au monde, dirigée par le pasteur Enoch Adeboye. Pendant de nombreuses années, leur vision était simple: (1) aller au paradis, (2) emmener autant de personnes que possible avec eux et (3) avoir un membre du RCCG dans chaque famille de nations. D'une clarté exceptionnelle, cette vision a motivé une armée de personnes à vivre dans la sainteté, à gagner des âmes pour Christ et à implanter des églises.

En 2021, l'église comptait 51 580 branches et 9 938 617 membres. En 2017, leur auditorium a pu accueillir 3 millions de personnes et ils en construisent un autre qui pourra accueillir 12 millions.[41]

Leadership compatissant + Vision claire x Personnes engagées = Impact communautaire.

> **Leadership compatissant + Vision claire x Personnes engagées = Impact communautaire.**

Comme Néhémie et d'autres grands dirigeants, si nous voulons avoir un impact significatif sur notre communauté, nous devons avoir une vision claire et la poursuivre avec une détermination audacieuse.

UNE GRANDE VISION EST AUDACIEUSE

La ville de Jérusalem avait été détruite plus de 140 ans auparavant. Pourtant, lorsque le roi vit que le visage de Néhémie était triste et lui demanda ce qu'il voulait, Néhémie répondit hardiment: «*envoie-moi en Juda, vers la ville des sépulcres de mes pères, pour que je la rebâtisse.*» (Né 2:5, LSG).). Néhémie croyait pouvoir reconstruire une ville dévastée depuis plus d'un siècle. Lorsqu'il présenta sa vision aux Juifs, ils le suivirent. Les gens ne parviennent pas à réaliser de grandes choses non pas parce qu'ils manquent de ressources, mais parce qu'ils manquent d'imagination. Une vision clairement articulée attire toutes sortes de ressources.

Lorsque les pères d'Haïti ont décidé de défendre leur indépendance, ils n'étaient qu'un petit groupe d'esclaves non entrainés et non armés. Pourtant, ils croyaient pouvoir vaincre Napoléon, même si son armée était la plus nombreuse et la mieux entraînée du monde. Et ils l'ont fait.

> «*Qu'il vous soit fait selon votre foi.*»
> — Mt 9:29 (LSG)

Steve Jobs, le fondateur d'*Apple*, a déclaré: «Les gens qui sont assez fous pour penser qu'ils peuvent changer le monde sont ceux qui y parviennent généralement.» N'est-il pas temps de rêver avec audace et de trouver des personnes partageant les mêmes idées pour contribuer à sa réalisation?

> **«Les gens qui sont assez fous pour penser qu'ils peuvent changer le monde sont ceux qui y parviennent généralement.» N'est-il pas temps de rêver avec audace et de trouver des personnes partageant les mêmes idées pour contribuer à sa réalisation?**

L'IMPORTANCE DE LA VISION

Les grands exploits sont accomplis par les grandes équipes. Pour qu'un groupe de personnes travaille en équipe, ils doivent être unis et animés d'une grande vision. Examinons cinq effets positifs qu'une bonne vision peut avoir sur une équipe.

> **Les grands exploits sont accomplis par les grandes équipes.**

LA VISION DONNE UNE DIRECTION

Supposons qu'un groupe de personnes travaille ensemble mais ne possède pas une vision convaincante et claire pour les connecter et les diriger. Dans ce cas, elles finiront par se perdre dans tous les sens.

> *«Quand il n'y a pas de révélation, le peuple est sans frein»*
> — Pr 29:18 (LSG).

Un proverbe japonais dit: «Une vision sans action est un rêve éveillé. Une action sans vision est un cauchemar.»

90

Un proverbe japonais dit: «Une vision sans action est un rêve éveillé. Une action sans vision est un cauchemar.»

Lorsque Néhémie a demandé à la communauté de travailler avec lui, il a évité un cauchemar grâce à une vision singulière: *reconstruire les murs de Jérusalem.* Les ouvriers ont travaillé à l'unisson pour effectuer les réparations.

> *«A côté d'eux travailla aux réparations Merémoth, fils d'Urie, fils d'Hakkots; à côté d'eux travailla Meschullam, fils de Bérékia, fils de Meschézabeel; à côté d'eux travailla Tsadok, fils de Baana;[...] à côté d'eux travailla Uzziel, fils de Harhaja, d'entre les orfèvres, et à côté de lui travailla Hanania, d'entre les parfumeurs. Ils laissèrent Jérusalem jusqu'à la muraille large. A côté d'eux travailla aux réparations Rephaja, fils de Hur, chef de la moitié du district de Jérusalem. A côté d'eux travailla vis-à-vis de sa maison Jedaja, fils de Harumaph, et à côté de lui travailla Hattusch, fils de Haschabnia.»*
>
> Né 3:4, 8-10, (LSG).

Notez combien de fois l'expression «travailla aux réparations» apparaît dans ces quelques versets. Néhémie n'avait pas un groupe de personnes faisant des réparations, un autre plantant des légumes et certains nourrissant les animaux. Tout le monde était à bord et sûr de son travail: ils effectuaient des réparations. Nous devons être sur la même longueur d'onde pour restaurer nos communautés brisées. Comme les musiciens d'un orchestre, nous ne jouons peut-être pas tous du même instrument, mais nous devons jouer à partir des mêmes partitions.

Aux débuts d'Apple, Steve Jobs avait une vision de ce qu'il voulait que l'entreprise soit. Il pensait que les ordinateurs devaient être faciles à utiliser et constituer des outils de créativité et d'expression personnelle. Il avait également une vision pour le design des produits Apple: il voulait qu'ils soient beaux et intuitifs. La vision de Jobs a donné une orientation à l'entreprise. Cela a guidé leurs décisions concernant la conception des produits, le marketing et même l'embauche. Jobs était tellement passionné par sa vision qu'il était prêt à prendre des risques et des mesures audacieuses. Par exemple, il a insisté pour que l'ordinateur Macintosh d'origine soit doté d'une interface utilisateur graphique, même si elle était coûteuse et non testée à l'époque. Au fil du temps, le succès d'Apple a prouvé que la vision de Jobs était la bonne. L'entreprise s'est développée et est devenue l'une des plus riches au monde. Et même après la mort de Jobs, sa vision a continué à guider l'entreprise. [42]Aujourd'hui, Apple est toujours connue pour ses produits beaux et intuitifs, et cela témoigne du pouvoir d'avoir une vision claire et convaincante. Ce qui favorise un esprit de coopération entre toutes les personnes impliquées.

UNE VISION FAVORISE LA COOPÉRATION

Imaginez le résultat d'une course à trois jambes si chaque paire partait dans des directions opposées. C'est le chaos et l'échec, à moins que tous ne sachent où se trouve la ligne d'arrivée et le chemin à suivre pour la franchir.

> *«Deux hommes marchent-ils ensemble,*
> *Sans en être convenus?»*
> — Am 3:3 (LSG)

Marcher ensemble devient fluide lorsque les gens se mettent d'accord sur une destination et une direction. La clarté favorise la coopération. De même, dans le cas de Néhémie, parce que tout le monde était d'accord avec la vision de construire le mur, il est devenu facile pour eux de travailler ensemble, côte à côte. Le livre de Néhémie relate leur étroite collaboration dans les mêmes versets de Néhémie 3 avec l'expression « à côté d'eux ».

> *«A côté d'eux travailla aux réparations Merémoth, fils d'Urie,*
> *fils d'Hakkots; à côté d'eux travailla Meschullam, fils de*
> *Bérékia, fils de Meschézabeel; à côté d'eux travailla Tsadok, fils*

*de Baana. [...] à côté d'eux travailla Uzziel, fils de Harhaja,
d'entre les orfèvres, et à côté de lui travailla Hanania, d'entre
les parfumeurs. Ils laissèrent Jérusalem jusqu'à la muraille
large. A côté d'eux travailla aux réparations Rephaja, fils de
Hur, chef de la moitié du district de Jérusalem. A côté d'eux
travailla vis-à-vis de sa maison Jedaja, fils de Harumaph, et à
côté de lui travailla Hattusch, fils de Haschabnia ».*

— Né 3:4, 8-10, (LSG).

Sans une vision pour alimenter la passion d'une personne pour
un projet, elle est peu motivée à y participer. Les gens peuvent refuser en disant: «Cela ne relève pas de mon domaine d'expertise» ou
«Ce n'est pas ma vocation». Cependant, lorsqu'ils sont animés par la
conviction collective d'un monde meilleur, l'enthousiasme l'emporte
sur le manque d'expérience. Toute la communauté était impliquée, y
compris les religieux et les non-religieux, les pauvres et les riches, les
grands et les petits. Leur vision commune transcendait leur statut,
leurs différences religieuses ou leurs qualifications. Notez les compétences des individus travaillant côte à côte pour construire le mur:

- Eliashib, qui a commencé les travaux, était un grand prêtre (Né 3:1)
- Hanania était un parfumeur (Né 3:8)
- Uzziel était un orfèvre (Né 3:8)
- Rephaja était un chef de district (Né 3:9)
- Nethinim était un marchand (Né 3:31)

Pas un seul charpentier ou maçon n'était mentionné dans ces
versets; juste un groupe d'hommes *entièrement à l'écoute* d'un leader
visionnaire et qui refusent de dire: «Ce n'est pas mon travail». Ils
pratiquaient ce que les Rwandais appellent *l'Umuganda*.

En langue kinyarwanda, Umuganda signifie «se rassembler dans
un but commun». Les membres de la communauté se réunissaient
régulièrement pour travailler sur des projets, tels que la construction
de routes, la réparation d'écoles ou la plantation d'arbres. Le terme

remonte à plusieurs siècles mais a retrouvé sa ferveur sous la houlette du président rwandais Paul Kagame.

Après le génocide dévastateur de 1994, qui a fait près d'un million de morts et laissé le pays dans un état de ruine, Kagame a mis en œuvre l'Umuganda, qui était tombé en désuétude et largement oublié. Lorsque Paul Kagame est devenu président en 2000, il a vu le potentiel de l'Umuganda comme outil de reconstruction du pays. Il pensait que si les Rwandais pouvaient se rassembler dans un esprit d'unité et travailler ensemble vers un objectif commun, ils pourraient réaliser de grandes choses. L'umuganda est devenu obligatoire pour tous les adultes valides au Rwanda, les obligeant à participer à un projet de service communautaire pendant au moins trois heures le dernier samedi de chaque mois. Les projets ont été organisés par les dirigeants locaux et conçus pour répondre à des besoins spécifiques de la communauté, tels que nettoyer les rues, construire des maisons pour les sans-abri ou planter des cultures. L'idée n'a pas été immédiatement populaire, mais au fil du temps, les gens ont pu constater les résultats positifs et la vision de Kagame a commencé à s'imposer. L'Umuganda est devenu pour les Rwandais un moyen de travailler ensemble pour surmonter les défis auxquels leur pays est confronté, et il a contribué à favoriser un sentiment de fierté et d'unité au sein de la population.

Aujourd'hui, l'Umuganda fait partie intégrante de la culture rwandaise. Il est largement considéré comme l'un des facteurs clés du remarquable redressement du pays après le génocide. Il a contribué à reconstruire les communautés, à restaurer les infrastructures et à promouvoir la responsabilité civique au sein de la population. L'Umuganda fonctionne en rassemblant les familles sous une vision commune. [43]Pour que nos communautés progressent, nous devons faire de même. Henry Ford a dit un jour: «Si tout le monde avance ensemble, le succès s'impose de lui-même». Un leader visionnaire ne contraint pas les gens, il les convainc.

LA VISION PRODUIT DE LA MOTIVATION

Lorsque le Seigneur parla au prophète Habacuc, il dit: « Écris la prophétie: *Grave-la sur des tables, Afin qu'on la lise couramment.* »

(Ha 2:2, LSG). Une grande vision motive les gens à agir. Un dirigeant efficace ne force pas les gens, il les influence, et il le fait grâce à la puissance d'une image qui les inspire.

Lorsque Néhémie arriva en Juda, il avait derrière lui toute la puissance de l'empire perse. En fait, le roi envoya même un détachement de soldats. Il écrit dans ses mémoires: «*Je me rendis auprès des gouverneurs de l'autre côté du fleuve, et je leur remis les lettres du roi, qui m'avait fait accompagner par des chefs de l'armée et par des cavaliers.*» (Né 2:9, LSG). Malgré le pouvoir dont Néhémie disposait, il n'a pas utilisé la coercition pour inciter le peuple à l'action; il a utilisé la persuasion, déclinée en trois parties dans Né 2:17.

Néhémie s'est adressé au peuple en lui montrant d'abord le besoin évident:

> « *Vous voyez le malheureux état où nous sommes! Jérusalem est détruite, et ses portes sont consumées par le feu!* »
> (LSG)

Néhémie les a immédiatement impliqués dans la solution:

> « *Venez, rebâtissons la muraille de Jérusalem...* »
> (LSG)

Néhémie leur a donné une motivation:

> « *... et nous ne serons plus dans l'opprobre.* »
> (LSG)

Avant que Néhémie ait pu terminer son discours, le peuple tonna: « *Levons-nous, et bâtissons* » (Né 2:18, LSG). Ils étaient motivés. Comme le disait Ferdinand Foch, le grand général français: « L'arme la plus puissante sur terre est l'âme humaine en feu. » Les Juifs de Jérusalem avaient un zèle ardent qui les faisait travailler. Ils ont construit le mur à la vitesse de l'éclair parce que « *le peuple prit à cœur ce travail* » (Né 4:6, LSG), parce qu'il était motivé par un grand leader. Une grande vision encourage les gens vers le changement. Martin Luther King Jr. a mis en action les forces sociales et politiques de la nation américaine en partageant un rêve.

Le mouvement des droits civiques a débuté au milieu des années 1950. Martin Luther King s'est impliqué dans l'organisation du boycott des bus de Montgomery en Alabama après que Rosa Parks ait refusé de céder son siège à un passager blanc. Le combat fut long et dur, et ils ne remportèrent pas beaucoup de victoires au cours de ces années. Mais tout change le 28 mars 1963, lorsqu'une marche est organisée avec 250 000 personnes sur le Washington Mall. Martin Luther King a prononcé son célèbre discours « I Have a Dream » (Je fais un rêve), partageant sa vision de l'Amérique.

« Je rêve que mes quatre petits-enfants vivront un jour dans une nation où ils ne seront pas jugés sur la couleur de leur peau mais sur le contenu de leur caractère. Aujourd'hui, je fais un rêve.»

Ce discours a ému toute la nation. Il a attiré l'attention sur la lutte pour les droits civiques, a modifié l'opinion publique sur l'inégalité raciale, a incité davantage de personnes à participer aux manifestations et a fait pression sur les législateurs pour qu'ils adoptent une loi sur les droits civiques. La loi sur les droits civiques de 1964 est entrée en vigueur moins d'un an plus tard.[44]

LA VISION STIMULE L'INNOVATION

Les personnes qui croient en une vision trouveront elles-mêmes des moyens de résoudre les problèmes. Ils deviendront créatifs, innovants et ingénieux. Antoine de Saint-Exupéry, le célèbre écrivain français, a dit: « Si vous voulez construire un navire, ne racolez pas les gens pour rassembler du bois et ne leur assignez pas quelque tâche ou travail, mais plutôt apprenez-leur à désirer ardemment l'immensité infinie de la mer. » En d'autres termes, donnez-leur une vision de la mer et ils découvriront comment construire eux-mêmes le navire, même lorsqu'ils rencontreront de la résistance.

Lorsque Néhémie commença à reconstruire les murs de Jérusalem, il avait prévu une certaine opposition de la part des nations voisines. Pourtant, il ne s'attendait pas à ce que cela atteigne le niveau de violence. Mais ce fut le cas. Les adversaires de Néhémie étaient tellement en colère contre le projet de construction du mur qu'ils complotèrent pour faire disparaître le *problème*.

> « *Et nos ennemis disaient: Ils ne sauront et ne verront rien jusqu'à ce que nous arrivions au milieu d'eux; nous les tuerons, et nous ferons ainsi cesser l'ouvrage.* »
> — Né 4:11 (LSG)

Les détracteurs de Néhémie étaient prêts à tuer pour empêcher l'achèvement de l'entreprise. Mais le visionnaire Néhémie a eu une idée innovante pour protéger ses travailleurs tout en gardant le projet sur la bonne voie.

> « *Depuis ce jour, la moitié de mes serviteurs travaillait, et l'autre moitié était armée de lances, de boucliers, d'arcs et de cuirasses. Les chefs étaient derrière toute la maison de Juda. Ceux qui bâtissaient la muraille, et ceux qui portaient ou chargeaient les fardeaux, travaillaient d'une main et tenaient une arme de l'autre* »
> - Né 4:16-17 (LSG)

La vision et la pensée critique de Néhémie l'ont aidé à adopter de nouvelles stratégies pour achever la restauration du mur. Il ne peut y avoir d'opposition fructueuse à ce que Dieu a ordonné.

Il ne peut y avoir d'opposition fructueuse à ce que Dieu a ordonné.

En 1962, le président John F. Kennedy a prononcé un discours à l'Université Rice, exposant sa vision pour les États-Unis d'envoyer un homme sur la Lune avant la fin de la décennie. À l'époque, cela semblait une tâche impossible. La technologie n'existait pas. Malgré les défis, Kennedy a déclaré qu'il voulait un homme sur la Lune d'ici la fin des années 60. Sa vision fixait un objectif et un délai clairs, donnant une direction à la NASA et à l'ensemble du pays, galvanisant les ressources scientifiques et technologiques nationales. Les ingénieurs, les scientifiques et les astronautes ont travaillé sans relâche pendant des années pour atteindre cet objectif. Le 20 juillet 1969, la NASA a réalisé la vision de Kennedy lorsque les astronautes Neil Armstrong et Edwin « Buzz » Aldrin ont atterri sur la Lune. Ce fut un moment historique qui a captivé l'imagination des gens du monde entier.[45] Une fois ce cap atteint, rien ne semblait impossible. Une bonne vision enflammera l'imagination des membres de notre communauté avec créativité et idées d'avancement. Nous transformerons les idées en preuves tangibles dans notre quête de progrès à mesure que nous progressons vers l'objectif.

UNE VISION PERMET DE S'ÉVALUER

Le statisticien américain W. Edward Demings avait dit: « Vous ne pouvez pas gérer ce que vous ne mesurez pas. » Pour bâtir de grandes communautés, nous devons avoir une vision claire et des moyens de mesurer nos progrès pour faire de cette idée une réalité. Alors que nous mesurons nos progrès, prenons soin de juger notre croissance en nous basant uniquement sur le but de Dieu.

> « Que chacun examine ses propres œuvres, et alors il aura sujet de se glorifier pour lui seul, et non par rapport à autrui. »
> — Ga 6:4 (LSG)

Néhémie a démontré ce précepte en mesurant ses efforts en fonction de ce à quoi il avait été appelé, et non en fonction de ce que faisait son voisin (Né 4:6). Soyez clair sur votre vision et mesurez-vous par rapport à la vision que vous avez.

L'IMPORTANCE D'UN VISIONNAIRE

Lorsque Dieu appela Moïse, il ouvrit les cieux et lui montra une image du Tabernacle céleste. Moïse contempla le Tabernacle, et le Seigneur ferma les cieux et ordonna à Moïse de construire « *d'après le modèle qui t'est montré sur la montagne* » (Ex 25:40, LSG). Personne d'autre n'a vu le plan. Et, autant que nous le sachions, Moïse n'a pas gravé de plan dans le sable alors que les cieux étaient ouverts. La plupart d'entre nous avons du mal à nous souvenir de la raison pour laquelle nous sommes entrés dans une pièce à partir d'une autre, alors comment Moïse se souvenait-il de ces détails ?

Lorsque Dieu a montré à Moïse l'image du tabernacle et l'a chargé de le construire, cette vision est devenue une partie inhérente de l'homme, plantée en lui pour le porter et le faire naître. Moïse n'était pas simplement le témoin de la vision de Dieu; il était le visionnaire qui la portait. Lorsque Moïse s'est adressé aux enfants d'Israël pour les motiver à construire le tabernacle, ils ont dû lui faire confiance, car c'est lui qui avait reçu la vision.

Une communauté qui avance ne peut pas avoir plusieurs visionnaires sur la même entreprise. Puisque l'expérience de chaque personne avec Dieu est unique, différents visionnaires signifient différentes visions. Comme le dit un célèbre proverbe haïtien: « *Tout moun gen je, men pa tout moun wè menm bagay* » signifiant que *tout le monde a des yeux, mais tout le monde ne voit pas la même chose*. Partout où il y a deux visions, il y a division. Une vision donne une orientation, favorise la collaboration, stimule l'innovation et permet l'évaluation, mais rien de tout cela ne se produit sans un visionnaire. Que le Seigneur suscite parmi nous un Moïse, une personne de caractère qui recevra une vision pour nous emmener à la *terre promise*.

Partout où il y a deux visions, il y a division.

PARTIE 5

CARACTÈRE : NOUS DEVONS ÊTRE DIGNES DE CONFIANCE

CHAPITRE 7

ÊTRE UN HOMME DE CARACTÈRE

L E DÉVELOPPEMENT DU CARACTÈRE NÉCESSITE UN renouveau complet, du physique au spirituel, en passant par l'émotionnel et le dispositionnel. La force de caractère est particulièrement importante pour les dirigeants qui sont des modèles pour les autres. Avant de définir les qualités du caractère, commençons par souligner ce qu'elles ne sont pas.

LE CARACTÈRE N'EST PAS LA RÉPUTATION

Avoir une bonne réputation est essentiel, mais l'Écriture nous dit que ce n'est pas la chose la plus importante.

> « Gardez-vous de pratiquer votre justice devant les hommes, pour en être vus; autrement, vous n'aurez point de récompense auprès de votre Père qui est dans les cieux »
>
> (Mt 6:1 LSG)

Jésus nous avertit que nous ne devons pas nous laisser guider par le désir de conserver une bonne réputation, mais plutôt par le désir de faire ce qui est juste. Le caractère n'est pas la réputation, et une bonne réputation n'est pas la preuve d'un caractère pieux.

Lorsque j'ai commencé mon travail dans le ministère pastoral, j'ai été approché par une église en difficulté qui avait besoin d'aide. Je sentais que les aider était la volonté de Dieu, mais j'hésitais. L'Église avait connu plusieurs scandales dans le passé et j'avais peur que mon nom y soit associé. Puis Dieu m'a dit:

« Si tu me désobéis pour sauver ta réputation, alors ta réputation est ton dieu. »

À ce moment-là, le Seigneur m'a appris que je ne dois pas m'inquiéter de ce que les gens disent de moi mais plutôt me concentrer sur qui je suis. Je ne peux pas contrôler ce que les autres pensent ou disent de moi, mais je peux contrôler mes actions, mes choix et l'homme que je choisis de devenir. Un leader communautaire influent sait qu'il est préférable de développer et de protéger son caractère. Si vous prenez soin de votre caractère, votre réputation prendra soin d'elle-même.

> **Si vous prenez soin de votre caractère, votre réputation prendra soin d'elle-même.**

Le caractère n'est pas la personnalité

Le mot « personnalité » vient du mot latin « persona », signifiant à l'origine « masque d'acteur » et plus tard, « rôle dans une pièce de théâtre ». Nous connaissons désormais la personnalité comme « la présence, la figure *ou* le comportement » d'une personne – son visage public. C'est pourquoi il est écrit dans la loi: « Vous ne ferez pas d'injustice dans le jugement: tu n'auras pas égard à la personne du pauvre, et tu n'honoreras la personne du riche; tu jugeras ton prochain *avec justice* » (Lévitique 19:15, FRDBY). Dieu disait aux juges qu'ils ne devaient pas rendre de jugement basé sur l'apparence des pauvres ou sur l'apparence des riches. Les apparences *peuvent* être trompeuses.

Tout comme les masques que portaient autrefois les acteurs, la personnalité d'une personne peut ne pas ressembler à son véritable caractère. De nos jours, les gens mettent beaucoup l'accent sur la personnalité, l'aspect public de leur être au détriment de leur caractère. Dans « Les 7 habitudes des gens efficaces », Stephen R. Covey a écrit qu'au cours des 150 premières années des États-Unis, la littérature sur le succès se concentrait sur le caractère éthique, tel que l'intégrité, la simplicité, la fidélité et le courage. Depuis la Première Guerre mondiale, l'opinion générale s'est déplacée vers l'éthique de la personnalité, qui met l'accent sur « l'image publique, les attitudes et les comportements, les compétences et les techniques qui lubrifient les processus d'interaction humaine ».[46]

LE PROBLÈME DE L'ÉTHIQUE DE LA PERSONNALITÉ

L'éthique de la personnalité est basée sur l'apparence. Il existe toute une industrie conçue pour embellir la personnalité des gens; c'est le domaine des relations publiques. Un spécialiste des relations publiques est chargé de gérer et de façonner la façon dont le public perçoit les individus, les organisations et les entreprises. Aux États-Unis, plus de 274 700 personnes travaillent dans ce domaine, générant plus de 14 milliards de dollars de revenus. L'éthique de la personnalité était le genre de principe que les dirigeants juifs adoptaient à l'époque de Jésus, et ce n'était pas suffisant. Le Seigneur a exposé leurs faux visages:

> *« Malheur à vous, scribes et pharisiens hypocrites ! parce que vous ressemblez à des tombeaux blanchis, qui paraissent beaux au dehors, et qui, au dedans, sont pleins d'ossements de morts et de toute espèce d'impuretés ».*
>
> (Mt 23:27 LSG)

Le mot utilisé pour « malheur » dans la déclaration de Jésus est « ouai » en grec, qui signifie « interjection dénotant la douleur ou le mécontentement ». En d'autres termes, ceux qui fondent leur vie sur la personnalité sont dans un état lamentable. Jésus déplore ceux qui construisent leur vie sur une beauté à fleur de peau. L'apparence est une base faible et ne peut supporter le poids d'un succès durable. Tôt ou tard, toute la structure s'effondrera. D'un autre côté, le caractère constitue une base solide sur laquelle bâtir une vie.

L'IMPACT DURABLE DE L'ÉTHIQUE DU CARACTÈRE

Dans les années 80, Phil Donahue, célèbre personnalité de la télévision américaine, avait la réputation d'être une épine dans le pied des prédicateurs. Donahue avait peu de respect pour le clergé et les maltraitait dans ses émissions parce qu'il pensait qu'ils feraient n'importe quoi pour attirer l'attention des médias. Mais il s'est souvenu d'un prédicateur campagnard qui avait contesté cette croyance par son caractère.

Alors qu'il était encore journaliste à la télévision dans l'Ohio, Donahue a été envoyé en Virginie occidentale pendant l'hiver glacial pour couvrir une catastrophe minière. Il est allé dans une petite voiture cabossée transportant une mini caméra pour filmer l'histoire. Il faisait si froid que la caméra ne fonctionnait pas, alors il l'a mise dans son manteau, espérant la réchauffer suffisamment pour qu'elle fonctionne afin qu'il puisse rendre compte de ce qui se passait.

Les familles des mineurs piégés étaient rassemblées autour - des femmes, des vieillards et des enfants, craignant pour la vie de leurs proches mais essayant de se réconforter et de se rassurer les uns les autres. Le pasteur local s'est arrêté alors que Donahue essayait encore de faire fonctionner son appareil photo. Il était grossier et ne parlait pas bien. Le prédicateur a rassemblé les habitants en cercle; ils se tenaient les bras pendant que le ministre priait pour eux. Donahue était de plus en plus frustré car il ne pouvait pas tourner cette scène poignante. Puis, tout à coup, la caméra s'est mise à bourdonner et à s'allumer juste au moment où la prière était terminée. Il l'avait manqué. Donahue est allé voir le pasteur et lui a demandé s'il pouvait reconstituer la prière avec les familles afin de pouvoir la filmer pour les informations du soir. Cependant, ce simple prédicateur de Virginie occidentale a dit à Donahue: « Jeune homme, nous ne prions pas pour les nouvelles. Je suis désolé, mais nous avons déjà prié et je ne poserai pas ».[47] Phil Donahue, qui s'opposait aux pasteurs parce qu'il pensait qu'ils voulaient tous l'attention des médias, s'est retrouvé face à un homme de Dieu qui refusait d'être une personnalité, un acteur. L'histoire raconte que Donahue n'a jamais oublié l'humble prédicateur de campagne qui valorisait le caractère avant la personnalité. Pour avoir un impact qui durera plus longtemps que votre vie, vivez avec des motivations pures et un esprit humble, en choisissant les principes plutôt que la personnalité.

LE CARACTÈRE N'EST PAS UN TEMPÉRAMENT

Le tempérament d'une personne fait référence à sa disposition naturelle « à se comporter et à réagir aux situations d'une manière donnée ». Selon les mots du psychologue Hans Eysenck, le tempérament d'un individu « est la somme totale de ses prédispositions, inclinations et préférences ». Voyons ce que nous apprenons d'Ésaü et de son frère Jacob à partir de cette seule Écriture de la Genèse.

> « Ces enfants grandirent. Ésaü devint un habile chasseur,
> un homme des champs; mais Jacob fut un homme
> tranquille, qui restait sous les tentes »
> (Gn 25:27 LSG).

Jacob était « doux », ayant « un penchant pour une vie domestique et tranquille ».[48] Le même verset dans la Bible du Semeur dit qu'il « préférait se tenir dans les tentes. ». En tant que frère de sang de Jacob, Ésaü n'aurait pas pu être plus différent. Ils étaient comme le jour et la nuit, même s'ils partageaient un ADN et avaient grandi dans le même environnement. Le mélange de tempérament de chaque personne est comme une empreinte digitale unique, que les experts ont classée en quatre grandes catégories au fil des ans.

QUATRE TEMPÉRAMENTS

Le célèbre médecin grec Hippocrate (460-370 av. J.-C.), le « père de la médecine », est né sous les ministères prophétiques de Néhémie et de Malachie. Son étude de la personnalité et du tempérament est toujours utilisée comme outil de diagnostic par les médecins et les psychologues. Aujourd'hui, les théories sur les traits de personnalité ne manquent pas; cependant, la plupart sont toujours basées sur ces quatre catégories: colérique, sanguin, mélancolique et flegmatique.

Le Colérique a tendance à être motivé, orienté vers un objectif et affirmé. Les personnes l'ayant comme principale caractéristique peuvent être passionnées par leur travail et désirer fortement le

contrôle et le leadership. Ils sont souvent décrits comme étant éner-
giques, confiants et déterminés. L'apôtre Paul, qui a écrit les deux
tiers du Nouveau Testament et implanté la plupart des églises aux
premiers jours du christianisme, est un exemple de tempérament
colérique. Il était concentré sur son objectif et travaillait sans relâche
pour l'atteindre.

Le Sanguin est optimiste, enthousiaste et sociable. Ils aiment être
avec d'autres personnes et peuvent avoir beaucoup d'amis. Ils sont
souvent décrits comme étant chaleureux, amusants et extravertis. Un
exemple de sanguin dans la Bible serait Pierre, qui parlait plus que
tous les autres disciples réunis et souvent sans réfléchir.

Le Mélancolique est observé chez les types introvertis, réfléchis et
sensibles. Ils peuvent être introspectifs, réfléchis et préférer passer du
temps seul. Ils sont souvent décrits comme étant profonds, maussades
et artistiques. Moïse, qui passait beaucoup de temps seul, voulait que
les choses soient correctes et passait probablement beaucoup de temps
à réfléchir et à assimiler.

Le Flegmatique a tendance à être calme, paisible et facile à vivre.
Ils peuvent être de bons auditeurs et éviter les conflits. Ils sont souvent décrits comme étant patients, fiables et stables. Abraham serait
un exemple de flegmatique dans la Bible. Abraham était un homme
craintif au début et il avait du mal à se motiver, mais en fin de compte,
il est devenu un héros de la foi.

VOUS PRENEZ LE BON AVEC LE MAUVAIS

Tous les tempéraments ont leurs forces et leurs faiblesses. Le colérique
peut être confiant, axé sur un objectif, productif et efficace. Pourtant,
ce trait peut également être impatient, critique, colérique et avoir
du mal à déléguer des tâches. Le Sanguin est sociable, optimiste et
adaptable. Pourtant, il peut aussi être impulsif, désorganisé, avoir
du mal à donner suite et éviter les conversations difficiles. Le mélancolique peut être introspectif, créatif et réfléchi, mais peut aussi être
pessimiste, maussade, indécis et lutter contre le perfectionnisme ou
l'autocritique. Le flegmatique peut être patient, fiable, diplomate et

à l'écoute. Pourtant, il peut aussi être indifférent, passif-agressif et avoir du mal à agir ou à prendre des décisions.

Lorsque l'aspect positif du tempérament d'une personne devient le trait dominant dans sa vie, on dit qu'elle a *un bon tempérament*. Une personne qui a un bon caractère est une bénédiction pour son entourage. L'auteur Henry Van Dyke a écrit: « Il n'y a pas de charme personnel aussi grand que celui d'un tempérament joyeux ».[49] Mais lorsqu'une personne laisse le côté négatif de son tempérament dominer, un bon leader communautaire sait comment voir à travers cela et la guider du côté laid et charnel vers le contrôle de l'Esprit. Nous avons tous des extrêmes positifs et négatifs dans notre personnalité et notre tempérament, mais c'est à chacun de nous de choisir l'alimentation de l'Esprit plutôt que notre nature charnelle. Le caractère pourrait-il être prouvé par la partie que nous choisissons de nourrir ?

L'IMAGE DE DIEU EN VOUS

Le terme « caractère » n'apparaît qu'une seule fois dans le texte grec original du Nouveau Testament. On le trouve dans Hébreux, où l'auteur introduit la personne du Christ:

> « *Après avoir autrefois, à plusieurs reprises et de plusieurs manières, parlé à nos pères par les prophètes, Dieu, dans ces derniers temps, nous a parlé par le fils…. et qui, étant le reflet de sa gloire et l'empreinte de sa personne* »
> (He 1:1-3 LSG).

Dans ce passage, « caractère » signifie « l'image de Dieu en Christ ». Une autre traduction dit: « Le Fils rayonne la propre gloire de Dieu et exprime le caractère même de Dieu » (NLT-SE). Le caractère est l'image de Dieu qui est toujours bonne parce que Dieu est bon, reproduite en nous en tant que croyants. Les traits que nous appelons mauvais caractère, tels que l'égoïsme, la jalousie et les excès de colère, ne relèvent pas du tout de l'étiquette de caractère. La Bible les désigne comme étant les œuvres de la chair (Ga 5:19). À mesure que nous sommes transformés par le renouvellement de notre esprit (Rm 12:2), notre caractère - l'image *de Dieu en nous* affectera de plus en plus et de manière marquée notre comportement et nos choix, créant un impact sur nos communautés.

UN HOMME DE CARACTÈRE: NÉHÉMIE

Néhémie était un leader à succès qui avait attiré des partisans engagés parce qu'il était un homme de caractère. La lumière de Dieu brillait à travers lui de tant de façons:

- **Un homme de compassion.** Lorsque Néhémie entendit que ses frères souffraient, il s'effondra et pleura, priant et jeûnant pendant plusieurs jours (Né 1:4).
- **Un homme de parole.** S'adressant à son fils au sujet du suivi, le spécialiste de la Bible évangélique Howard Hendricks a conseillé: « Soyez si fiable que si vous dites que vous serez quelque part et que vous ne vous présentez pas, ils vous enverront des fleurs. » Néhémie était ce genre d'homme. Il avait promis à Dieu (Né 1:11), au roi (Né 2:5), et au peuple (Né 2:16) qu'il les conduirait à reconstruire le mur. Et il l'a fait.
- **Un homme intègre.** Lorsque Néhémie était gouverneur de Jérusalem, il avait le pouvoir de lever des impôts sévères sur les Juifs pauvres, comme l'avaient fait les puissances précédentes. Mais il ne l'a pas fait (Né 5:15).
- **Un homme de générosité.** Au lieu de taxer le peuple, il les a tous nourris, soit plus de 150 personnes, en payant de sa propre poche (Né 1:17).
- **Un homme d'humilité.** Lorsqu'un groupe de pauvres en Juda fit appel à Néhémie parce qu'ils souffraient de grandes injustices, il prit le temps de les écouter et de résoudre leurs problèmes (Né 5:1-13).

Le caractère de Néhémie était essentiel à l'œuvre de Dieu à travers lui; c'est pareil pour vous et moi.

POURQUOI LE CARACTÈRE EST-IL IMPORTANT ?

Le caractère chrétien est crucial dans la communauté car il reflète la gloire de Dieu et son dessein de croissance. Il favorise la croissance spirituelle des croyants et témoigne de la puissance et de la présence de Dieu dans le monde. C'est la raison pour laquelle Christ est venu nous sauver.

LE BUT DE NOTRE SALUT

Nous citons souvent Romains 8:28, surtout dans les moments difficiles. Cela nous encourage, et cela devrait être le cas. Mais, regardons cette phrase de la lettre de Paul dans son contexte.

> « *Nous savons, du reste, que toutes choses concourent au bien de ceux qui aiment Dieu, de ceux qui sont appelés selon son dessein* »
>
> (LSG).

Ensuite, l'apôtre explique pourquoi Dieu concourt à toutes choses pour notre bien:

> « *Car ceux qu'il a connus d'avance, il les a aussi prédestinés à être semblables à l'image de son Fils, afin que son fils soit le premier-né entre plusieurs frères* ».
>
> (Rm 8:29 LSG)

Dieu est catégorique sur le fait qu'il orchestre le bien et le mal dans nos vies pour atteindre ce seul objectif: afin que son Fils soit le premier d'une longue série.

Jésus a vécu sur Terre il y a deux mille ans. Avant de partir, il nous a donné le mandat d'être ses témoins dans le monde. Si nous ne lui ressemblons pas, le monde ne le connaîtra pas. Nous sommes maintenant ses mains, ses yeux, ses pieds, son toucher, sa voix, sa compassion, son amour... Ressembler au Christ est crucial car c'est le seul aperçu de Jésus que le monde verra.

L'histoire de Reinhard Bonnke l'illustre bien.

« Il y a des années, mon leader d'adoration et moi achetions un nouveau clavier. Il était midi lorsque nous sommes entrés dans un grand magasin de musique à Johannesburg, en Afrique du Sud. Il y avait un vendeur, mais il ne nous a pas remarqué, et Adam et moi avons essayé tous les claviers. Soudain, le vendeur est apparu. Il semblait être d'humeur différente, quelque peu en état de choc et m'a dit: « Monsieur, je peux voir Jésus dans vos yeux ! » Quoi? Le Saint-Esprit était entré dans ce magasin. Nous avons complètement oublié le clavier et nous avons eu un réveil spirituel à la place. Mais alors que je retournais à ma voiture, je n'arrêtais pas de dire: « Seigneur, je ne comprendrai jamais. Comment un parfait inconnu peut-il s'approcher de moi et me dire: « Je peux voir Jésus dans tes yeux ? » Soudain, le Saint-Esprit m'a parlé et m'a dit: « Pas de problème ! Jésus vit dans votre cœur et parfois, il aime regarder par les fenêtres. J'ai ri et pleuré. Quelle glorieuse vérité. J'ai compris ! Des années plus tard, j'ai rencontré la femme du vendeur qui m'a dit que son mari avait suivi Jésus pour le reste de sa vie et qu'il était parti avec le Seigneur».[50]

Comme l'a dit François d'Assise: « Prêchez en tout temps; utilisez des mots si nécessaire ».

> **Comme l'a dit François d'Assise: « Prêchez en tout temps; utilisez des mots si nécessaire ».**

LE CARACTÈRE EST LA BASE DU LEADERSHIP

Selon les mots de John Maxwell, « Le leadership est une influence », mais comment un leader peut-il atteindre cette influence ?

Le caractère de leader est le fondement d'un leadership efficace. C'est la qualité qui aide à gérer et à influencer les autres vers un objectif commun, comme Néhémie était capable de le faire. Elle repose sur l'intégrité, l'honnêteté, la crédibilité et la fiabilité. Ces traits aident les dirigeants à établir des relations solides avec leurs partisans et à créer un environnement positif.

Jésus a dit: « *Vous êtes le sel de la terre…* » et « *Vous êtes la lumière du monde…* » (Mt. 5:13, LSG). Le sel influence la nourriture; la lumière a un impact sur l'obscurité. Comment façonnez-vous et influencez-vous votre communauté ?

LE CARACTÈRE DONNE DE LA CLARTÉ

Le caractère sépare le leader clair et cohérent du leader peu fiable et moralement ambigu. Ces derniers font partie de ceux qu'Esaïe a mis en garde lorsqu'il a dit: « *Malheur à ceux qui appellent le mal bien, et le bien mal; Qui changent les ténèbres en lumière, et la lumière en ténèbres; Qui changent l'amertume en douceur, et la douceur en amertume!* » (Es 5:20, LSG).

Un leader qui manque de clarté éthique est dangereux. Jésus a dit des Pharisiens: « Ce sont des aveugles qui conduisent des aveugles. Et si un aveugle conduit un aveugle, tous deux tomberont dans une fosse » (Mt 15:14, LSG). Vous devez avoir du caractère pour ne pas guider vos partisans dans un fossé.

Dans le monde d'aujourd'hui, de nombreux messages visent à brouiller notre vision. Peu importe comment nous nous retournons, le caractère, étant l'image de Dieu en nous, nous dirigera toujours vers le *vrai nord*. Pourtant, même en sachant ce qui est juste, de nombreux dirigeants se laissent ballotter par la vague d'influence la plus populaire ou la plus immédiatement bénéfique. Le caractère assume la responsabilité de trouver le cap et d'effectuer des corrections de cap intentionnelles jusqu'à ce que la destination soit atteinte sans se briser sous la pression.

HOMME DE CARACTÈRE : LINCOLN DURANT LA GUERRE CIVILE

Abraham Lincoln a été président pendant la guerre civile américaine de 1861 à 1865. La guerre a porté sur la question de l'esclavage, profondément ancrée dans l'économie et la société des États du Sud. Les États du Sud croyaient au droit de se séparer de l'Union et de former leur propre pays sur la base des principes des droits de l'État et de l'esclavage. Cependant, les États du Nord, dirigés par le président Abraham Lincoln, estimaient que l'Union était indivisible et que la Constitution ne permettait pas aux États de faire sécession. Le risque d'une guerre civile était important, avec la possibilité d'un éclatement de l'Union et d'une chute du pays dans le chaos et la violence. La guerre a également été coûteuse en vies humaines, avec environ 620 000 soldats tués. La clarté morale d'Abraham Lincoln a joué un rôle essentiel dans la résolution du problème de la guerre civile. Lincoln pensait que l'esclavage était immoral et devait être aboli. Il était prêt à faire la guerre pour préserver l'Union et mettre fin à l'esclavage. Lincoln a publié la Proclamation d'émancipation en 1863, qui déclarait que tous les esclaves des États confédérés « seront désormais et pour toujours libres ».[51]

Le caractère de Lincoln lui a donné la conviction claire et inébranlable qu'un homme ne devrait jamais appartenir à un autre. Le président était prêt à laisser le pays entrer en guerre pour lutter pour ce qui était juste, faisant preuve d'un grand courage.

LE CARACTÈRE DONNE DU COURAGE

Mark Rutland remarque: « Le courage est le premier et le plus grand élément du caractère. Il ne suffit pas de savoir simplement ce qui est chaste, honnête ou vrai. Il faut du courage pour agir selon la vertu ». Il dit: « Le courage est aussi l'agent catalyseur qui appelle toutes les autres vertus à l'action face à la tentation ou à la crise ». Le caractère donne du courage à un leader; le courage lui permet d'entrer dans sa terre promise. Lorsque Moïse mourut, le Seigneur dit à Josué: « Fortifie-toi et prends courage, car c'est toi qui mettras ce peuple en possession du pays que j'ai juré à leurs pères de leur donner » (Josué 1:6, LSG).

FEMME DE CARACTÈRE: ROSA PARKS

L'histoire de Rosa Parks est un témoignage de courage face à l'adversité. Parks était une militante afro-américaine des droits civiques qui vivait à Montgomery, en Alabama, à l'époque de la ségrégation et des lois Jim Crow. Le 1er décembre 1955, Parks monta à bord d'un bus urbain et prit place dans la section « colorée » à l'arrière du bus. Lorsque le bus est devenu bondé, le chauffeur a ordonné à Parks et à plusieurs autres passagers afro-américains de céder leur siège aux passagers blancs. Parks a refusé, affirmant qu'elle en avait assez de céder aux lois injustes et discriminatoires qui régissaient sa vie. Parks a été arrêtée et accusée d'avoir violé les lois sur la ségrégation de l'Alabama, mais son acte de défi courageux a déclenché un mouvement qui allait changer le cours de l'histoire. Son caractère, défini par son sens aigu de justice, de dignité et de courage, lui a donné le courage de défendre ce qui était juste, même face au danger et à l'oppression. L'acte de désobéissance civile de Parks a déclenché le boycott des bus de Montgomery, une manifestation d'un an au cours de laquelle les Afro-Américains ont refusé de prendre les bus de la ville pour protester contre les lois discriminatoires. Le boycott a réussi et la Cour suprême a finalement déclaré inconstitutionnelle la ségrégation dans les bus de Montgomery. Parks est devenu une icône du mouvement des droits civiques, inspirant d'innombrables personnes à défendre leurs droits et à lutter contre la discrimination et l'injustice. Son caractère, défini par son courage, sa résilience et son engagement en faveur de la justice, lui a donné la force d'endurer les menaces et la violence qui accompagnaient son militantisme et de continuer à se battre pour ce qui est juste. L'héritage de Parks nous rappelle que le caractère n'est pas seulement le fondement du leadership, mais aussi la source du courage. Notre caractère nous donne la force de défendre ce en quoi nous croyons, même face à une grande adversité.[52]

LE CARACTÈRE DONNE DE LA CRÉDIBILITÉ

Le caractère nous donne de la crédibilité car nos paroles correspondent à nos actions. Lorsque nous avons l'image de Dieu en nous, qui motive nos décisions, les gens peuvent avoir confiance en notre cohérence et notre crédibilité. Même lorsque d'autres s'opposent à nous pour diffamer notre réputation, notre caractère éprouvé sera notre justification. Pierre a dit: « Ayez au milieu des païens une bonne conduite, afin que, là même où ils vous calomnient comme si vous étiez des malfaiteurs, ils remarquent vos bonnes œuvres, et glorifient Dieu, au jour où il les visitera. » (1 P 2:12 LSG).

HOMME DE CARACTÈRE: JP MORGAN

JP Morgan était un financier et banquier américain qui vécut de 1837 à 1913. Il fut l'une des figures les plus influentes de l'histoire de la finance américaine. Il a considérablement façonné l'économie du pays à la fin du XIXe et au début du XXe siècle. Il a contribué à financer la création de sociétés comme General Electric et US Steel, qui sont devenues parmi les sociétés les plus grandes et les plus puissantes du monde.

En tant qu'homme qui dirigeait l'une des plus grandes banques du monde et prêtait d'importantes sommes d'argent à des personnes et à des organisations, on lui a un jour demandé: « Quelle était la meilleure garantie d'un homme ?

Il a répondu: « Le caractère ».[53]

HOMME DE CARACTÈRE: LE PROPHÈTE DU MOYEN-ORIENT

Il y a l'histoire d'un prophète voilé au Moyen-Orient qui était un grand professeur et qui prononçait beaucoup de belles paroles. Il portait un voile, disait-il, parce que son visage était si glorieux que personne ne pouvait supporter la vue de son visage. Mais finalement, le voile s'est détérioré et est tombé, révélant un vieil homme laid.

Aussi glorieux que soit notre discours, lorsque les gens ont la chance de nous voir derrière le voile, nous perdons notre crédibilité si le visage qu'ils voient ne correspond pas aux paroles que nous avons prononcées. Nous devons continuellement développer notre caractère et montrer l'exemple. Le colonel Ariel Sharon a été interrogé sur la victoire rapide d'Israël lorsqu'il a vaincu l'Égypte, la Syrie et la Jordanie en seulement six jours. Il répondit: « Nous ne disons jamais à nos hommes: « En avant ! Marche! » Nous disons toujours: « Suivez-moi ! ».

Vous pouvez observer la vie d'une personne aujourd'hui et déterminer où elle finira demain. C'est votre caractère, et non votre talent, qui détermine votre réussite à long terme.

CHAPITRE 8

DÉVELOPPER SON CARACTÈRE

« LE CARACTÈRE EST LE DESTIN. « EN termes simples, nos déci-sions, notre comportement et notre morale façonnent notre avenir. Notre caractère influence nos actions, nous menant au succès ou à l'échec. En tant que tel, nous devons cultiver de bonnes valeurs pour nous améliorer et améliorer nos communautés. En développant des qualités positives telles que la compassion, l'intégrité, la générosité et l'humilité, nous pouvons œuvrer à la création d'un avenir meilleur pour nous-mêmes et pour ceux qui nous entourent. En tant que leaders, il est tout aussi important que nous établissons des priorités et sachions identifier le caractère des autres. Chuck Swindoll, qui était président du Dallas Theological Seminary, a raconté l'histoire suivante:

« Pendant plusieurs années, j'ai siégé au conseil d'administration du Dallas Seminary avec Tom Landry des Dallas Cowboys. Pendant que le conseil d'administration discutait de l'importance du caractère chez les jeunes hommes et femmes entrant dans le ministère, M. Landry s'est penché et m'a dit: « Chuck, tu sais, pour les Cowboys, lorsque nous sélectionnons des hommes pour notre équipe, nous recherchons cinq choses et le premier est le caractère ». Et j'ai dit: « Eh bien, laissez-moi vous poser une question difficile: Et si vous trouvez un athlète formidable qui manque de caractère ? » Il a dit: « Chuck, c'est facile. Nous ne le sélectionnons pas ».[54]

Il existe de nombreux athlètes, artistes, écrivains, musiciens et PDG dotés de beaucoup de talent et de charisme. Pourtant, sans caractère, leur succès et leur épanouissement dans leurs réalisations n'ont pas de longévité. L'histoire de Samson est un exemple clair de cette vérité.

QUAND LE CARACTÈRE MANQUE

Samson était un individu remarquable qui a accompli des exploits sans précédent grâce à l'onction de Dieu qui reposait sur sa vie. Il tua un lion à mains nues (Jug 14:5-6), tua un millier de Philistins avec la mâchoire d'un âne (Jug 15), puis prit les portes de la ville de Gaza (Jug 16:1-3). Pourtant, tout en étant préparé à la grandeur, par sa faiblesse, Samson a détruit sa notoriété et il s'est lui-même détruit.

DÉSOBÉISSANCE

Samson a montré pour la première fois son manque de caractère en désobéissant à ses parents. Lorsqu'il rencontra une Philistine qu'il voulait épouser, ses parents s'y opposèrent. Ignorant leurs conseils, il dit à ses parents: « Prends-la pour moi, car elle me plaît » (Jug 14:3). Comme le montre le reste du chapitre 14, Dieu a tiré du bien de ce mariage impie; cependant, rien de tout cela ne justifie les actions de Samson.

NÉGLIGENCE

Samson s'est montré à plusieurs reprises impulsif et guidé par ses désirs et ses émotions. Selon la[55] Bible, Samson a rencontré un lion et l'a tué à mains nues. Plus tard, en passant devant la carcasse du lion, il découvrit que des abeilles avaient produit du miel à l'intérieur. Samson gratta le miel du corps du lion et en mangea un peu. Il en donna également à manger à ses parents, mais il ne leur dit pas d'où venait le miel car, en tant que Nazaréen, il lui était interdit de s'approcher d'une carcasse. Il n'a pas tenu compte de son vœu et a incité ses parents à le faire involontairement (Jug 14:9). Samson n'a pas respecté la loi de Dieu.

LUXURE

Samson était un personnage légendaire connu pour ses exploits, mais ses deux faiblesses les plus importantes étaient la vengeance et la luxure. Il a passé une nuit avec une prostituée à Gaza et est ensuite tombé amoureux d'une femme nommée Dalila (Jug 16:4). Dalila a supplié Samson à plusieurs reprises de lui révéler le secret de sa force, ce qu'il a fini par faire à cause de son désir pour la belle Dalila (Jug 16:15-22). Son manque de discipline fut sa chute lubrique. Samson était très doué mais certainement pas pieux. Il était fort à l'extérieur mais n'avait aucun contrôle à l'intérieur.

La chute de Samson fut progressive. Cela a commencé avec de petits compromis, mais il s'est convaincu que tout allait bien parce que l'onction fonctionnait toujours. Samson a fini par être réduit en esclavage et a eu les yeux arrachés avant de mourir.

Lorsque Dieu réalise ses desseins malgré notre désobéissance, cela n'indique pas que nos décisions étaient bonnes. Cela prouve seulement qu'Il est.

> **Lorsque Dieu réalise ses desseins malgré notre désobéissance, cela n'indique pas que nos décisions étaient bonnes. Cela prouve seulement qu'Il est.**

L'histoire de Samson est une mise en garde sur les dangers de compromettre ses principes et d'ignorer les normes de Dieu. Même ceux qui sont dotés de dons et de capacités extraordinaires peuvent tomber s'ils ne gardent pas leur cœur et ne restent pas fidèles à Dieu. Les bâtisseurs de communauté ne doivent jamais oublier que le caractère est essentiel au succès à long terme, car[56] quelqu'un nous surveille toujours pour voir si nous pensons ce que nous disons.

LE CARACTÈRE SERA TESTÉ

La plupart d'entre nous connaissent l'expression « Pratiquez ce que vous prêchez », qui signifie *se comporter comme vous dites aux autres de se comporter*. Notre caractère est constamment mis à l'épreuve dans des choses grandes et petites, souvent sans que nous en soyons conscients; cependant, vous pouvez être sûr que d'autres vous regardent.

Il y avait un pasteur qui vivait dans une banlieue de Londres, en Angleterre, et qui dirigeait une église dans le centre-ville. Il avait son bureau à l'église, donc il faisait chaque jour des allers-retours en bus, entre l'église et son domicile en banlieue. Un dimanche matin, il prêcha sur l'honnêteté. Le lundi, suivant sa routine habituelle, il monta dans un bus pour se rendre au bureau. Comme il n'avait pas la monnaie nécessaire pour donner au chauffeur lorsqu'il monta dans le bus, il lui remit un billet. Le chauffeur lui donna sa monnaie et le pasteur la mit dans sa poche. En chemin, il recompta sa monnaie et découvrit que le chauffeur lui avait donné trop d'argent. Sa première réaction fut de penser à quel point il était merveilleux que le Seigneur fournisse cet argent supplémentaire. Cependant, il se rendit vite compte que cette réaction n'était pas honnête. Alors, en descendant, il dit au chauffeur qu'il avait commis une erreur et qu'il lui avait donné trop d'argent. Le chauffeur lui répondit rapidement: « Non, je n'ai pas commis d'erreur, j'ai entendu votre message sur l'honnêteté hier dans votre église et j'ai simplement décidé de vous tester.»

« Le creuset est pour l'argent, et le fourneau pour l'or; Mais celui qui éprouve les cœurs, c'est l'Éternel.»
- Pr 17:3 (LSG)

Lorsque Paul écrivait aux croyants de Corinthe, il dit: « Car je vous ai écrit aussi dans le but de connaître, en vous mettant à l'épreuve, si vous êtes obéissants en toutes choses. » 2 Co 2:9 (LSG). Paul testait constamment le caractère des gens autour de lui, notamment Timothée. À propos de Timothée, Paul a dit: « Vous savez qu'il a été mis à l'épreuve, en se consacrant au service de l'Évangile avec moi, comme un enfant avec son père. » Ph 2:22 (LSG). Un examen approfondi de ce dont nous sommes faits est essentiel pour faire ses preuves et nous préparer à atteindre notre objectif.

Les fabricants ne lancent pas un nouveau produit sans tester de manière approfondie la conception et la durabilité de l'article. *Est-ce que ça va durer ? Est-ce qu'il tiendra sous la pression ?* Origène, un des premiers érudits et théologiens, a dit: « La vertu n'est pas une vertu si elle n'est ni testée ni examinée. » Comme l'a souligné Robert Freeman: « Le caractère ne se crée pas en temps de crise, il est seulement dévoilé. »

Andrew Golota était un boxeur poids lourd prometteur originaire de Pologne. Il avait un talent naturel pour la boxe, mais il ne prenait pas l'entraînement au sérieux. Lors d'un combat en 1997 contre Lennox Lewis pour le championnat WBC, il a été éliminé au premier tour. Le boxeur, qui avait triché lors de son entraînement aux petites heures du matin, a été découvert à la lumière vive des projecteurs.[57]

Quelqu'un a dit: « Dans l'histoire de chacun, il y a un chapitre qui ne devrait jamais être lu à haute voix. C'est le chapitre des erreurs, des péchés, du regret. Mais c'est aussi le chapitre où nous apprenons, où nous grandissons, où nous devenons plus que ce que nous pensions pouvoir être. Le caractère se forge en privé, mais il se révèle en public.

> **Le caractère se forge en privé, mais il se révèle en public.**

Nous serons chacun mis à l'épreuve pour prouver de quoi nous sommes faits – mais la fabrication a lieu bien avant la modélisation. Et il n'existe pas de raccourci vers un caractère solide.

COMMENT CULTIVER LE CARACTÈRE

Imaginez que vous tenez une tasse de café et que quelqu'un vous bouscule. Tout ce que vous avez à l'intérieur de la tasse, c'est ce qui va en sortir. Comme une tasse, chacun de nous contient quelque chose. Est-ce l'amour, la joie, la paix, la patience, la gentillesse, la bonté, la fidélité, la douceur et la maîtrise de soi ? Ou est-ce de la colère, de l'amertume, de l'anxiété, de l'impatience, de la mesquinerie, de la mauvaise volonté, de l'infidélité, de la dureté et du manque de discipline ? Pour déterminer les qualités qui s'en dégageront, nous devons être attentifs à ce que nous y versons.

CONCENTREZ-VOUS SUR LA PERSONNE À L'INTÉRIEUR

Aucune action n'est jamais commise sans exister d'abord sous forme de pensée. Votre caractère commence par votre vie mentale.

> « ... *soyez transformés par le renouvellement de l'intelligence* »
>
> – Rm 12:2 (LSG)

> «*Car il est comme les pensées de son âme.*»
>
> — Pr 23:7 (LSG)

Un proverbe chinois souvent cité dit: « Faites attention à vos pensées, car vos pensées deviennent vos paroles. Faites attention à vos paroles, car vos paroles deviennent vos actions. Faites attention à vos actions, car vos actions deviennent vos habitudes. Faites attention à vos habitudes, car vos habitudes deviennent votre caractère. Faites attention à votre caractère, car votre caractère devient votre destin.»[58]

La conduite peut toujours être attribuée au caractère. Jésus a dit: « Ce n'est pas un bon arbre qui porte du mauvais fruit, ni un mauvais arbre qui porte du bon fruit. Car chaque arbre se connaît à son fruit » (Lc 6:43-44, LSG). Un homme n'est généralement pas beaucoup mieux qu'il se comporte. En tant que leader choisissant d'autres personnes qui dirigeront, faites vos choix avec soin, perspicacité et rationalité. Si la vie extérieure n'est pas bonne, ne pensez pas que la vie intérieure soit acceptable aux yeux de Dieu.

Lorsque vous achetez des fruits au marché, si la première couche des pommes est presque pourrie, il y a peu d'espoir pour ce qui se cache en dessous. Plus on creuse profondément dans le bac, plus les produits se dégradent. Il en est de même pour les gens. Admettez que ce que vous voyez est le meilleur que vous obtiendrez. Si ce que les gens vous permettent de voir est désagréable, vous pouvez être sûr que cela ne fera qu'empirer à mesure que vous avancez. Maya Angelou a dit: « Quand quelqu'un vous montre qui il est, croyez-le du premier coup. » Nous devrions faire de même lorsque nous nous regardons dans le miroir et avoir le courage de prier par ce chant de David:

« Sonde-moi, ô Dieu, et connais mon cœur! Éprouve-moi, et
connais mes pensées! Regarde si je suis sur une mauvaise
voie, et conduis-moi sur la voie de l'éternité!.

— Ps 139:23-24 (LSG)

Une fois que nous sommes disposés à nous voir clairement et à renouveler pleinement notre intelligence, nous devons nous abandonner complètement.

NE MÉPRISEZ PAS LES ÉPREUVES

Martin Luther King a déclaré: « La mesure ultime d'un homme n'est pas sa position dans les moments de confort et de commodité, mais sa position dans les moments de défi et de controverse. » Il nous est facile de prendre position lorsque les choses nous conviennent. Le défi est de rester fidèle à nos convictions sous le feu des critiques.

« Bien plus, nous nous glorifions même des afflictions, sachant
que l'affliction produit la persévérance, la persévérance la
victoire dans l'épreuve, et cette victoire l'espérance. »

— Rm 5:3-4 (LSG)

Le caractère est comme un diamant. Les diamants sont fabriqués à partir du carbone. Le graphite du crayon de votre enfant provient également du carbone. Comment la matière broyée par un taille-crayon peut-elle aussi être à l'origine d'un diamant brillant ? La réponse est *la pression*.

Au plus profond de la croûte terrestre, lorsque le carbone est soumis à une pression énorme et à des températures supérieures à 2 200 degrés Fahrenheit (1 200 degrés Celsius), il se change en diamant. En tant que croyants, la beauté et la force de notre caractère se forment également sous une pression énorme. Sans épreuves, nous serions incapables de résister aux difficultés et aux obstacles qui s'opposent à notre mission. Lorsque des problèmes surviennent, redéfinissez-les. Lorsque vous commencerez à voir votre obstacle comme un parcours du combattant, vous l'accueillerez pour la force et l'agilité qu'il apporte.

FAIRE DES CHOIX DIFFICILES

La construction du caractère peut être comparée à la construction musculaire. La force et la flexibilité viennent avec l'exercice de notre corps et de notre esprit; plus nous exerçons notre caractère, plus il devient fort et, comme l'exercice, nous bénéficions de ce que nous perdons et gagnons.

L'exercice aide à maintenir la santé du foie et des reins, ce qui aide à éliminer plus efficacement les toxines et les bactéries. Faire des choix difficiles – choisir la foi plutôt que ce qui est familier, supprimer le confortable pour faire place à ce qui est bénéfique, résister aux escapades et aux moqueries des adversaires parce que Dieu a dit qu'il allait pleuvoir (2 Pi 2:3-7) – tels sont les entraînements spirituels qui vous rendent plus fort, plus agile et éliminent les toxines spirituelles du doute et de la négativité de votre esprit et de votre caractère. Et le monde le verra.

En faisant preuve de fidélité dans des situations tentantes, le muscle de l'autodiscipline et de l'intégrité se développera dans votre vie; plus vous exercez de l'amour envers ceux qui vous haïssent, plus vous devenez miséricordieux et patient.

Choix après choix, vous développez qui vous êtes. Peut-être avez-vous entendu parler de la mémoire musculaire ? Les actions répétées deviennent innées. Que vous soyez semblable au Christ ou rebelle, ce que vous faites devient toujours naturel.

Lorsque le ballon traverse le filet, une championne de Wimbledon n'a pas besoin de temps pour réfléchir à sa réponse; elle s'est entraînée toute sa vie et dispose d'un revers puissant. Un lauréat de la médaille d'or Fields ne pratique pas ses tables de multiplication ni ne compte sur ses doigts. Il voit des calculs avancés au plafond au-dessus de son lit depuis le collège et répète continuellement des équations dans son esprit. De même, une personne de caractère entraîne quotidiennement ses muscles éthiques, même lorsque les choix semblent sans conséquence, pour refléter ce que Jésus ferait ou dirait dans n'importe quelle situation. Quand survient un grand moment d'épreuve, réagir comme Jésus devient automatique. Mais pour en arriver là, nous devons continuellement nous remettre en question. L'inscription de la médaille d'or Fields pour les mathématiques se lit comme suit: « Transire suum pectus mundoque potiri » — *S'élever au-dessus de soi et saisir le monde.*

DÉVELOPPEZ LE FRUIT DU SAINT-ESPRIT

Le livre des Galates nous enseigne comment développer le caractère de Dieu.

> « *Mais le fruit de l'Esprit, c'est l'amour, la joie, la paix, la patience, la bonté, la bénignité, la fidélité, la douceur, la tempérance.* »
>
> — Ga 5:22-23 (LSG)

Notez que « fruit » est au singulier, mais l'auteur énumère de nombreux fruits. Cela semble être une erreur grammaticale, mais ce n'est pas le cas. La réalité est qu'il n'y a qu'un seul fruit de l'Esprit: l'amour. Paul a dit à l'Église romaine que « l'amour de Dieu est répandu dans nos cœurs par le Saint Esprit qui nous a été donné. » (Rm 5:5, LSG). L'amour de Dieu est le produit de l'Esprit de Dieu et se manifeste par la joie, la paix, la patience, la bonté, la douceur et la maîtrise de soi. Nous devons délibérément développer le fruit de l'Esprit, qui est l'amour. L'amour arrive par choix; c'est à la fois un résultat et une motivation du processus de développement de notre caractère. Nous décidons de montrer notre amour à travers une parole douce; dans cette gentillesse, l'amour se nourrit et grandit. L'amour est le fruit; le caractère est comme un arbre. Il commence petit, mais à mesure que vous l'arrosez, il grandit avec le temps, devenant plus robuste et plus résistant à chaque action nourrissante.

S'ABANDONNER À DIEU

Le mot « caractère » vient de *charasso* , qui signifie « tailler, graver, découper ». Or, le caractère est le résultat d'un processus. C'est l'idée d'un sculpteur avec une image en tête, prenant un morceau de pierre et ciselant tout ce qui n'est pas nécessaire jusqu'à ce qu'il ne reste plus que l'image qu'il a dans son esprit. Comme nous l'avons vu, le caractère est « l'image de Dieu en nous ».

Dieu est un sculpteur. Il l'a prouvé lorsqu'il a appelé le prophète Jérémie et lui a dit: « Lève-toi, et descends dans la maison du potier; Là, je te ferai entendre mes paroles » Jé 18:2 (LSG). Après avoir montré à Jérémie comment le potier avait pris dans sa main un tas d'argile gâché et en avait fait un autre pot, il dit: « *Ne puis-je pas agir envers vous comme ce potier, maison d'Israël?* » *dit l'Éternel.* « *Voici, comme l'argile est dans la main du potier, Ainsi vous êtes dans ma main, maison d'Israël!* » Jé 18:6 (LSG). Le Potier ne peut-il pas faire cela dans votre vie ? Dans votre quartier et votre communauté ?

En tant que sculpteur, Dieu a une image de chacun de nous, qu'il a conçue pour qu'on le devienne. L'œuvre de Dieu n'est pas abstraite; elle n'est pas mystérieuse et ne peut être interprétée.

> « *Car ceux qu'il a connus d'avance, il les a aussi prédestinés*
> *à être semblables à l'image de son Fils, afin que son Fils fût*
> *le premier-né entre plusieurs frères.* »
> — Rm 8:29 (LSG)

Dieu veut que nous ressemblions à son Fils, Jésus-Christ, parce que Jésus lui ressemble (He 1:3). À travers chaque perte, victoire, bénédiction et épreuve, le Seigneur élimine de notre personnalité et de notre nature tout ce qui ne ressemble pas à Christ.

Le caractère est la restauration de l'image de Dieu en nous à travers le Christ. Remarquez le mot 'restauration' parce que nous avons été créés à l'image de Dieu (Gn 3:26). Mais lorsque le péché est entré dans le monde, l'image de Dieu en nous a été gâchée (Gn 5:1-2). À travers le Christ, Dieu restaure cette image, mais nous avons aussi une responsabilité dans ce processus.

Le travail du sculpteur consiste à faire sortir la forme voulue de la matière première sur son tour de potier. La responsabilité de l'argile – notre responsabilité – est de rester malléable, flexible et adaptable entre ses mains. La Bible déclare: « *Car nous sommes son ouvrage, ayant été créés en Jésus Christ pour de bonnes œuvres, que Dieu a préparées d'avance, afin que nous les pratiquions.* » Eph 2:10 (LSG). Ce n'est que lorsque nous nous abandonnons à Dieu qu'Il peut faire de nous un chef-d'œuvre. Les bâtisseurs de communautés doivent se rappeler que Dieu travaille en nous avant de travailler à travers nous et accepter le processus, parfois douloureux, de modelage et de ciselage.

ACCEPTEZ LE PROCESSUS DE BRISEMENT

Le brisement peut être défini comme un état d'être dans lequel on reconnaît ses propres limites et faiblesses. C'est un état d'humilité et d'abandon qui nous permet d'être ouverts à la volonté et à la direction de Dieu. En fait, le brisement est si crucial qu'il précède la plénitude. Ce n'est que lorsque nous sommes brisés que nous pouvons être à nouveau entiers. Ce processus de rupture puis de restauration est un élément clé du développement du caractère chrétien. Mais ce n'est pas quelque chose que la plupart des gens recherchent. En fait, beaucoup de gens essaient de l'éviter parce qu'ils y voient un signe de faiblesse. Mais en tant que chrétiens, nous sommes appelés à accepter notre fragilité et à permettre à Dieu d'agir à travers nous pour apporter la guérison et la restauration. Joseph a dû se laisser briser pour se préparer à changer la nation.

DIEU AVAIT DE GRANDS PROJETS POUR JOSEPH

Joseph était le fils aîné de Jacob et de Rachel (Gen 30: 22-24). Jacob était riche (Gen 31:1) et attendit longtemps son fils. (Gen 37:3). Dieu avait la main sur la vie de Jacob depuis qu'il était jeune, lui donnant des visions pour son avenir.

Joseph rêva un jour qu'il était en train de ramasser du grain avec ses frères dans les champs, et que soudain son paquet se dressa, tandis que ceux de ses frères s'inclinèrent vers sa gerbe (Gen 37:6-7). Dans un autre rêve, Joseph vit le soleil, la lune et onze étoiles s'incliner devant lui (Gen 37:9), chaque vision racontant son futur règne. Jacob réprimanda son fils pour avoir partagé ses rêves avec ses frères, mais il comprit très tôt que Dieu avait un plan pour Joseph.

DIEU A FORGÉ LE CARACTÈRE DE JOSEPH

Dieu voulait faire de grandes choses avec Joseph, mais avant de pouvoir le faire, le jeune homme gâté et immature devait mûrir. Jacob considérait toujours Joseph comme son fils préféré. Par conséquent, Dieu, son père spirituel, a permis que certaines circonstances émergent pour façonner son caractère.

Dieu a permis que Joseph soit trahi par ses frères, vendu comme esclave, devenu serviteur chez Potiphar, faussement accusé, mis en prison, puis oublié en prison! À travers toutes ces épreuves, Dieu a formé Joseph, lui permettant d'être brisé jusqu'à ce qu'il meure à lui-même.

« Humiliez-vous devant le Seigneur, et il vous élèvera. »
— Jc 4:10, (LSG)

Nous devons être brisés.

CE N'EST PAS MOI, C'EST DIEU !

Pharaon fit un rêve qu'aucun de ses conseillers ne pouvait interpréter. Quelqu'un parla au roi d'un homme en prison qui pouvait interpréter les rêves; alors ils firent sortir Joseph du cachot. Pharaon partagea sa vision avec le prisonnier. Joseph avait le choix à ce moment-là: il pouvait se donner une apparence spéciale et s'attribuer le mérite de son don, ou il pouvait honorer le Seigneur. Ainsi Joseph répondit à Pharaon, en disant: «Cela ne vient pas de moi; Dieu donnera à Pharaon une réponse de paix. » Le caractère de Joseph a été prouvé à ce moment-là. Les années de brisement de Joseph l'avaient délivré de son éducation orgueilleuse et excessive et l'avaient placé à la tête du palais de Pharaon.

« Dieu résiste aux orgueilleux,
mais il fait grâce aux humbles. »
— Jc 4:6 (LSG)

Pour être un bâtisseur de communauté soumis, stratégique et déterminé, nous devons être passionnés par le plan et le dessein de Dieu et nous abandonner à la voie qu'il choisit pour l'accomplir à travers nous.

PARTIE 6

LEADERSHIP: NOUS DEVONS AVOIR DU CŒUR

CHAPITRE 9

UN LEADER PASSIONNÉ

L A RÉPONSE DE DIEU AUX PROBLÈMES sociétaux a toujours été par
le biais du leadership. Depuis la nuit des temps, des hommes et des
femmes pieux ont servi de boussole éthique dans la gestion des désac-
cords et des conflits au sein de nos communautés, tout en apportant
confort et optimisme. La foi et la vertu restent essentielles à la croissance humaine et communautaire et sont essentielles à la formation
d'un système moral qui va de l'avant. Ce principe se retrouve dans
toute l'Écriture, en particulier chez les Juges.

Le début du chapitre trois dit que le Seigneur a laissé les Philistins, les
Cananéens, les Sidoniens et les Héviens « éprouver les Israélites pour voir
s'ils obéiraient aux commandements qu'il avait prescrits à leurs pères par
Moïse. » Jug 3:1-4 (LSG). Ils ne le firent point. Chaque fois que Dieu voulait résoudre les problèmes d'Israël, il suscitait un dirigeant pour les aider.

Lorsque les Israélites péchèrent contre l'Éternel, ils tombèrent
dans l'oppression sous les mains des Babyloniens; Dieu a élevé Othniel pour les délivrer.

> « Les enfants d'Israël crièrent à l'Éternel, et l'Éternel leur
> suscita un libérateur qui les délivra, Othniel, fils de Kenaz,
> frère cadet de Caleb. »
>
> — Jug 3:9 (LSG)

Les Israélites suivirent le Seigneur pendant un certain temps,
mais tombèrent à nouveau dans le péché et tombèrent donc sous le
pouvoir des Moabites.

« Les enfants d'Israël crièrent à l'Éternel, et l'Éternel leur
suscita un libérateur: Ehud... »
— Jug 3:15 (LSG)

Après avoir été délivré, Israël servit le Seigneur pendant un certain temps, puis désobéit à nouveau. Ainsi, ils tombèrent sous l'oppression des Cananéens.

« Les enfants d'Israël crièrent à l'Éternel, car Jabin avait
neuf cents chars de fer, et il opprimait avec violence les
enfants d'Israël depuis vingt ans. Dans ce temps-là, Débora,
prophétesse, femme de Lappidoth,
était juge en Israël.»
— Jug 4:3-4 (LSG)

Israël se repentit mais peu de temps après, il s'éloigna à nouveau du Seigneur et devient, cette fois-ci, captif des Madianites.

« Israël fut très malheureux à cause de Madian, et les
enfants d'Israël crièrent à l'Éternel. »
— Jug 6:6 (LSG)

Dieu a élevé Gédéon comme libérateur pour les enfants d'Israël.

«Puis vint l'ange de l'Éternel, et il s'assit sous le térébinthe
d'Ophra, qui appartenait à Joas, de la famille d'Abiézer.
Gédéon, son fils, battait du froment au pressoir, pour le
mettre à l'abri de Madian. L'ange de l'Éternel lui apparut, et
lui dit: «L'Éternel est avec toi, vaillant héros! » »
– Jug 6:11-12 (LSG)

Pouvez-vous deviner ce qui s'est passé ?

Israël marcha dans la sainteté pendant un certain temps, puis retomba dans l'idolâtrie. Ils tombèrent donc sous la main des Philistins.

« Les enfants d'Israël crièrent à l'Éternel, en disant: Nous avons péché contre toi, car nous avons abandonné notre Dieu et nous avons servi les Baals.»
— Jug 10:10 (LSG)

Le Seigneur a répondu à la situation en leur donnant Jephté (Jug 11:1).

Chaque fois qu'Israël était opprimé, Dieu suscitait un chef pour les délivrer: Othniel sous les Babyloniens, Ehud sous les Moabites, Déborah sous les Cananéens, Gédéon sous les Madianites et Jephthé sous les Philistins.

John Maxwell a déclaré: « Tout dépend du leadership. »[59] Lorsqu'une communauté veut renaître de ses cendres, elle doit prier pour des dirigeants pieux. Un bon leadership est un don de Dieu. Comme Hiram, le roi de Tyr, a dit en approuvant Salomon: « C'est parce que l'Éternel aime son peuple qu'il t'a établi roi sur eux. » 2 Ch 2:11 (LSG).

La Bible confirme que Dieu est celui qui élève les hommes, en disant: « L'exaltation ne vient ni de l'Orient, ni de l'Occident, ni du midi, mais Dieu est le juge, il abaisse l'un et élève l'autre » Ps 75:6 (LSG).

Le Seigneur recherche des dirigeants passionnés, testés et éprouvés dans la prière, la foi et l'obéissance.

DES PERSONNALITÉS PASSIONNÉES

La première caractéristique que Dieu recherche chez un leader est la passion. Dieu veut d'abord des dirigeants qui sont en feu pour Lui. C'est pourquoi Il a choisi des gens comme Néhémie, David, Déborah et Moïse, des personnalités différentes – le même caractère pieux.

MOÏSE

Moïse avait vu le Seigneur faire beaucoup de choses étonnantes: il avait vu Dieu transformer un bâton en serpent et redevenir un bâton; il vit le Seigneur frapper l'Egypte de dix plaies miraculeuses; il marchait sur la terre ferme depuis l'ouest de la mer jusqu'à la rive opposée lorsque Dieu divisa l'eau afin que les Israélites puissent échapper à Pharaon;

Dieu a changé l'eau amère en eau douce et a envoyé du pain du ciel et a fait sortir l'eau d'un rocher. Pourtant, Moïse voulait davantage de Dieu, être plus proche, le voir plus clairement. Moïse a prié: « Permets-moi de contempler ta gloire ! » Ex 33:18 (BDS).

Quand il a fait cette prière, cela a montré que Moïse voulait plus de Dieu chaque jour. Il ne demandait pas davantage à Dieu; il voulait plus *de* Dieu. Ce niveau de désir d'intimité avec le Seigneur se trouve dans le genre de cœur dont Dieu a besoin pour diriger son peuple. Du buisson ardent, Il l'appela:

> « *Maintenant, va, je t'enverrai auprès de Pharaon, et tu feras sortir d'Égypte mon peuple, les enfants d'Israël.* »
> — Ex 3:10 (LSG)

Dieu cherche à élever des dirigeants dans nos familles, églises, communautés et nations, dont la passion pour sa présence est insatiable – quelqu'un comme l'auteur de chants.

DAVID

> « *O Dieu! tu es mon Dieu, je te cherche; Mon âme a soif de toi, mon corps soupire après toi, Dans une terre aride, desséchée, sans eau.* »
> — Ps 63:2 (LSG).

David a parlé de son désir du Seigneur comme s'il était la subsistance de David pour sa survie. Il n'est pas étonnant qu'après que le Seigneur ait rejeté Saül, il ait dit à Samuel: « L'Éternel s'est choisi un homme selon son cœur... » 1 Sam 13:14 (LSG).

David valorisait la présence de Dieu plus que toute autre chose dans la vie. Pour lui, Dieu était tout.

> «*Je dis à l'Éternel: Tu es mon Seigneur, Tu es mon souverain bien!*»
> - Ps 16:2 (LSG)

« Le Seigneur est mon berger; Je ne manquerai de rien... »

Ps 23

Le dévouement, la douceur et l'honnêteté de David étaient des traits que Dieu admirait. David se réjouissait de ce qui plaisait au Seigneur et était accablé par ce qui comptait le plus pour le cœur de Dieu. Il n'avait pas peur de tenir tête à qui que ce soit, un trait qu'il prouva lorsqu'il n'était qu'un berger (1 Sam 17). La passion de David l'a motivé à être audacieux et impétueux face aux obstacles. Si vous lisez des informations sur la personnalité et les penchants de David et que vous ne vous reconnaissez pas dans son exemple de leader, ne vous excluez pas trop rapidement. Réfléchissez, Déborah, et vous verrez que l'audace de David n'est pas la seule façon dont la passion se manifeste chez un leader.

DÉBORAH

Déborah a été choisie par Dieu pour être prophétesse, épouse et juge d'Israël, à une époque où cela était particulièrement nécessaire. Elle était un modèle par sa foi en Dieu et son courage en tant que leader. Le chant de Déborah met l'accent sur la puissance de l'amour pour Dieu:

« Périssent ainsi tous tes ennemis, ô Éternel! Ceux qui l'aiment sont comme le soleil, Quand il paraît dans sa force. »

— Jug 5:31 (LSG)

En étudiant les Écritures dans Juges 4 et 5, nous voyons que ses qualités de leadership sont moins susceptibles d'impliquer la décapitation d'un géant philistin et plus en accord avec celles de la femme décrite dans Proverbes 31.

Déborah était passionnée, mais aussi respectueuse, honorable, forte, couverte de dignité, d'humilité et de noblesse. En tant que *« Mère d'Israël »*, elle a conduit le peuple à la victoire par son adhésion à Dieu, tout en étant pleinement consciente et respectueuse des normes sociales.

Même si elle a été désignée par Dieu, Déborah n'a jamais ressenti le besoin de supprimer les hommes qui l'entouraient, mais est devenue une aide et une alliée. Pourtant, Barak savait que Déborah était proche du Seigneur et était prêt à abandonner son orgueil et à lui donner encore plus d'honneur pour le bien d'Israël (Jug 4). C'est une belle image d'hommes et de femmes occupant des postes de direction travaillant ensemble pour le Seigneur et pour le plus grand bien de l'humanité.

Généralement, lorsque nous pensons au leadership, nous ne pensons pas nécessairement à la passion, notamment à la passion pour Dieu. Cependant, c'est l'une des caractéristiques les plus importantes que Dieu recherche chez un leader. Dieu veut quelqu'un de fou amoureux de Lui et de la communauté.

NÉHÉMIE

Le fardeau de Néhémie pour le peuple juif et les desseins de Dieu étaient évidents même pour le roi de Perse lorsqu'il vit son échanson pleurer et se lamenter pendant des jours (Né 1:2). Il n'était pas seulement préoccupé par la condition du peuple, mais il comprenait qu'Israël avait été appelé à être la lumière de Dieu pour les nations. Leur honte déshonorait le Seigneur. La première préoccupation de Néhémie était la gloire de Dieu.

La construction du mur a rappelé aux nations la puissance et la majesté du Dieu d'Israël.

> *« Lorsque tous nos ennemis l'apprirent, toutes les nations*
> *qui étaient autour de nous furent dans la crainte; elles*
> *éprouvèrent une grande humiliation, et reconnurent que*
> *l'œuvre s'était accomplie par la volonté de notre Dieu. »*
> — Né 6:16 (LSG).

Le fardeau de Néhémie était de glorifier Dieu face aux ennemis. La passion qu'il portait pour la gloire de Dieu a conduit le Seigneur à le choisir comme homme pour cette tâche. Votre passion pour les choses de Dieu se manifeste-t-elle par l'audace et la confiance, comme David ? Êtes-vous observateur et perspicace, comme Déborah ? Peut-être êtes-vous motivé pour vous impliquer directement et mettre la main à la pâte, comme notre constructeur de murs. Quelle que soit votre personnalité, votre passion se traduit par un leadership réussi uniquement par la prière, la foi et l'obéissance à Celui qui vous a choisi pour diriger.

CHAPITRE 10

UN LEADER FIDÈLE ET DÉDIÉ À LA PRIÈRE

NÉHÉMIE ÉTAIT UN HOMME DE PRIÈRE, comme en témoignent le préambule et la conclusion de ses mémoires, et douze autres fois dans le bref ouvrage. (*Voir 2:4; 4:4, 9; 5:19; 6:9, 14; 9:5; 13:14, 22, 29, 31*). Néhémie a compris qu'il devait dépendre de Dieu s'il voulait connaître un véritable succès.

Le romancier écossais George MacDonald a dit: « Dans tout ce que l'homme fait sans Dieu, il doit échouer lamentablement, ou réussir encore plus misérablement. »[60]

> **Dans tout ce que l'homme fait sans Dieu, il doit échouer lamentablement, ou réussir encore plus misérablement.**

Si, dans l'accomplissement du dessein de Dieu, nous ne comptons pas sur lui pour nous guider et nous soutenir, nous risquons d'échouer ou d'obtenir un résultat qui n'est pas aussi gratifiant qu'il pourrait l'être. La prière nous permet de nous concentrer sur l'Auteur et le Perfectionneur de ce en quoi nous croyons. De plus, elle nous permet de rester motivés pour les bonnes raisons.

LA PRIÈRE ASSUME LE FARDEAU

Souvent, lorsque nous nous tournons vers le Seigneur, nous recherchons la paix et le réconfort. Nous voulons un sentiment apaisant et rassurant pour effacer notre douleur et nos inquiétudes. Dieu est fidèle pour faire exactement cela lorsque notre anxiété et notre souffrance ne sont pas utiles ou ne viennent pas de Lui. Cependant, lorsque Dieu met en nous un souci pour nous motiver, plus nous nous rapprochons de Lui, plus ce fardeau deviendra distinct et pénible.

Lorsque Néhémie se mit au jeûne et à la prière après avoir entendu parler de la destruction de Jérusalem, le fardeau pesait de plus en plus sur ses épaules, jusqu'à ce que la « tristesse de son cœur » soit évidente sur son visage (Ne 2:2) . Plus vous priez pour la vision que Dieu vous a donnée en tant que leader, plus le désir d'agir augmentera.

Toussaint Louverture, architecte de l'Indépendance haïtienne a été tellement bouleversé par l'esclavage de son peuple qu'il a écrit: « Né dans l'esclavage mais ayant reçu de la nature l'âme d'un homme libre, j'ai souvent élevé mes soupirs vers le ciel. Je levais chaque jour les mains vers lui pour appeler l'Être Suprême à venir en aide à mes frères et à bien vouloir déverser sur nous sa miséricorde.»

Nous sommes tous appelés à lutter pour la liberté de quelqu'un d'une manière ou d'une autre, que ce soit au sens physique, mental, émotionnel ou spirituel. Nous devons nous accrocher à une foi profonde et à un engagement inébranlable pour avancer dans un objectif unique, sous l'impulsion et la direction de Dieu.

LA PRIÈRE AMPLIFIE LA VOIX DE DIEU

Lorsque Néhémie a entendu parler pour la première fois du naufrage de Jérusalem, il aurait pu immédiatement se rendre chez le roi Artaxerxès avec une liste de fournitures et des demandes de main d'œuvre et de financement pour reconstruire la ville. C'était un homme intelligent et il n'aurait eu aucune difficulté à formuler un plan et à le mettre en œuvre. Cependant, Néhémie cherchait le Seigneur et attendait des instructions, sachant qu'aucun plan humain ne pouvait accomplir les desseins du Dieu qui orchestre la mission. Le dessein de Dieu, le plan de Dieu, le chemin de Dieu. En tant que dirigeants, nous ne pouvons pas permettre à notre passion de nous amener à usurper l'autorité du Seigneur. Nous ne devons pas être si pressés de faire quelque chose que nous brulons des étapes. Nous devons ralentir et rechercher les instructions de Dieu, même si nous pensons que nos prochaines étapes sont évidentes.

En janvier 1956, après avoir passé une longue journée à organiser le boycott des bus de Montgomery, Martin Luther King Jr. reçu un appel téléphonique tard dans la nuit. Alors que sa femme et sa petite fille dormaient, il a entendu une voix méchante lui dire qu'il avait trois jours pour quitter la ville, sinon on ferait exploser sa maison et lui tirerait une balle dans le cerveau. Le choix semble clair dans un moment comme celui-là: se protéger soi-même et sa famille. Après tout, Dieu s'attend certainement à ce que la famille d'un homme soit sa priorité absolue, n'est-ce pas ?

Incapable de dormir, le révérend King prépara du café et pesa ses options. Il pensait aux conséquences de rester, mais l'idée de laisser sa femme veuve et ses enfants orphelins ou de les mettre en danger était plus qu'il ne pouvait supporter. Le cœur et l'esprit s'emballant, il a prié: « Seigneur, je suis ici en train d'essayer de faire ce qui est juste, mais j'ai peur. Je dois l'avouer, je perds courage.» Martin Luther a raconté plus tard qu'il pouvait entendre une voix intérieure dire: « Martin Luther, défends la vérité, défends la justice, défends la justice. Je serai à tes côtés.»[61]

Un leader doit prendre le temps d'écouter Dieu. Sans instructions explicites du Seigneur, nous nous appuyons sur notre propre expérience et notre propre compréhension, oubliant que nous sommes myopes et que nous ne pouvons pas faire confiance à nos réactions motivées par nos émotions. La prière peut y contribuer.

LA PRIÈRE ACCENTUE LA VISION

Pendant quatre mois de prière et de jeûne, Néhémie reçut un plan d'action simple pour réparer les murs brisés de Jérusalem. Lorsque le roi Artaxerxès a vu sa douleur et lui a demandé comment il pouvait l'aider, la réponse de Néhémie s'est alignée sur le plan de Dieu.

> «... envoie-moi en Juda, vers la ville des sépulcres de mes pères, pour que je la rebâtisse.»
>
> - (Ne 2:5 LSG).

En tant que leader, la prière doit faire partie de votre routine quotidienne. Le célèbre écrivain méthodiste EM Bound a dit: « Un dirigeant sans prière est comme un navire sans gouvernail. »

LA VISION DE CONSTANTIN

La ville que nous connaissons sous le nom d'Istanbul s'appelait autrefois Constantinople, du nom de Constantin Ier, également connu sous le nom de *Constantin le Grand*. Lorsque Constantin était général dans l'armée romaine, il craignait que Rome, la ville royale, « s'effondre sous le poids d'une oppression tyrannique ». Au départ, il confia cette tâche à des généraux plus âgés et plus expérimentés. Pourtant, lorsque personne ne répondit, il ne put lâcher prise; et releva le défi.

Constantin observa le taux de réussite des armées qui partaient en guerre sous la bannière de leurs dieux et remarqua qu'elles mouraient toutes sur le champ de bataille. Ainsi, Constantin, qui avait été élevé par une mère chrétienne, bien que n'étant pas lui-même croyant, se tourna vers le Dieu suprême du Ciel.

Selon l'historien Eusèbe, Constantin commença à prier avec ferveur pour que Dieu l'aide. Il raconte que vers midi, alors que le jour commençait déjà à décliner, il vit de ses propres yeux le trophée d'une croix de lumière dans les cieux, au-dessus du soleil, portant l'inscription: « Sois victorieux par ceci ». Constantin et son armée furent frappés d'étonnement. Pourtant, Constantin doutait de lui-même.

Eusèbe rapporte: « Tandis qu'il continuait à réfléchir et à raisonner sur sa signification, la nuit arriva soudainement; alors, dans son sommeil, le Christ de Dieu lui apparut avec le même signe qu'il avait vu dans les cieux, et lui ordonna de faire une image de ce signe qu'il avait vu dans les cieux, et de l'utiliser comme étendard dans tous les combats avec ses ennemis.»

Le lendemain, le 28 octobre 312 ap. J.-C., Constantin ajouta un signe de croix sur ses bannières et marcha au combat. Vainqueur contre Maxence à la bataille du pont Milvius, Constantin devint le premier empereur à se convertir au christianisme, le sortant de l'ombre et en faisant une religion dominante.[62] La vision mène à la victoire lorsque nous élevons l'étendard du Christ et permettons que la croix soit notre bannière.

Quand j'étais au début de la vingtaine, à l'université, je parcourais quotidiennement près de cinq kilomètres de l'université à chez moi. Je profitais de l'heure de promenade pour apaiser mon esprit et prier. Au cours de ces promenades, j'ai reçu la plupart des visions que j'applique aujourd'hui dans ma vie et mon ministère. La prière clarifie la vision du leader et libère la main de Dieu en sa faveur.

LA PRIÈRE FAIT AVANCER LA MAIN DE DIEU

Néhémie, passionné par son fardeau pour Jérusalem et concentré sur l'instruction qu'il avait reçue de Dieu dans la prière, n'avait qu'à être libéré pour quitter sa position d'échanson du roi. Artaxerxès accepta.

> *« Le roi me donna ces lettres, car la bonne main de mon Dieu était sur moi. »*
>
> — Ne 2:8 (LSG).

Avez-vous déjà senti Dieu vous appeler, mais vous avez hésité à cause des obstacles, réels et perçus ? Peut-être ne voyez-vous pas comment cela s'intégrerait à vos autres responsabilités ou à vos ressources limitées. Néhémie aurait pu être stoppé net s'il s'était concentré sur autre chose que la foi que Dieu lui avait donnée pour accomplir le dessein du Seigneur pour son peuple. Seriez-vous surpris qu'on vous attribue des domaines de gouvernance ?

Lorsque Dieu a créé le monde, il a donné à l'homme le pouvoir de le gouverner. Il a dit: « Qu'ils dominent » (Gn 1:26). David dit: « Les cieux, même les cieux, appartiennent à l'Éternel; mais il a donné la terre aux enfants des hommes » (Ps 115:16). Par conséquent, Dieu a confié la gestion du monde aux hommes. Et, comme tout bon dirigeant le sait, lorsqu'une tâche est déléguée, il n'est pas bon de continuer à surveiller tous les faits et gestes de ceux à qui l'on a confié des responsabilités. C'est ce que l'on constate dans le monde des affaires et dans le fonctionnement de l'Église.

J'ai confié au responsable du culte de l'église la responsabilité de diriger notre département de musique. En général, je les laisse tranquilles et j'ai confiance en leur leadership. Si un problème survient et que le leader demande de l'aide, j'interviens dans ce département. Sinon, je laisse les décisions à celui à qui j'ai confié la tâche. De même, lorsque Dieu a créé le monde, il a confié à l'homme la responsabilité de gérer la Terre. Il n'entrera pas dans le domaine des responsabilités de l'homme à moins d'y être invité.

La prière, c'est s'associer à Dieu pour accomplir sa volonté sur Terre. C'est pourquoi la prière est cruciale dans notre vie chrétienne. Les pères fondateurs des États-Unis étaient connus pour être des hommes de prière. Le journal de prière de George Washington contient un compte rendu de sa prière du matin:

« Dieu Tout-Puissant et Père très miséricordieux, qui as commandé aux enfants d'Israël de t'offrir un sacrifice quotidien, afin qu'ils puissent ainsi te glorifier et te louer pour ta protection nuit et jour, reçois, ô Seigneur, mon sacrifice du matin que je t'offre maintenant [...] »[63]

GEORGE WASHINGTON À L'ÉPREUVE DES BALLES

Washington était connu pour être un homme de prière qui se rendait à cheval dans les bois pour trouver un endroit solitaire pour s'agenouiller et prier. *La prière à Valley Forge*, le célèbre tableau d'Arnold Friberg, représente le général agenouillé dans la neige, la tête baissée et les mains jointes. L'un de ses premiers biographes, Mason Locke Weems, écrit: « Le colonel B. Temple, qui était l'un de ses assistants pendant la guerre contre les Français et les Indiens, m'a souvent informé qu'il avait vu Washington, le jour du sabbat, lire les Écritures et prier avec son régiment, en l'absence de l'aumônier, et que, lors de visites soudaines et inattendues dans sa tente, il l'avait plus d'une fois trouvé à genoux en train de faire ses dévotions. »[64]

Washington était un homme de prière dont la dépendance à l'égard de la prière a fait bouger la main de Dieu à plusieurs reprises en sa faveur. Washington s'est battu pour les Britanniques pendant la guerre française et indienne alors qu'il n'avait que vingt-trois ans et s'est avéré impossible à tuer. Au cours de la bataille, deux chevaux lui ont été arrachés, son manteau a été déchiré par des balles de mousquet et le collier de sceaux en or qu'il portait s'est détaché de son cou sans laisser la moindre égratignure au jeune homme.

Le chef apache *Red Hawk* a raconté avoir tiré onze fois sur Washington, sans jamais réussir. Parce que l'Indien n'avait jamais eu de difficulté à atteindre sa cible, il en conclut qu'une puissance supérieure à lui protégeait son ennemi, alors il posa son arme.[65]

Après la bataille, Washington écrivit à son frère John, le 18 juillet 1755: « Par la toute-puissante dispensation de la Providence, j'ai été protégé au-delà de toute probabilité ou attente humaine; j'ai reçu quatre balles dans mon manteau et deux chevaux ont été abattus sous moi, mais je m'en suis sorti indemne, bien que la mort ait terrassé mes compagnons de tous côtés! »

La vie de prière de Washington l'a protégé, lui et ses hommes.

LA BATAILLE DES NUAGES

Le 11 septembre 1777, l'armée de Washington devait affronter la puissante armée britannique. Cependant, le général Howe, chef des forces britanniques, choisit de ne pas les poursuivre ce jour-là. Cinq jours plus tard, le 16 septembre 1777, les deux armées marchèrent l'une vers l'autre, l'armée américaine étant confrontée à une défaite certaine. Alors qu'ils étaient sur le point d'avancer, le tonnerre retentit du ciel et des pluies torrentielles tombèrent, plongeant les soldats dans la boue jusqu'aux genoux. Soudain, les nuages orageux descendirent anormalement bas, bloquant leur ligne de vue. Les soldats ne pouvaient pas voir. Ils ne pouvaient pas bouger. La pluie rendait leur poudre inutile et une attaque à la baïonnette était peu pratique à cause de la boue. Ainsi, les deux camps ont fait leurs valises et sont partis.[66] La bataille qui aurait certainement signifié la mort et la défaite pour Washington et ses hommes a été annulée à cause de la pluie !

Lorsque les dirigeants prient, les disciples sont protégés. Augustin d'Hippone a dit: « Sans Dieu, nous ne pouvons pas; sans nous, Dieu ne le fera pas.

Un leader doit être un homme, une femme de prière. La prière nous aide à intérioriser le fardeau, à entendre la voix de Dieu, à voir la vision et à faire bouger la main de Dieu en notre faveur.

UN LEADER REMPLI DE FOI

Un grand leader poursuit passionnément son appel parce qu'il n'a aucun doute que ce que Dieu lui a dit dans la prière se réalisera à travers lui. Jésus a dit: « Tout est possible à celui qui croit » (Mc 9:23 LSG). Avec la foi en Dieu, vous pouvez réaliser l'impossible. Pour faire des merveilles, un dirigeant doit croire la Parole de Dieu comme Néhémie.

CROIRE EN LA PAROLE

Après avoir prié pendant quatre mois, Néhémie reçut une parole du Seigneur pour reconstruire Jérusalem. Il y croyait et s'y tenait fermement. Lorsqu'il arriva dans le pays et annonça la bonne nouvelle, les gouverneurs régionaux Sanballat, Tobija et Guéschem se moquèrent de lui et le méprisèrent. Mais Néhémie resta insensible à leurs doutes; il a placé la Parole de Dieu au-dessus de toutes les autres.

> « *Le Dieu du ciel lui-même nous fera prospérer; c'est*
> *pourquoi nous, ses serviteurs, nous lèverons et bâtirons...* »
> – Ne 2:20 (LSG).

Néhémie avait décidé de croire Dieu. Les grands leaders savent à qui faire confiance.

FDR

Franklin Delano Roosevelt est arrivé au pouvoir à l'un des moments les plus sombres de l'histoire américaine: *la Grande Dépression*. Il relança la vie du pays avec le New Deal. Cependant, le public américain ne savait pas que FDR souffrait de graves handicaps physiques.

À l'âge de 39 ans, il est atteint de la poliomyélite, qui le paralyse à partir de la taille. Il ne pouvait se tenir debout sans l'aide de sa femme Eleanor et, en privé, il se déplaçait en fauteuil roulant. Mais seuls ses plus proches compagnons étaient au courant de ses limitations physiques, même lorsqu'il était en campagne. Cependant, FDR n'a pas laissé sa maladie le définir - il a laissé Dieu s'en charger. Roosevelt a remporté la présidence quatre fois de suite. Il est devenu l'un des trois plus grands présidents américains, avec George Washington et Abraham Lincoln. FDR a dit: « Croyez que vous pouvez y arriver, et vous êtes à mi-chemin. »[67]

Mieux que d'avoir confiance en vous-même, vous devez avoir foi en Dieu. Vous devez croire que sa force est parfaite dans votre faiblesse, et vous verrez le plan de Dieu pour votre vie se réaliser.

PRATIQUER LA PAROLE

Il ne suffit pas de croire en la Parole de Dieu; il doit y avoir une détermination inébranlable pour mettre en pratique la Parole. Néhémie n'a pas simplement dit: « Nous nous lèverons et bâtirons » (Ne 2:20), mais il s'est levé et l'a fait (Ne 3:1). Néhémie croyait que c'était la volonté de Dieu qu'il reconstruise le mur; il y a cru et l'a fait. La foi est obéissance. La preuve en est dans la performance.

La preuve en est dans la performance.

Le 3 avril 1968, Martin Luther King prononçait ce qui aurait été son dernier discours au Mason Temple à Memphis, Tennessee. King a parlé de son désir de vivre longtemps dans ce sermon. Mais pour lui, ce n'était pas le plus important. Dans ce sermon, il a dit: « Eh bien, je ne sais pas ce qui va se passer maintenant. Nous avons des jours difficiles devant nous. Mais cela n'a plus d'importance pour moi maintenant. Parce que je suis allé au sommet de la montagne. Et ça ne me dérange pas. Comme tout le monde, j'aimerais vivre longtemps. La longévité à sa place. Mais cela ne m'inquiète pas maintenant. Je veux juste faire la volonté de Dieu... »[68]

L'obéissance était plus importante pour King que la durée de sa vie.

Dieu recherche des dirigeants passionnés. Un leader passionné est animé par un zèle extraordinaire pour Dieu et la vie, la prière et une croyance inébranlable en la Parole de Dieu, qui se manifeste par l'obéissance. Ces dirigeants changent le monde. Ils sont passionnés et soumis. Les dirigeants influents placent l'accomplissement de la volonté de Dieu et la démonstration de son amour au-dessus de tout, sachant que les gens sont important.

CHAPITRE 11

UN LEADER ATTENTIONNÉ

Néhémie était un leader dévoué. Par la prière et la détermination, il a travaillé sans relâche pour reconstruire les murs de Jérusalem car le sort du peuple après l'exil l'a profondément ému.

En tant que leader transformationnel, Néhémie a fait appel au sens de la loyauté et à l'objectif commun de ses disciples pour les motiver dans leurs tâches. Il leur a rappelé qu'ils étaient le peuple élu de Dieu et qu'il avait un plan unique pour eux. Cela les a incités à s'unir et à surmonter tous les obstacles qu'ils ont rencontré. Néhémie a décidé d'écouter la voix de son peuple, en sympathisant avec ses luttes. Il parlait comme s'il était l'un d'entre eux, utilisant des termes comme « nous » (Ne 2:17). Néhémie se sentait profondément concerné par les préoccupations du peuple; sa vision entière a été déclenchée en entendant parler de la détresse des Juifs exilés à Jérusalem et en Juda.

LES GENS, C'EST LE POINT IMPORTANT

Lorsque Hanani, le frère de Néhémie, revint de Juda, il s'enquit de ses frères qui vivaient à Jérusalem (Ne 1:2). Un érudit écrit: « Dès le début, il était évident que l'intérêt de Néhémie n'était pas seulement lui-même ou sa famille immédiate; sa vision incluait le peuple de Dieu même s'il était éloigné. Les dirigeants chrétiens d'aujourd'hui doivent également avoir une préoccupation globale pour l'œuvre de Dieu.»[69]

Néhémie avait un fardeau qui changea la vie du peuple élu de Dieu. Lorsque Néhémie apprit la nouvelle de Hanani, il dit: « *je m'assis, je pleurai, et je fus plusieurs jours dans la désolation. Je jeûnai et je priai devant le Dieu des cieux »* (Ne 1:4, LSG).

Les bons leaders ont une profonde compassion pour les gens et comprennent l'importance de la quantité et de la qualité lors du choix d'une équipe.

QUANTITÉ

Après avoir reconstruit les murs de Jérusalem, Néhémie remarqua qu'il n'y avait pas assez de monde dans la ville. Il a demandé aux dirigeants de choisir un dixième de la population pour vivre dans la ville (Ne 1:11). Néhémie comprit qu'il ne pouvait pas reconstruire la ville de Jérusalem sans le peuple pour le soutenir. La Bible déclare: « Quand le peuple est nombreux, c'est la gloire d'un roi; quand le peuple manque, c'est la ruine du prince. » (Pr 14:28, LSG).

Plus il avait de monde, plus il avait de chances d'avoir les bonnes personnes – celles possédant les compétences nécessaires pour maintenir une ville vivante et prospère. Il faut souvent de la quantité pour arriver à la qualité.

Un leader qui réussit doit s'efforcer d'augmenter son nombre de personnes, d'argent et de réalisations. Développez votre équipe; connaissez votre équipe.

QUALITÉ

La quantité est souvent une condition préalable pour trouver la qualité; cependant, la qualité est l'objectif. Vous ne voulez pas d'une grande famille mal nourrie. Vous ne voulez pas d'une grande église où les gens ne grandissent pas spirituellement. Vous ne voulez pas d'une communauté pleine de gens où les taux de chômage sont élevés. Vous ne voulez pas d'un pays où des enfants meurent de malnutrition. Néhémie a compris l'importance de peupler la nouvelle ville avec les bonnes personnes pour assurer la qualité de vie de tous.

Un bon dirigeant ne se préoccupe pas seulement des chiffres, mais aussi de l'état de santé de ses collaborateurs. Supposons que les personnes que vous avez ne soient pas correctement prises en charge. Dans ce cas, l'augmentation du nombre de personnes diminuera la qualité des conditions de vie et la satisfaction générale. Un bon dirigeant développe les ressources nécessaires pour répondre de manière adéquate aux besoins de son équipe avant d'accepter d'autres «bouches à nourrir».

Priez pour ceux que vous dirigez, demandez-leur comment ils vont, surveillez les changements visibles d'humeur ou d'apparence, et consacrez du temps, des prières et des ressources à l'amélioration de la vie des gens. Pour savoir ce dont les gens ont besoin, il faut d'abord être attentif.

LES AVANTAGES DE L'ÉCOUTE

Écouter, c'est être présent dans l'instant présent et pratiquer la pleine conscience. Pour être attentif, nous devons nous concentrer sur la personne qui parle, en remarquant les expressions faciales, le ton de la voix et le langage corporel au-delà de ses paroles. Comme le disait Peter Drucker: « La chose la plus importante dans la communication est d'entendre ce qui n'est pas dit.»

Prenez un moment et réfléchissez à un grand leader; vous vous en souviendrez comme étant adeptes de la lecture entre les lignes. Ils ont l'étrange capacité de comprendre ce qui n'est pas dit, vu ou entendu.[70] L'écoute approfondie a un effet significatif sur les gens. Quand on prend le temps de les écouter, cela leur permet de soulager leur cœur.

> Prenez un moment et réfléchissez à un grand leader; vous vous en souviendrez comme étant adeptes de la lecture entre les lignes. Ils ont l'étrange capacité de comprendre ce qui n'est pas dit, vu ou entendu.

Un bon leader écoute et écoute bien.

> « Sachez-le, mes frères bien-aimés. Ainsi, que tout homme soit prompt à écouter, lent à parler, lent à se mettre en colère; car la colère de l'homme n'accomplit pas la justice de Dieu. »
> — (Jc 1:19-20 LSG)

Lorsque vous discutez avec quelqu'un, accordez-lui toute votre attention. Le philosophe Chinois Confucius a dit: « Si l'homme a deux oreilles et une bouche, c'est pour écouter deux fois plus qu'il ne parle.

Faites attention à ce que disent les autres et essayez de comprendre leur point de vue avant d'exprimer vos propres opinions. Cela souligne l'importance de l'écoute active, qui consiste à se concentrer sur l'orateur, poser des questions et émettre des commentaires appropriés.

De nos jours, avec une communication généralement rapide et électronique, il est facile de négliger le pouvoir de l'écoute. Pourtant, consacrer du temps à l'écoute des autres peut nous aider à établir des liens plus profonds avec eux, à éviter la confusion et à mieux les connaître tout en faisant leur savoir qu'ils méritent notre temps.

LES GENS SE SENTENT VALORISÉS

Lorsque les gens sentent qu'on les écoute, ils se sentent valorisés. La plupart des gens trouvent une grande satisfaction à partager leurs points de vue avec une personne véritablement intéressée. Être condescendant ou apaisé sans sincérité est un effort creux qui fait les gens se sentir embarrassés et petits.

Les grands leaders peuvent parler à n'importe qui et trouver chez cette personne quelque chose qu'ils admirent et qui les intéresse.[71] N'oubliez pas que pour que quelqu'un se sente écouté, il ne suffit pas de l'entendre. Il s'agit de faire preuve d'empathie, de compréhension et de respect de son point de vue, tout en lui apportant une grande perspicacité.

> **Les grands leaders peuvent parler à n'importe qui et trouver chez cette personne quelque chose qu'ils admirent et qui les intéresse.**

OBSERVATION ET RÉVÉLATION

L'écoute nous permet de bien observer les gens. La Bible contient des histoires sur les interactions de Jésus avec les gens, avec plus de quarante rencontres relatées au fil de ses pages. En regardant quelques-uns de ces exemples, nous pouvons voir à quel point Jésus était un auditeur attentif et engagé:

- Dans Mc 5:34-36, il écoute l'histoire d'une femme ayant une longue histoire de maladie avant de proclamer que sa foi avait suffi à la guérir.
- Dans Jn 4:7-42, Jésus écoute l'histoire d'une Samaritaine avant de montrer qu'Il est l'eau vive.
- Dans Mt. 19:16-30, Jésus répond aux questions d'un jeune homme sur la vie éternelle avant de se révéler comme le Chemin, la Vérité et la Vie.
- Dans Lc 5:17-26, Il considère les opinions des scribes avant de corriger leur pensée.

En écoutant attentivement et en répondant de manière réfléchie, Jésus a pu établir des liens profonds avec les gens, poser des questions significatives, apporter des corrections et leur montrer qu'ils étaient appréciés.

En tant que dirigeants, nous ne pouvons pas bien servir les gens si nous ne prenons pas le temps de les écouter. La Bible dit: « *Que le sage écoute, et il augmentera son savoir, Et celui qui est intelligent acquerra de l'habileté,* » (Pr 1:5, LSG, c'est *moi qui souligne*). Pour bien servir, il faut d'abord bien écouter. Et d'autres apprendront à faire de même.

DONNER L'EXEMPLE DE L'ATTENTION PORTÉE À AUTRUI

Lorsque nous développons l'habitude de bien écouter en tant que leader, ceux qui nous suivent développeront également ces compétences, ce qui mènera à la confiance et à des relations plus solides. Lorsque les gens se soucient de nous, nous leur faisons davantage confiance. Les relations fondées sur une confiance éprouvée sont bien plus fortes que les amitiés fondées sur des intérêts partagés. Des liens solides mènent à une plus grande créativité et innovation.

La créativité circule et les décisions de groupe sont moins combatives et compétitives lorsque les gens sont connectés et libres d'exprimer leur pensée. Lorsque les gens n'ont pas l'impression de devoir constamment surveiller leurs arrières, ils sont moins sur la défensive et sur leurs gardes, permettant ainsi la libre circulation des idées sans crainte de jalousie ou de trahison; la collaboration est favorisée et les résultats sont plus innovants. L'écoute est une compétence qui ne vient pas naturellement. Nous devons consciemment faire un effort pour y parvenir, et il faut de la pratique pour y parvenir.

RENFORCEZ VOS CAPACITÉS D'ÉCOUTE

Écouter, ce n'est pas seulement entendre ce que dit quelqu'un, c'est aussi assimiler les mots et les comprendre. Une bonne capacité d'écoute peut nous aider à mieux comprendre, à mieux communiquer et à rendre nos échanges plus agréables. Nous avons tous tellement de choses à faire dans notre vie et nos pensées que nous sommes souvent distraits, ce qui est compréhensible. La maîtrise de l'écoute active et le fait de savoir quand parler et quand se contenter d'écouter demanderont toute une vie de pratique.

ÊTRE PRÉSENT

Être attentif signifie être pleinement conscient du moment présent et libre de tout bavardage intérieur. Cela signifie que vous êtes concentré sur le moment présent et que vous ne laissez pas vos pensées vagabonder. Il est essentiel d'apprendre à écouter uniquement pour comprendre. Résistez à l'envie de les arrêter et leur donnez des conseils. Écoutez uniquement pour comprendre d'où vient la personne.

Stephen Covey a dit: « Cherchez d'abord à comprendre, puis à être compris. »[72] Quand tu veux comprendre, tu écoutes. Quand tu veux être compris, tu parles.

> **Stephen Covey a dit: « Cherchez d'abord à comprendre, puis à être compris. »**

Pour devenir un auditeur actif, concentrez-vous sur ce qui est dit sans formuler de réponse dès le début; montrez que vous êtes engagé en regardant votre interlocuteur et en hochant la tête de temps en temps; attendez que votre interlocuteur ait terminé avant de poser des questions; et résumez votre compréhension des sujets compliqués.

L'auteur Zero Dean a écrit: « Toutes les personnes ayant un problème n'ont pas besoin que vous le résolviez. Parfois, tout ce dont une personne a besoin, c'est de se sentir écoutée. Écouter sans juger peut être plus efficace que d'injecter ses opinions [...]. »[73]

> « Toutes les personnes ayant un problème n'ont pas besoin que vous le résolviez. Parfois, tout ce dont une personne a besoin, c'est de se sentir écoutée. Écouter sans juger peut être plus efficace que d'injecter ses opinions [...]. »

LA SOLUTION SILENCIEUSE

En tant que dirigeants, nous aimons faire avancer les choses. Nous réparons ce qui est cassé, résolvons les problèmes et trouvons ce qui manque – nous sommes des réparateurs. Par conséquent, chaque fois que quelqu'un est confronté à un problème, nous souhaitons concevoir une solution et l'exécuter. Cependant, les gens souhaitent souvent simplement que leurs pensées soient entendues et leurs sentiments reconnus. Parfois, le plus gros problème d'une personne n'est pas ce qu'elle traverse; c'est n'avoir personne pour écouter ce qu'ils vivent. Il n'est pas toujours nécessaire d'être la solution aux problèmes de chacun.

Quand j'étais jeune pasteur, l'une des choses que je redoutais était les conseils. J'avoue que j'ai été bouleversé lorsque les gens me faisaient part de leurs problèmes. Je sentais que j'avais besoin d'un remède pour chacun d'eux.

Un jour, après avoir fini de prêcher, une dame est venue me voir et m'a parlé de ses problèmes conjugaux. Je suis resté là, figé; je n'étais pas marié et je n'avais aucune idée de ce qu'il fallait lui dire. Elle a continué pendant près d'une heure. Je n'ai même pas eu l'occasion de parler. Quand elle a dit ce qu'elle avait sur le cœur, elle a dit: «Je m'en vais. Merci de m'avoir écoutée.» À ce moment-là, j'ai compris qu'elle n'avait pas besoin d'une solution, mais de mes oreilles. Sachant que quelqu'un se souciait suffisamment de sa douleur pour l'écouter sans jugement ni attente, elle s'est sentie réconfortée. Il y a une force magnifique dans le fait d'être présent pour les autres.

> **Il y a une force magnifique dans le fait d'être présent pour les autres.**

LES DANGERS D'ÊTRE INATTENTIF

Un article de la Harvard Business Review rapporte que «...les leaders ont généralement accès à plus de lignes de communication que n'importe qui d'autre, mais les informations qui leur parviennent sont suspectes et compromises. Les signaux d'alerte sont étouffés. Des faits essentiels sont omis. Des ensembles de données sont présentés sous un jour favorable. Lorsque les dirigeants s'en rendent compte, ils peuvent se retrouver à fixer le plafond au milieu de la nuit, en se demandant comment trouver ce qu'ils ont besoin de savoir».[74]

Dans *Lights Out: Pride, Delusion, and the Fall of General Electric*, Thomas Gryta et Ted Mann décrivent comment l'ancien PDG de GE, Jeff Immelt, répondait aux subordonnés qui émettaient des doutes sur ses ambitieux objectifs de croissance. Il leur répondait: «Vous ne le voulez pas assez». C'est ainsi qu'est né le phénomène du «théâtre de la réussite», dans lequel les employés présentent les résultats de manière à éviter les discussions difficiles sur les problèmes et à suggérer simplement que tout se passe bien.[75]

Les performances d'un dirigeant peuvent être entravées et ses efforts contrecarrés lorsque ses collaborateurs retiennent des informations parce qu'ils estiment qu'il ne les écoute pas.

Nell Minow, ancienne directrice du fonds d'actionnaires activistes Lens, a régulièrement observé ce phénomène dans les années 1990, lorsque sa société a pris des positions dans environ deux douzaines d'entreprises, dont Sears, Reader's Digest et Waste Management. « La caractéristique principale de toutes les entreprises peu performantes que nous avons suivies, se souvient-elle, était que leur PDG s'était protégé de toute forme de scepticisme. Dans toutes ces entreprises, les PDG avaient pris un nombre considérable de mesures pour s'assurer que personne ne les remettrait en question ou ne les remettrait en cause.»[76]

Un bon dirigeant sait écouter. Pour construire des communautés, nous devons être attentifs et bienveillants, nous mettre à la place des autres pour mieux les comprendre et les diriger.

EMPATHIE

Néhémie se souciait des gens; il savait écouter et il était également empathique. Il savait comment se connecter au niveau du cœur. Lorsque Néhémie entendit comment les pauvres étaient exploités, il dit: « Je suis devenu très irrité » (Ne 5:6). Sa colère venait du fait qu'il entretenait un lien émotionnel avec les gens. Un leader empathique peut « se réjouir avec ceux qui se *réjouissent; pleurez avec ceux qui pleurent* » (Rm 12:15, LSG).

Le psychiatre autrichien Alfred Adler a déclaré: « L'empathie, c'est voir avec les yeux d'un autre, écouter avec les oreilles d'un autre et ressentir avec le cœur d'un autre. » Être empathique, c'est se mettre à la place de quelqu'un d'autre. Cela signifie être capable de ressentir ce qu'ils ressentent et de l'expérimenter selon leur état d'esprit.

Lorsque Jésus arrive à Béthanie après la mort de Lazare, il trouve Marie et Marthe tristes. La Bible déclare: « *Jésus, la voyant pleurer, elle et les Juifs qui étaient venus avec elle, frémit en son esprit, et fut tout ému.*» (Jn 11:33, LSG).

Jésus a pleuré.

Même si, en tant que Dieu, le Christ savait ce qu'était la mort et était capable de ressusciter Lazare d'entre les morts, Jésus pouvait sortir de son cadre de référence en tant que Dieu et expérimenter le chagrin de Marie et Marthe.

RÉCONFORTER LES AUTRES

Les gens doivent savoir qu'ils ne sont pas seuls. Souvent, ceux qui souffrent se sentent confinés dans leur douleur. Savoir que quelqu'un d'autre comprend leur frustration, leur colère, leur peur ou leur chagrin supprime une partie de leur isolement.

> « *Souvenez-vous des prisonniers, comme si vous étiez aussi prisonniers; de ceux qui sont maltraités, comme étant aussi vous-mêmes dans un corps.* »
> — He 13:3 (LSG)

Lorsque nous faisons preuve d'empathie envers les autres, cela leur rappelle qu'ils ne vivent pas seuls. Cela leur apporte du réconfort même lorsque leur problème n'est pas encore résolu. Mais nous n'avons pas besoin de vivre une expérience similaire pour faire preuve d'empathie. Même si l'expérience d'une personne m'est étrangère, il est crucial d'avoir le désir de comprendre ou d'imaginer comment sa situation peut l'impacter. Si je ne parviens pas à comprendre, je peux toujours tendre la main avec compassion.

L'empathie est une manifestation d'amour et un désir d'aider quelqu'un d'autre à supporter le poids de ses difficultés. Lorsque vous aimez, vous grandissez en connaissance et en discernement.

> « *Et ce que je demande dans mes prières, c'est que votre amour augmente de plus en plus en connaissance et en pleine intelligence.* »
> — Phm 1:9 (LSG)

L'empathie est un acte de compréhension qui démontre que vous comprenez l'importance des sentiments de quelqu'un d'autre, même si vous ne parvenez pas à comprendre ce qu'il traverse. Cela permet aux gens de savoir que vous êtes en phase avec eux et que vous les soutenez.

«Mais par-dessus toutes ces choses revêtez-vous de la charité,
qui est le lien de la perfection.»

— Col 3:14 (LSG)

Lorsque vous faites preuve d'empathie envers les autres, leur système de défense s'effondre, ce qui vous permet de vous connecter plus profondément avec eux. Cependant, il est possible de s'impliquer émotionnellement au point de perdre son objectivité, et la prise de décision critique peut être plus difficile.

Le code d'éthique de l'American Medical Association stipule que les médecins ne doivent pas se soigner eux-mêmes ni soigner les membres de leur famille immédiate. L'objectivité professionnelle peut être difficile à maintenir lorsque le médecin traite une personne qu'il connaît personnellement, car ses sentiments personnels peuvent affecter son jugement professionnel et les décisions qu'il prend.[77]

Une variante de ces préoccupations s'applique également aux dirigeants et à ceux dont ils sont responsables. L'empathie est essentielle à la connectivité; cependant, l'empathie sans objectivité peut être dangereuse. Il est important de développer la compassion, mais de ne pas laisser les émotions éclipser la vérité.

Vous avez peut-être perdu votre objectivité si vous commencez à vous identifier excessivement à quelqu'un occupant un poste de leadership ou d'*aide*, croyant que vous savez exactement ce qu'il ressent. Lorsque nous pensons voir une autre personne entièrement, nous cessons d'écouter, perdant ainsi une véritable compréhension. Si cela se produit ou si votre connexion devient mentalement épuisante ou manipulatrice dans les deux sens, prenez du recul. Une empathie mal placée peut faire plus de mal que de bien à vous et à la personne que vous aidez. Lorsque cela se produit, rappelez-vous que vous ne vous éloignez pas de la personne mais de la situation. Les gens sont au centre de l'attention; nous sommes appelés à fortifier et à servir les autres, en étant un exemple de soumission et de maîtrise de soi.

PARTIE 7

LEADERSHIP: NOUS DEVONS FAIRE PREUVE DE FERMETÉ

CHAPITRE 12

UN LEADER SOUMIS

NOUS SAVONS QUE LE LEADERSHIP IMPLIQUE la prise d'initiatives et de décisions, mais les dirigeants les plus influents apprennent d'abord à obéir à leurs autorités supérieures. Néhémie est un excellent exemple de la manière de diriger *et* de suivre en même temps. Tout en dirigeant la reconstruction de la muraille, Néhémie se soumet à Dieu, au roi de Perse et à la communauté.

DOMAINES D'AUTORITÉ

SE SOUMETTRE À DIEU

Néhémie a reconnu l'importance de rechercher les conseils et la direction de Dieu dans ses efforts. Lorsqu'il a entendu parler pour la première fois de l'état de ruine des murs de Jérusalem, il a prié Dieu et demandé de l'aide. Néhémie comprenait sa position de chef du peuple de Dieu en tant que serviteur de Dieu (Né 1:4-11). Il était fidèle aux lois et aux commandements de Dieu et encourageait les habitants de Jérusalem à y obéir (Né 10:29-39). Néhémie avait confiance dans la protection et la provision de Dieu et ne s'est pas laissé décourager par la peur (Né 2:17-20). Il a loué et adoré Dieu pour sa bonté et sa fidélité (Né 12:27-47). En se soumettant à Dieu, Néhémie a été sous la couverture de l'Éternel. Il n'agissait pas seul, mais sous la bannière de Jéhovah à qui il attribuait volontiers la gloire pour l'œuvre qu'il avait accomplie grâce à son obéissance.

SE SOUMETTRE AUX AUTORITÉS TERRESTRES

Dieu a établi un équilibre de l'autorité humaine dans chacune de nos vies. Le fait de reconnaître et d'obéir à ceux qui détiennent l'autorité assure l'ordre au sein de la famille, de l'église, du gouvernement et de l'emploi. Tout le monde doit être soumis aux autorités que Dieu a mises en place, même ceux qui sont eux-mêmes en position d'autorité. En tant que résident de Perse, « employé » du roi en sa qualité d'échanson, Néhémie se soumet à l'autorité du roi perse Artaxerxès, même après avoir reçu la fonction de gouverneur de Juda.

Néhémie utilise le titre « roi » pour désigner Artaxerxès seize fois dans (Né 2:1-9).[78] Néhémie demanda au roi la permission d'aller à Jérusalem et de reconstruire les murs (Né 2:1-8). Il suivait les ordres et les instructions du roi, et il prenait également soin de montrer du respect au roi (Né 2:9-10). Néhémie a démontré sa volonté de se soumettre à l'autorité du roi en toutes choses. En tant que leader, vous avez plus de chances d'être respecté si vous êtes respectueux.

> **En tant que leader, vous avez plus de chances d'être respecté si vous êtes respectueux.**

Se soumettre à la communauté

Néhémie était un exemple diligent de véritable serviteur-leader. Il a reconnu que le véritable rôle d'un dirigeant n'est pas de gouverner, mais de servir. Il a écouté les soucis et les besoins des gens et s'est assuré que leurs voix étaient entendues (Né 5:1-13). Il a travaillé aux côtés du peuple pour reconstruire les murs et était prêt à sacrifier ses propres ressources et privilèges pour les aider (Né 5:14-19). Néhémie a fait preuve d'une volonté de se soumettre aux besoins et aux préoccupations du peuple qu'il dirigeait.

Néhémie comprenait la pyramide hiérarchique, ce qui lui permettait de contribuer à la fois en tant que serviteur et en tant que superviseur. Comprendre la façon dont Dieu a positionné chacun d'entre nous permet de fournir une structure et un ordre, aidant ainsi les communautés à prospérer et à atteindre leurs objectifs.

COMPRENDRE LA HIÉRARCHIE

La hiérarchie est importante pour toute organisation et tout organisme. Dieu est trois personnes: il existe, vit, parle et agit comme une seule personne. Nous pouvons comparer la Trinité à une communauté, et au sein de cette communauté, il existe une hiérarchie.

Le Père est le chef de toutes choses —

> *« Et lorsque toutes choses lui auront été*
> *soumises, alors le Fils lui-même sera soumis*
> *à celui qui lui a soumis toutes choses, afin*
> *que Dieu soit tout en tous. »*
> — 1 Corinthiens 15:28 (LSG)

Le Fils se soumet au Père —

> *« Je veux cependant que vous sachiez que Christ est le chef de*
> *tout homme, que l'homme est le chef de la femme, et que Dieu*
> *est le chef de Christ.»*
> — 1 Corinthiens 11:3 (LSG)

Le Saint-Esprit se soumet au Fils —

> *« Cependant je vous dis la vérité: il vous est avantageux*
> *que je m'en aille, car si je ne m'en vais pas, le consolateur*
> *ne viendra pas vers vous; mais, si je m'en vais, je vous*
> *l'enverrai.*
> — Jean 16:7 (LSG)

LÀ OÙ IL N'Y A PAS DE HIÉRARCHIE, IL Y A L'ANARCHIE

Là où il n'y a pas d'ordre, il y a du désordre; là où il n'y a pas de hiérarchie, il y a l'anarchie, parce que « le bon ordre », comme l'a fait remarquer Edmund Burke, « est le fondement de toutes les bonnes choses ».[79]

Merriam-Webster définit l'anarchie comme «l'absence de gouvernement». De nombreuses personnes pensent que toute forme de surveillance est intrinsèquement mauvaise et refusent de se soumettre à l'autorité dans leur foyer, leur église, leur lieu de travail ou leur ville. Alors que la vie sans règles peut sembler une liberté pour certains, la Bible brosse un tableau sombre d'une société sans autorité qui sombre dans l'anarchie, la confusion et le désordre.

Dans le livre des Juges, Gédéon remporta une grande victoire sur les Madianites (Juges 6-7) et devint immédiatement idolâtre (Juges 8). Nous voyons Samson, qui fut puissamment oint du Seigneur mais qui finit par se suicider (Juges 13-16). Nous voyons les habitants d'Éphraïm qui demandaient à sodomiser un visiteur qui voulait un logement (Jug 19:1-28). Nous voyons un prêtre qui voulait obtenir justice, coupa sa concubine en douze morceaux et les envoya aux tribus d'Israël (Jug 19:29-30). Nous voyons les hommes benjaminites qui voulaient se marier, attendre au bord du chemin, capturer le nombre de femmes qu'ils voulaient et les ramener chez eux (Jug 21:23). C'est ce qui s'est passé en Israël après la mort de Josué; les gens ont commencé à faire ce qu'ils voulaient (Jug 21:25).

Lorsqu'il n'y a personne pour faire respecter les règles ou que la loi n'est pas respectée, le chaos est inévitable.

POUR QUE LA HIÉRARCHIE SOIT BÉNÉFIQUE, IL DOIT Y AVOIR DE LA SOUMISSION

L'émeute d'Éphèse est un exemple du type de violence qui peut éclater lorsque les lois sont ignorées (Actes 19). Les émeutiers étaient tellement désorientés qu'ils ne savaient plus très bien pourquoi ils faisaient cette émeute (Actes 19:32). En ignorant la hiérarchie judiciaire, ils ont contourné les voies légales appropriées et ont pris les choses en main, enfreignant la loi (Actes 19:39-40). Pour que la hiérarchie profite à une société, le peuple doit s'y soumettre.

Nous sommes tous créés à l'image de Dieu; par conséquent, aucun homme n'a le droit inhérent de gouverner les autres. Par conséquent, la seule manière pour qu'une structure communautaire essentielle soit possible est que les gens se placent volontairement sous l'autorité d'un autre. La soumission n'est pas un état de fait ou de force, c'est un acte de volonté obéissant aux Écritures.

SOUMISSION ET RÉUSSITE

La soumission à l'autorité aide à renforcer, sécuriser et unifier nos foyers, nos entreprises, nos églises et nos communautés. Jésus a dit: « *Tout royaume divisé contre lui-même est dévasté, et une maison s'écroule sur une autre.* » (Luc 11:17 LSG). La soumission est cruciale pour la survie de toute institution; Dieu exige qu'elle soit respectée dans tous les domaines de la vie.

SUIVRE DIEU

Notre autorité principale est Dieu. Nous devons nous humilier et obéir à sa Parole, comme le Christ l'a fait.

> « *Ayez en vous les sentiments qui étaient en Jésus Christ, lequel, existant en forme de Dieu, n'a point regardé comme une proie à arracher d'être égal avec Dieu, mais s'est dépouillé lui-même, en prenant une forme de serviteur, en devenant semblable aux hommes; et ayant paru comme un simple homme, il s'est humilié lui-même, se rendant obéissant jusqu'à la mort, même jusqu'à la mort de la croix.* »
> (Philippiens 2:5-8, LSG).

Un dirigeant qui a du succès et qui prospère connaît la volonté de Dieu parce qu'il connaît la Parole de Dieu.

> « *Que ce livre de la loi ne s'éloigne point de ta bouche; médite-le jour et nuit, pour agir fidèlement selon tout ce qui y est écrit; car c'est alors que tu auras du succès dans tes entreprises, c'est alors que tu réussiras.* »
> — Josué 1:8, (LSG)

STRUCTURE À LA MAISON

Dieu a établi un ordre pour nos foyers, donnant à chaque membre un statut avec des responsabilités et un poste de responsabilité. Les maris, les femmes, les pères, les mères et les enfants ont des tâches à accomplir au sein de la structure familiale, mais chacun est également placé sous l'autorité d'un autre.

> *« Femmes, soyez soumises à vos maris, comme au Seigneur... et les enfants obéissent de ce droit à vos parents dans le Seigneur . »*
> — Éphésiens 5:22 (LSG)

Au sein de chaque structure se trouvent la gestion, l'obligation de rendre compte et, par l'obéissance, la réussite.

> *« Honore ton père et ta mère (c'est le premier commandement avec une promesse), afin que tu sois heureux et que tu vives longtemps sur la terre.»*
> — Éphésiens 6:2-3 (LSG)

On promet aux enfants une bonne et longue vie en échange de leur obéissance; les maris doivent se sacrifier pour leurs femmes, et les femmes doivent être chéries et protégées.

> *« Femmes, soyez soumises à vos maris, comme au Seigneur. [...] Maris, aimez vos femmes, comme Christ a aimé l'Église, et s'est livré lui-même pour elle,... »*
> – Éphésiens 5:22-25 (LSG)

Le Seigneur est un Dieu d'ordre, de structure, de cause et d'effet, de semence et de récolte. Se soumettre à l'ordre divin de Dieu dans tous les domaines de notre vie implique des responsabilités et apporte une récompense.

CHAÎNE DE COMMANDEMENT SOCIÉTAL

Dans le contexte du lieu de travail, Dieu ordonne aux employés de se soumettre à leurs employeurs, comme Néhémie l'a fait à la cour des rois Artaxerxès.

Nous devons nous soumettre aux dirigeants de notre église -

> « *Obéissez à vos conducteurs et ayez pour eux de la déférence, car ils veillent sur vos âmes comme devant en rendre compte;...* »
> — He 13:17, (LSG)

Dieu commande l'obéissance à l'autorité gouvernementale -

> « *Que chacun se soumette aux autorités qui nous gouvernent, car toute autorité vient de Dieu, et celles qui existent ont été établies par Dieu*
> (Rom 13:1, LSG)

La soumission est le principe qui découle de la nature de Dieu et est censé imprégner tous les aspects de la société pour faciliter l'ordre et l'harmonie.

REPRODUCTION DE LA SOUMISSION

Albert Schweitzer, lauréat du prix Nobel de la paix, a déclaré: « Les trois manières les plus importantes de diriger les gens sont: par l'exemple... par l'exemple... par l'exemple ... » Les bons dirigeants font preuve de soumission; dans la Bible et dans la nature, il existe un principe incontournable de reproduction.

Chaque entité se reproduit selon son espèce. Quand Dieu créa le monde, Il dit: « Que la terre produise de la verdure, de l'herbe portant de la semence, des arbres fruitiers donnant du fruit selon leur espèce et ayant en eux leur semence sur la terre. Et cela fut ainsi.». (Gn 1:11, LSG). La nature se reproduit sur la base de l'original; il en va de même dans l'éthique, avec l'exemple d'un bon dirigeant. Les adeptes imitent leurs dirigeants. Quel type de communauté votre leadership produit-il ?

Le pasteur et auteur Wayne Cordeiro a déclaré: «On peut enseigner ce que l'on sait, mais on reproduit ce que l'on est ». C'est particulièrement vrai dans le domaine du leadership. Un leader rebelle a peu de chances de produire des partisans soumis. Les rebelles produisent des rebelles. Ce qui ressemble au départ à un esprit de collaboration se transformera finalement en désobéissance et s'étendra à la division et à la déloyauté au fur et à mesure que les travailleurs adoptent les traits de leur chef inflexible et égoïste.

Ceux qui ne sont pas disposés à suivre ne devraient pas diriger. Attendre des autres qu'ils fassent ce que nous ne voulons pas faire nous-mêmes, c'est de l'arrogance. Quel que soit le projet que nous sommes appelés à gérer, lorsque nous évaluons les besoins et formulons un plan d'action, nous devons refléter les valeurs que nous souhaitons voir chez ceux qui travaillent à nos côtés si nous voulons réussir.

Un bon dirigeant n'est pas seulement passionné et soumis, mais il est aussi stratégique.

CHAPITRE 13

UN LEADER STRATÉGIQUE

AUJOURD'HUI, NÉHÉMIE SERAIT CONSIDÉRÉ COMME UN excellent chef de projet. Il avait gagné la confiance des gens et avait bâti une équipe capable de concrétiser sa vision. Il avait compris l'importance de partager les responsabilités et de travailler en collaboration pour atteindre un objectif commun. Il était passionné par le projet, mais il a gardé le contrôle de ses émotions pour remettre à Dieu chaque étape de la construction, du concept à la création.

ÉVALUEZ LE BESOIN

De la même manière qu'un médecin ne prescrit pas de traitement avant d'avoir diagnostiqué la maladie, déterminer le besoin avant de commencer un projet permet d'éviter de concevoir une solution pour laquelle il n'y a pas de problème, ce qui pourrait entraîner d'autres problèmes. Néhémie n'agissait pas par impulsion; il était pleinement conscient du besoin.

> *« Ceux qui sont restés de la captivité sont là dans la province, au comble du malheur et de l'opprobre; les murailles de Jérusalem sont en ruines, et ses portes sont consumées par le feu.»*
>
> —Né 1:3 (LSG)

Néhémie savait que la mission qu'il s'apprêtait à assumer n'était pas une idée fantastique qui avait juste un sens, mais une idée qui répondait à un besoin réel pour les nombreuses parties prenantes.

Les habitants du pays avaient besoin que Jérusalem soit bâtie pour reprendre le cours de la vie en ville. La diaspora juive voulait qu'elle soit construite pour retrouver leur fierté. Et le roi avait besoin de la construire pour pouvoir se protéger contre l'invasion égyptienne. La Bible dit: « *Que chacun de vous, au lieu de considérer ses propres intérêts, considère aussi ceux des autres.* » (Philippiens 2:4, LSG). Néhémie l'a fait, en tenant compte des besoins de son peuple.

Timothy J. Kloppenborg, professeur de gestion de projet, nous rappelle que « le succès de tout projet est en fin de compte déterminé par la manière dont les besoins des parties prenantes ont été satisfaits ».

En tant que leader, reconnaître un besoin est souvent la première étape vers la création d'une vision pour l'avenir. Une fois que vous avez identifié un besoin, vous pouvez commencer à imaginer à quoi ressemblerait le monde si ce besoin était satisfait. Cette vision peut vous aider à guider vos actions et décisions alors que vous travaillez pour répondre à ce besoin. En tant que leader stratégique, Néhémie avait non seulement cerné le besoin, mais il avait également eu une grande vision.

ASPIRATIONS POUR UN SUCCÈS FUTUR

Néhémie était un franc-tireur. Lorsque le roi de Perse demanda à Néhémie quelle était sa demande, il ne mâcha pas ses mots: « *envoie-moi en Juda, vers la ville des sépulcres de mes pères, pour que je la rebâtisse.* » (Né 2:5, LSG). Néhémie savait exactement ce qu'il voulait faire: il voulait reconstruire la ville de Jérusalem.

> « *Quand il n'y a point de vision, le peuple est sans frein* »
> — Pr 29:18 (FRDBY)

Avant de se lancer dans un projet, il est très important d'avoir une vision claire de ce à quoi ressemblera le succès. Il doit y avoir un accord entre toutes les parties sur le résultat souhaité. Imaginez un chantier de construction où les ouvriers construisent chacun selon un plan différent. Quiconque aurait un intérêt direct dans la réussite de ce chantier se verrait privé du résultat promis. Un leader stratégique communique fréquemment et de manière détaillée tout au long du projet pour maintenir l'engagement et la motivation des parties prenantes. Il n'y avait aucun risque avec Néhémie: il avait des objectifs clairs dès le début et il les a tenus.

PLAN D'ACTION

Les murs autour de Jérusalem, négligés depuis près d'un siècle et demi, ont été reconstruits en moins de deux mois. Le peuple fut incité à l'action par le leadership de Néhémie et par son plan, qui peut être résumé dans son récit au chapitre sept.

> « Lorsque la muraille fut rebâtie et que j'eus posé les battants des portes, on établit dans leurs fonctions les portiers, les chantres et les Lévites... »
>
> —Né 7:1 (LSG).

Néhémie voulait reconstruire le mur, reconstruire les portes et restaurer le peuple. Il ne suffit pas d'avoir des rêves et des visions; nous devons les transformer en objectifs. Les objectifs donnent des buts et des délais précis à chaque tâche. Paul dit: « Je cours vers le but... » (Philippiens 3:14, LSG).

Sans objectifs, rien ne nous pousse à aller de l'avant et rien ne nous permet de mesurer nos progrès; les objectifs doivent être mesurables.

Néhémie savait exactement à quelle hauteur il voulait construire le mur et le mesurait continuellement. Quand le mur faisait la moitié de la hauteur, il le savait. Il a écrit: « Nous rebâtîmes la muraille, qui fut partout achevée jusqu'à la moitié de sa hauteur. Et le peuple prit à cœur ce travail. » (Né 4:6, LSG). Il était facile pour Néhémie d'évaluer les progrès avec un objectif déterminé. Vous ne pouvez pas gérer ce que vous ne pouvez pas mesurer.

> **Vous ne pouvez pas gérer ce que vous ne pouvez pas mesurer.**

Une fois que vous avez identifié le problème et fixé des objectifs mesurables pour le projet que vous dirigez, vous aurez besoin d'une équipe bien constituée pour accomplir les tâches correspondant à ces objectifs.

FORMEZ UNE ÉQUIPE

En arrivant à Jérusalem, Néhémie rassembla les Juifs, les prêtres, les nobles et les fonctionnaires et dit: « *Venez, rebâtissons la muraille de Jérusalem, et nous ne serons plus dans l'opprobre* » (Né 2:17, LSG). Néhémie a recruté une main d'œuvre massive pour l'aider à mener à bien le projet.

> « *Deux valent mieux qu'un, parce qu'ils retirent un bon salaire de leur travail.* »
> — Ecclésiaste 4:9 (LSG)

Votre équipe doit être intelligente.

> « *Tout comme le fer aiguise le fer, l'homme s'aiguise au contact de son prochain.* »
> — Pr 27:17 (SG21)

Votre équipe doit être coopérative et concentrée.

> « *Rendez ma joie parfaite, ayant un même sentiment, un même amour, une même âme, une même pensée.* »
> — Philippiens 2:2 (LSG)

Votre équipe doit travailler dur.

> « *S'il n'y a pas de boeufs, la crèche est vide; C'est à la vigueur des bœufs qu'on doit l'abondance des revenus.* »
> — Pr 14:4 (LSG).

Les bœufs sont connus pour être forts et travaillent très dur. Sans eux, la grange est vide. Mais si vous avez des bœufs, vous aurez un revenu, c'est-à-dire une grande récolte. Comme les bœufs, il faut des gens qui travaillent dur pour obtenir de bons résultats. Les bons leaders rassemblent des personnes intelligentes et assidues qui savent travailler en équipe. Ils rassemblent le matériel nécessaire et motivent leurs équipes à réaliser l'impossible.

COMPTABILISEZ LES RESSOURCES

Néhémie était conscient des ressources et des contacts dont il allait avoir besoin pour faire décoller cette entreprise. Il demanda au roi: *« Envoie une lettre à Asaph, garde forestier du roi, afin qu'il me fournisse du bois de charpente pour les portes de la citadelle près de la maison, pour la muraille de la ville, et pour la maison que j'occuperai. »* (Né 2:8, LSG). Néhémie savait que le bois était très difficile à trouver en Israël parce que le pays n'avait pas beaucoup d'arbres. Il y avait une famine à l'époque, il lui fallait donc se préparer à l'avance. Les dirigeants stratégiques font preuve de prévoyance en tenant compte de leurs ressources.

> *« Va vers la fourmi, paresseux ! Considère ses voies, et deviens sage. Elle n'a ni chef, ni inspecteur, ni maître. Elle prépare en été sa nourriture, elle amasse pendant la moisson de quoi manger. »*
> — Pr 6:6-8 (LSG)

Comme les fourmis, les bons leaders apprennent à prévoir les conditions, à se préparer aux imprévus et à planifier en conséquence afin de ne jamais manquer d'outils ou de temps.

> *« Il y a un temps pour tout, un temps pour toute chose sous les cieux »*
> — Ecclésiaste 3:1 (LSG)

En tant que leader stratégique, Néhémie maîtrisait bien le calendrier du projet. Il écrit: « Le roi, auprès duquel la reine était assise, me dit alors: Combien ton voyage durera ton voyage, et quand seras-tu de retour? Il plut au roi de me laisser partir, et je lui fixai un temps.» (Né 2:6, LSG). Néhémie avait calculé le temps que prendrait le projet avant même d'en parler au roi. Il avait bien géré le planning du projet et l'avait réalisé en un temps record: cinquante-deux jours! (Né 6:15).

Un leader efficace planifie bien son emploi du temps, et travaille efficacement, tout en tenant compte des obstacles et des risques imprévus.

ÉVALUEZ LES RISQUES

Néhémie avait bien évalué ses risques et s'y était préparé à l'avance. Il savait qu'il lui faudrait traverser de nombreuses régions pour arriver à Jérusalem, et qu'il y avait de fortes chances qu'il soit arrêté par les gouverneurs de l'une de ces villes. Sachant que c'était le roi de Perse qui avait nommé chacun de ces gouverneurs, Néhémie demanda: « Si le roi le trouve bon, qu'on me donne des lettres pour les gouverneurs de l'autre côté du fleuve, afin qu'ils me laissent passer et entrer *en Juda* » (Né 2:7, LSG). Néhémie avait anticipé les complications potentielles et avait pris des précautions.

> « *L'homme prudent voit le mal et se cache; les simples avancent et sont punis.* »
> — Pr 27:12 (LSG)

Un leader stratégique apprend à prévoir les situations négatives à l'avance, s'efforce d'en atténuer les conséquences et planifie les moyens d'en tirer profit.

ACCEPTEZ LE COÛT

Jésus a dit: « *Car, lequel de vous, s'il veut bâtir une tour, ne s'assied d'abord pour calculer la dépense et voir s'il a de quoi la terminer, de peur qu'après avoir posé les fondements, il ne puisse l'achever, et que tous ceux qui le verront ne se mettent à le railler, en disant: cet homme a commencé à bâtir, et il n'a pu achever?* » (Luc 14:28-30, LSG). Il faut toujours calculer le coût d'un projet à l'avance. Nous devrions préparer un budget pour examiner nos revenus et nos dépenses afin de nous assurer que nous avons suffisamment de fonds pour terminer. Cependant, le coût n'est pas toujours financier.

Parfois, le coût d'un projet peut être le temps passé loin de la famille ou du ministère. Il convient de l'évaluer à l'avance et d'en discuter avec les personnes concernées afin d'éviter des conflits inutiles.

Finalement, en tant que leader stratégique, Néhémie savait que la reconstruction de Jérusalem aurait un coût. Bien que le roi Artaxerxès eût pris des précautions en envoyant des soldats avec lui, Néhémie avait accepté les dangers entourant son projet (Né 2:9). Néhémie avait calculé le prix à payer pour s'impliquer dans une entreprise aussi monumentale, mais il était tout à fait d'accord. Il avait quitté une vie tranquille dans un palais en Perse pour un projet qui pourrait lui coûter la vie, et il était prêt à payer le prix pour le peuple de Dieu.

Néhémie maîtrisait bien le projet en termes de besoins, de vision, d'objectifs, d'équipe, de ressources, de temps, de risque et de coût. Un leader stratégique doit réfléchir et se préparer à toutes ces questions avant d'entreprendre un projet, en travaillant avec diligence et détermination, en réclamant et en créant des opportunités pour faire avancer le travail et glorifier le Seigneur.

SOYEZ L'INITIATEUR

L'érudit américain Warren Bennis a déclaré: « Le leadership est la capacité de faire passer une vision à la réalité ». Néhémie ne s'est pas assis à Suse en attendant que quelqu'un d'autre lance le projet de construction de Jérusalem. Motivé par le fardeau de voir un peuple opprimé se relever, il dit au roi: « *Envoie-moi en Juda, vers la ville des sépulcres de mes pères, pour que je la rebâtisse* » (Né 2:5, LSG). Trop souvent, nous réduisons notre responsabilité à simplement participer alors que Dieu nous appelle à initier.

Agir au moment opportun est souvent la clé du succès dans la vie. L'expression « battre le fer tant qu'il est chaud » nous encourage à profiter d'une opportunité pendant qu'elle est là. Il est important de reconnaître les opportunités lorsqu'elles se présentent; et il est tout aussi important de créer nos propres opportunités. C'est là qu'intervient la variante de Yeats: « N'attendez pas que le fer soit chaud pour frapper, mais rendez-le chaud en frappant.»

Un leader fort d'esprit prend l'initiative de créer des conditions favorables plutôt que de s'attendre à ce qu'elles se produisent naturellement. Il est facile de s'asseoir et d'attendre que les choses se produisent, mais faire bouger les choses est ce qui distingue les personnes qui réussissent de celles qui vont rarement au-delà de leurs souhaits. Bien entendu, cela ne signifie pas que vous devez agir de manière imprudente ou impulsive.

Néhémie passait du temps dans la prière et le jeûne, écoutant la voix du Seigneur, et avait reçu l'autorité de s'occuper des détails. Ainsi, Néhémie n'avait pas peur de prendre des décisions et faisait confiance à ses efforts.

Il est important d'examiner attentivement vos options et de prendre des décisions éclairées. Mais une fois que vous avez pris une décision, n'hésitez pas à passer à l'action.

«Une vision sans action n'est qu'une hallucination », a déclaré Henry Ford.

SOYEZ DÉCISIF

Dr. Nicholas Murray Butler, ancien président de l'Université de Columbia, affirme que: « le monde se divise en trois catégories de gens: ceux qui produisent les événements, ceux qui les regardent s'accomplir, et ceux qui ne savent jamais ce qui s'est produit en réalité. »[80]

Avoir la capacité de faire des choix rapides et efficaces est une compétence bénéfique pour tout leader. Néhémie savait ce qu'il devait faire et n'y avait pas trop réfléchi. Le voyage de Suse à Jérusalem fut un périple épuisant de trois mois à cheval. Presque immédiatement après son arrivée, et avec seulement quelques jours de repos, Néhémie était au travail et inspectait le chantier de construction. Il écrivit: « J'arrivai à Jérusalem, et j'y passai trois jours. Après quoi, je me levai pendant la nuit avec quelques hommes, sans avoir dit à personne ce que mon Dieu *m'avait mis au cœur de faire pour Jérusalem. Il n'y avait avec moi d'autre bête de somme que ma propre monture.»* (Né 2:11-12, LSG). Il faut des gens d'action pour que de grandes choses se produisent.

Un érudit a écrit: « Néhémie était un homme d'action ; il faisait avancer les choses. Il savait utiliser la persuasion mais aussi la force. On peut à juste titre l'appeler le père du judaïsme. Grâce à Néhémie, le judaïsme avait une ville fortifiée, un peuple purifié, une nation dévouée et unifiée, une stabilité économique renouvelée et un nouvel engagement envers la loi de Dieu ».[81]

Pour que votre vision se concrétise, vous devez être prêt à mettre des actions en œuvre pour réaliser votre rêve.

SOYEZ TRAVAILLEUR

> *« La persévérance, c'est le travail ardu que vous faites après avoir été épuisé par le travail ardu que vous avez déjà fait. »*
> -Newt Gingrich

Néhémie n'était pas simplement un superviseur qui criait des ordres ; il travaillait au même titre que les autres ouvriers à la construction de la muraille. Il dit: « *C'est ainsi que nous poursuivions l'ouvrage, la moitié d'entre nous la lance à la main depuis le lever de l'aurore jusqu'à l'apparition des étoiles. Dans ce même temps, je dis encore au peuple: Que chacun passe la nuit dans Jérusalem avec son serviteur; faisons la garde pendant la nuit, et travaillons pendant le jour.* » (Né 4:21-22, LSG).

Elon Musk a accompli ce que beaucoup pensaient impossible, notamment créer des voitures électriques fonctionnelles avec Tesla et rendre l'exploration spatiale plus abordable à travers SpaceX. Né en Afrique du Sud, Musk est aujourd'hui l'une des personnes les plus riches et l'une des voix les plus puissantes au monde. Bien qu'indubitablement intelligent, Musk n'a pas réussi par son pur savoir-faire. Le magnat des affaires a la réputation d'être un bourreau de travail, travaillant souvent 100 heures par semaine pour atteindre ses objectifs ambitieux.[82] On a dit que « le seul endroit où le succès précède le travail est dans le dictionnaire ».[83]

La différence entre un leader qui délègue des responsabilités et celui qui retrousse ses manches et aide, est que ce dernier montre qu'il est prêt à fournir les mêmes efforts que son équipe. Le leader pratique montre qu'il croit au projet et que sa valeur mérite ses efforts et ses sacrifices inlassables. Néhémie n'était pas seulement un leader travailleur, mais il était aussi un leader concentré. Il était tellement concentré sur son travail qu'il avait à peine le temps de se changer !

CONCENTREZ-VOUS

Néhémie savait comment prioriser son travail. Il a compris qu'il y avait un temps pour se concentrer sur l'apparence et un temps pour se concentrer sur le travail à faire. Il écrit: « *Et nous ne quittions point nos vêtements, ni moi, ni mes frères, ni mes serviteurs, ni les hommes de garde qui me suivaient; chacun n'avait que ses armes et de l'eau.*» (Né 4:23, LSG).

Parce que Néhémie était tellement concentré sur son travail, il avait pu le réaliser en un temps record. Le mur qui avait été dévasté pendant 140 ans a été reconstruit en seulement 52 jours (Né 6:15). Cette focalisation assidue sur la tâche à accomplir lui a permis de reconstruire le mur rapidement.

Comparez la focalisation à la lumière du soleil: dispersée sur une large zone, elle a un impact très différent de celui de la lumière diffusée à travers une loupe. La focalisation intense sur une entreprise unique peut enflammer votre communauté avec une passion et redoubler d'efforts pour un nouveau départ. Pour réaliser de grands exploits comme Néhémie, vous devrez vous concentrer sur les efforts qui donnent les meilleurs résultats, comme en témoigne la « règle des 80/20 ».

APPLIQUER LE PRINCIPE DE PARETO

Le principe de Pareto, également appelé « loi des 80-20 », est un concept selon lequel environ 80% des conséquences proviennent de

20% des causes. Le principe a été introduit par Vilfredo Pareto, un économiste italien qui a observé qu'environ 80% des terres en Italie appartenaient seulement à 20% de la population. Au fil du temps, le principe de Pareto a été largement appliqué dans différents domaines. Sa pertinence s'étend au-delà de l'économie et dans la vie quotidienne; elle rappelle que la relation entre les entrées et les sorties n'est jamais égale. En entreprise, par exemple, seuls 20% des clients représentent 80% des revenus générés; 80% des réclamations proviennent de 20% des clients; 80% de la productivité est atteinte en 20% du temps passé à travailler. Pour rester concentré, trouvez les 20% d'activités qui vous rapportent 80% de votre résultat et passez-y 80% de votre temps. Pour vous aider à trouver le focus qui méritent vos pensées et votre énergie, identifiez « la seule chose qui compte ».

TROUVEZ VOTRE SEULE CHOSE

Lorsque Jésus rendait visite à Marie et Marthe, Marthe courait partout dans la maison pour servir Jésus, tandis que Marie était assise à ses pieds. Marthe était en colère contre Marie parce qu'elle n'était pas venue l'aider. Mais Jésus la réprimanda: « Marthe, Marthe, tu t'inquiètes et tu t'agites pour beaucoup de choses. Une seule chose est nécessaire. Marie a choisi la bonne part, qui ne lui sera point ôtée. » (Luc 10:41- 42, LSG). Martha se concentrait sur plusieurs choses tandis que Mary se concentrait sur une seule chose. Et la *seule chose* sur laquelle Marie s'était concentrée était « celle qui ne lui serait pas enlevée ».

Lorsque nous avons des priorités concurrentes, nous devons nous demander: « En ce moment, sur quelle chose dois-je me concentrer ? » La réponse devrait toujours être « celle qui ne vous sera pas enlevée », celle qui restera et aura l'impact le plus exceptionnel.

Si un événement sportif est programmé en même temps que la réunion de prière de votre église, vous vous rendez à la réunion de prière car elle aura un effet profond et durable. Si vous devez choisir entre passer du temps avec vos amis ou passer du temps avec Dieu, demandez-vous quelle relation va durer dans le temps.

J'ai entendu un jour Mark Zuckerberg dire dans une interview que lorsqu'il travaille, il se demande toujours: « Est-ce la chose la plus importante que je puisse faire en ce moment ? Si la réponse est « oui », il continue. Si c'est « non », il s'arrête et reporte son attention sur la chose la plus importante du moment.

Lorsque de nombreuses obligations rivalisent pour retenir votre attention, choisissez celle dont la valeur ne diminuera pas avec le temps.

Les dirigeants efficaces sont passionnés, soumis, stratégiques et diligents. Cependant, sans discipline, toutes ces compétences flétrissent.

PARTIE 8

LEADERSHIP: NOUS DEVONS ÊTRE INDÉFECTIBLES

CHAPITRE 14

UN LEADER DISCIPLINÉ

L A DISCIPLINE EST LA FORCE QUI permet au talent d'atteindre le niveau supérieur. Malheureusement, son potentiel n'est pas exploité. *L'énergie potentielle* est un concept physique qui fait référence à l'énergie stockée ayant la capacité de provoquer une forme de travail ou de changement. Elle est considérée comme dormante jusqu'à ce qu'elle soit libérée, dit-on.

Lorsque David affronta Goliath avec sa fronde à ses côtés, la pierre dans la poche du lance-pierre avait de l'énergie potentielle. La pierre avait le *potentiel* de tuer un géant et d'être le catalyseur de la vie d'un futur roi et ancêtre de Jésus. Tant que le jeune berger ne lançait, visait et relâchait la pierre, la victoire n'était qu'hypothétique.

Le potentiel non réalisé décrit une personne qui a l'aptitude et l'opportunité de faire de grandes choses, mais qui n'a pas mis ses compétences en action. La discipline est nécessaire pour transformer un concept en réalisation; heureusement, l'autodiscipline - ou la maîtrise de soi, comme l'appelle la Bible - est une compétence qui peut être développée au fil du temps.

L'AUTO-RÉGULATION

Le mot du Nouveau Testament pour « maîtrise de soi » est *egkrates* , qui est un composé de deux mots: *eg*, signifiant « à l'intérieur », et *krates* ou *kratos* , qui signifie « pouvoir ». La maîtrise de soi est le *pouvoir qui se trouve à l'intérieur* d'une personne et qui lui donne la capacité d'exercer son autorité sur son être intérieur - l'âme. Lorsque la Bible parle de « l'âme », elle fait référence à la partie de nous qui contient nos pensées, nos sentiments et notre volonté. La maîtrise de soi est la gestion de l'âme - la capacité de contrôler ce que nous pensons, ressentons et faisons.

Jésus a dit: *«par votre persévérance vous sauverez vos âmes.* « (Luc 21:19, LSG). Ainsi, «le dirigeant qui exerce le pouvoir avec honneur», comme l'a noté le Dr Blaine Lee, « travaille de l'intérieur vers l'extérieur, en commençant par lui-même.» Nous sommes responsables de la gestion de nos pensées, de nos émotions et de notre volonté, tout comme Néhémie.

NÉHÉMIE CONTRÔLAIT SES ÉMOTIONS

Lorsque Néhémie apprit que Jérusalem était en ruines et que le peuple souffrait, il fut naturellement bouleversé. Néhémie ne s'est toutefois pas laissé dominer par ses émotions; au contraire, il s'est consacré au jeûne et à la prière et a transformé l'énergie négative en une force positive de changement.

Un bon leader doit être discipliné sur le plan émotionnel. Il doit apprendre à rester calme et pondéré dans les situations stressantes et à canaliser son énergie pour construire et non pour détruire.

NÉHÉMIE CONTRÔLAIT SES PAROLES

Néhémie était respectueux et parlait aux autres avec courtoisie, quelle que soit leur position. Lorsqu'il demanda au roi la permission de retourner reconstruire le mur, il dit: *«Que le roi vive éternellement! Comment n'aurais-je pas mauvais visage lorsque la ville où sont les sépulcres de mes pères est détruite et que ses portes sont consumées par le feu?* « (Néhémie 2:3, LSG).

Il faisait également attention à la manière dont il s'adressait à ceux avec qui il travaillait côte à côte. Lorsqu'il demandait aux gens de le rejoindre dans la construction, il disait: *«Vous voyez le malheureux état où nous sommes! Jérusalem est détruite, et ses portes sont consumées par le feu! Venez, rebâtissons la muraille de Jérusalem, et nous ne serons plus dans l'opprobre.»* (Néhémie 2:17, LSG). Son ton était plutôt collaboratif qu'arrogant.

plutôt collaboratif qu'arrogant.

Vos paroles auront un impact significatif sur les personnes que vous dirigez, alors utilisez-les à bon escient. Quelle que soit l'attitude de votre interlocuteur, même s'il n'agit pas de manière respectueuse, choisissez de faire preuve de respect parce que vous êtes respectueux. Comportez-vous en fonction de votre caractère et non de son manque de caractère.

NÉHÉMIE CONTRÔLAIT SES ACTIONS

Néhémie était déterminé et méticuleux. Il ne s'est pas précipité dans la reconstruction des murs sans évaluer la situation et rassembler les ressources nécessaires.

> *«Je sortis de nuit par la porte de la vallée, et je me dirigeai contre la source du dragon et vers la porte du fumier, considérant les murailles en ruines de Jérusalem et réfléchissant à ses portes consumées par le feu.»*
> (Néhémie 2:11-13 LSG)

Une personne d'action doit tempérer son enthousiasme avec patience. Savoir attendre le bon moment permet de révéler les problèmes possibles et d'éclairer les solutions. Tout comme Néhémie, élaborez un plan basé sur la vision et agissez en fonction de ce plan.

NÉHÉMIE CONTRÔLAIT SES DÉSIRS

Néhémie a bénéficié de nombreux avantages en tant que gouverneur de Juda. Pourtant, il ne s'est pas laissé détourner de sa mission de reconstruction du mur. Il est resté concentré sur son objectif et n'a pas laissé les avantages et les privilèges le faire dévier de sa trajectoire. Néhémie a dit: *« Avant moi, les premiers gouverneurs accablaient le peuple, et recevaient de lui du pain et du vin, outre quarante sicles d'argent; leurs serviteurs mêmes opprimaient le peuple. Je n'ai point agi de la sorte, par crainte de Dieu.* « (Néhémie 5:14-18, LSG). La retenue de Néhémie est un exemple d'autodiscipline exemplaire. Il contrôlait ses paroles, ses actions et ses désirs, comme nous devons apprendre à le faire.

N'oubliez pas la raison pour laquelle vous avez été positionné pour diriger, et dites «Oui» à toutes les difficultés qui peuvent survenir dans le cadre de votre travail.

DITES « OUI » AU BUT, AU PLAN ET À LA PROMESSE

Angela Duckworth, scientifique à la pointe de la recherche sur l'autodiscipline, la définit comme «la capacité à supprimer les réponses impulsives au service d'un objectif plus élevé… et un tel choix n'est pas automatique mais exige plutôt un effort conscient»[84]. L'autodiscipline implique la capacité de prendre des initiatives et d'assumer la responsabilité de faire bouger les choses dans la poursuite de l'objectif, quels que soient ce que vous ressentez ou les obstacles auxquels vous êtes confrontés.

Jésus a accompli son dessein en allant à la croix «en vue de la joie qui lui était réservée» de sauver nos âmes et de nous unir au Père (Heb 12:2). Notre Seigneur a dû faire preuve d'une grande autodiscipline pour réaliser notre salut. Dans le jardin de Gethsémani, il a regardé la coupe de la souffrance, en disant: «Père, si tu voulais éloigner de moi cette coupe! […]» Disant oui au but, au plan et à la promesse, il a ajouté: «[…] Toutefois, que ma volonté ne se fasse pas, mais la tienne.» (Luc 22:42, LSG). Vous et moi avons l'espoir du salut aujourd'hui parce que le Christ Jésus a dit oui à la croix.

> « *Car je connais les projets que j'ai formés sur vous, dit l'Éternel, projets de paix et non de malheur, afin de vous donner un avenir et de l'espérance.*»
>
> (Jé 29:11, LSG)

Les promesses de Dieu ne peuvent s'accomplir dans votre vie que si vous vous disciplinez, embrassez votre objectif, obéissez aux préceptes du Seigneur et suivez son plan. Pouvez-vous renoncer à vous-même et avancer vers le but ?

DITES « NON » À VOUS-MÊME

Viktor Frankl, psychiatre autrichien et survivant de l'Holocauste, est célèbre pour avoir noté qu' «entre le stimulus et la réponse, il y a un espace. C'est dans cet espace que se trouve notre pouvoir de choisir notre réponse. C'est dans notre réponse que se trouvent notre croissance et notre liberté».[85] Jésus a exercé cette vertu dans le jardin de Gethsémani.

Lorsque des soldats vinrent l'arrêter, Pierre tira son épée et coupa rapidement l'oreille de Malchus. Mais le Seigneur dit à Pierre de remettre son épée à sa place et lui dit: « *Penses-tu que je ne puisse pas invoquer mon Père, qui me donnerait à l'instant plus de douze légions d'anges?* «(Matthieu 26:53, LSG). Une légion romaine comptait environ 6 000 soldats. Jésus aurait pu prier le Père et celui-ci aurait envoyé 72 000 anges pour défendre son Fils. Bien sûr, il aurait suffi d'un seul. Rappelons qu'un seul ange a tué 185 000 soldats de l'armée de Sennachérib en une nuit (2R 19:35). Jésus informa Pierre qu'il n'était ni pris au piège ni acculé. Il est le Christ, le Fils du Dieu vivant, venu délivrer le monde des ténèbres! Il n'avait pas besoin d'être sauvé, c'est nous qui avions besoin de l'être. Bien sûr, il aurait préféré une autre façon d'accomplir le désir de Dieu. Il avait le pouvoir de prier pour s'en sortir, mais il refusa toute idée d'échapper à ce qui lui était demandé. Vous comprenez? Jésus voulait une issue et en avait une à sa disposition, mais il a choisi de rester là pour «nous» gagner.

Si nous voulons ressembler à Christ, nous devrons faire preuve de retenue et placer le désir du Seigneur avant tout. Pour la plupart d'entre nous, il ne s'agira pas d'une situation de vie ou de mort. Nos choix consisteront à sacrifier un plaisir immédiat pour le prix ultime.

Imaginez que vous savourez un merveilleux repas; votre ventre est plein, pourtant, c'est si bon. Arrêterez-vous de manger? Peut-être que vous passez un bon moment avec vos amis, mais soudain vous vous souvenez que vous n'avez pas fini votre travail ni fait vos devoirs. Vous ne voulez pas manquer tout le plaisir. Allez-vous être responsable et partir? Peut-être que vous êtes au milieu d'un film à suspense, mais il se fait tard et vous devez vous lever tôt pour travailler; allez-vous appuyer sur le bouton *d'arrêt* de la télécommande et aller vous coucher ?

Indubitablement, Jésus se plaisait au Ciel lorsque le moment est venu de nous sauver. Il a mis de côté son vêtement de divinité, il s'est revêtu d'humanité et a accompli l'œuvre du salut. Faire ce que l'on doit faire quand on doit le faire est une expression de la maîtrise de soi. L'autodiscipline est la compétence que nous employons pour arrêter quelque chose que nous aimons ou pour continuer malgré les difficultés. Les leaders influents mettent de côté leurs émotions et leurs préférences au profit de l'objectif à atteindre.

LE LEADERSHIP À SON PLUS HAUT NIVEAU

Pourquoi l'autodiscipline est-elle si nécessaire? L'autodiscipline est l'auto-leadership. Il s'agit de la forme de leadership la plus fondamentale et la plus exigeante. C'est pourquoi Salomon a dit: «*Celui qui est lent à la colère vaut mieux qu'un héros, Et celui qui est maître de lui-même, que celui qui prend des villes.*»(Proverbes 16:32, LSG). Salomon souligne que le fait d'être «lent à la colère» est l'une des caractéristiques de quelqu'un qui domine son esprit. La force de conquérir son esprit, son âme et ses appétits est plus remarquable que les ressources d'une puissante armée qui s'empare d'une ville. La guerre intérieure est une bataille plus difficile à gagner. C'est pourquoi il est difficile de se maîtriser.

Si vous pouvez vous diriger vous-même, vous pouvez enseigner aux autres. Contrôlez-vous, et vous serez perçu comme une personne digne d'être suivie. Un leadership authentique repose sur la maîtrise de soi. Mais comment développer la maîtrise de soi?

COMMANDEZ VOTRE ÂME

La première étape pour maîtriser votre âme est de lui parler. Encore une fois, la maîtrise de soi est *le contrôle de l'âme*, alors parlez à votre esprit, à vos émotions et à votre volonté comme David l'a fait.

« Je dis à l'Éternel: Tu es mon Seigneur, Tu es mon souverain bien!. «

(Psaumes 16:2, LSG)

Dans ce verset, nous assistons à une conversation entre l'homme spirituel et l'homme naturel de David. Parfois, il faut aller jusqu'à ordonner à l'âme de faire ce qu'il faut. David était très doué pour cela.

« Pourquoi t'abats-tu, mon âme, et gémis-tu au dedans de moi? Espère en Dieu, car je le louerai encore; Il est mon salut et mon Dieu.»

(Psaumes 42:11, LSG)

« Pourquoi t'abats-tu, mon âme, et gémis-tu au dedans de moi? Espère en Dieu, car je le louerai encore; Il est mon salut et mon Dieu.»

(Psaumes 43:5, LSG)

« Mon âme, bénis l'Éternel! Que tout ce qui est en moi bénisse son saint nom! Mon âme, bénis l'Éternel, Et n'oublie aucun de ses bienfaits! «

(Psaumes 103:1-2 ,LSG)

« Bénissez l'Éternel, vous toutes ses œuvres, Dans tous les lieux de sa domination! Mon âme, bénis l'Éternel! «

(Psaumes 103:22, LSG)

En tant que dirigeant, il est essentiel d'encourager les personnes qui vous suivent à s'adresser à elles-mêmes des paroles vivifiantes, en réfléchissant aux promesses et aux bénédictions de Dieu. Permettez aux gens de vous voir corriger vos pensées et vos attitudes, et ils se rendront compte que l'alignement de leur esprit, de leur volonté et de leurs émotions sur le Seigneur les remplira de paix, de clarté et de perspectives.

Il est de votre responsabilité d'encourager les autres à se concentrer sur le caractère du Seigneur, à faire de même et à montrer l'exemple.

ABANDONNEZ-VOUS AU SAINT-ESPRIT

Votre âme doit être régulée par le Saint-Esprit. C'est pourquoi Paul dit: « ...mais le fruit de l'Esprit, c'est l'amour, la joie, la paix, la patience, la bonté, la bénignité, la fidélité, la douceur, la tempérance... « (Ga 5:22-23, LSG). Notez que la maîtrise de soi (tempérance) est le fruit du Saint-Esprit lorsqu'il exerce son influence à travers notre propre esprit.

> *«L'Esprit lui-même rend témoignage à notre esprit que nous sommes enfants de Dieu. «*
>
> (Romains 8:16, LSG)

L'Esprit de Dieu opère à travers nous, nous donnant « ...un esprit de force, d'amour et de sagesse.» (2 Tim 1:6-7, LSG). La maîtrise de soi se développe au fur et à mesure que l'on apprend à être sensible à la voix du Saint-Esprit. Si vous êtes en train de manger et que le Saint-Esprit vous dit «Ça suffit», vous devez poser votre fourchette. Si vous êtes sur un site web et que le Saint-Esprit vous dit: «Sortez de ce site», vous devez le faire immédiatement. La voix du Saint-Esprit devient de plus en plus évidente à chaque acte d'obéissance. En vous abandonnant de plus en plus à celui qui vit en vous, vous développerez une plus grande discipline pour atteindre l'objectif du Seigneur pour votre vie.

FIXEZ-VOUS DES OBJECTIFS CLAIRS

Faire preuve de maîtrise de soi, c'est se fixer des objectifs clairs et être prêt à faire des sacrifices pour les atteindre. Un dirigeant passionné, convaincu par une idée et un plan d'action, se sacrifiera pour l'atteindre.

> **Un motif convaincant est un puissant facteur de motivation.**

Paul a fait de nombreux sacrifices pour l'Évangile.

Au cours de ses voyages missionnaires, il a été lapidé une fois, a fait naufrage trois fois, a été battu de verges trois fois et a reçu trente-neuf coups de fouet cinq fois. L'apôtre a été emprisonné trop souvent pour qu'on puisse le compter, et il a été confronté quotidiennement au danger de mort. Il aurait pu démissionner. Il aurait pu laisser le travail à quelqu'un d'autre. Il aurait pu regarder son dossier et estimer qu'il en avait fait assez pour expier sa mauvaise conduite à l'époque où il s'appelait Saul. Mais il était convaincu que sauver des âmes valait la peine que le Christ donne sa vie; cela valait donc la peine qu'il y consacre sa vie. Il a donc enduré et continué à «je cours vers le but, pour remporter le prix de la vocation céleste de Dieu en Jésus Christ.» (Phil 3:14, LSG).

Si vous souhaitez atteindre vos objectifs, ne les perdez pas de vue. Placez-les dans un endroit bien visible pour ne pas les oublier. Revoyez-les souvent. Ils vous motiveront à vous discipliner.

ENTRAÎNEZ-VOUS

En tant que fruit du Saint-Esprit, vous possédez la maîtrise de soi; cependant, pour opérer à partir d'une position de pouvoir, plutôt que de languir dans un potentiel non réalisé, vous devez vous entraîner.

> «Car la grâce de Dieu, source de salut pour tous les hommes,
> a été manifestée. Elle nous enseigne à renoncer à l'impiété et
> aux convoitises mondaines, et à vivre dans le siècle présent
> selon la sagesse, la justice et la piété».
>
> (Tite 2:11-12, LSG)

Remarquez le mot «enseigner «. Même si vous avez la maîtrise de soi, vous devez développer et renforcer cette compétence. Un garçon peut se montrer prometteur en sport, mais son talent ne le mènera pas plus loin s'il n'est pas entraîné avec persévérance. Un athlète doit se lever tôt, s'entraîner de longues heures et se soumettre à un entraîneur pour que son don fonctionne correctement. Le basketteur américain Kevin Durant a déclaré: « Le travail acharné surpasse le talent quand le talent ne travaille pas assez dur. «

De même, Dieu vous a déjà donné la maîtrise de soi. Cependant, vous devrez faire des efforts pour que cet aspect du caractère du Christ se manifeste en vous.

ÉVITEZ LES TENTATIONS
Les leaders forts se lèvent et se battent pour ce en quoi ils croient. Les leaders sûrs restent sur leurs positions. Les leaders intelligents savent quand s'enfuir.

> *« Fuis les passions de la jeunesse ... «*
> — 2 Timothée 2:22 (LSG)

> *« Fuyez l'impudicité...»*
> – 1 Corinthiens 6:18 (LSG)

> *«Abstenez-vous de toute espèce de mal...»*
> – 1 Thessaloniciens 5:22 (LSG)

Si une chose est une source de tentation, évitez-la complètement. Ne vous surestimez jamais. Paul a averti l'Église de Corinthe de ne pas se croire à l'abri de la tentation.

> *« Ainsi donc, que celui qui croit être debout prenne garde de tomber! «*
> (1 Corinthiens 10:12, LSG)

Si vous êtes tenté par le mauvais type de film lorsque la télévision est dans votre chambre, mettez-la dans un endroit public où il y a une garantie de conformité. Si vous avez tendance à surfer sur votre téléphone alors que vous devriez travailler, éteignez-le et concentrez-vous. Si la consommation d'alcool est un problème, n'entrez pas dans un bar, même s'il sert les meilleurs cornichons frits que vous ayez jamais goûtés. La Parole de Dieu nous dit: *« Soumettez-vous donc à Dieu; résistez au diable, et il fuira loin de vous.»* (Jacques 4:7, LSG).

Il est plus sage d'éviter la tentation que de la combattre. Il est plus facile de prévenir un problème que de le résoudre - cela s'applique également au rétablissement de la réputation d'un dirigeant déchu. C'est une bénédiction de récompenser ses choix pieux plutôt que d'avoir à regretter ses imprudences; il n'y a rien d'arrogant à célébrer ses victoires et sa croissance.

RÉCOMPENSEZ-VOUS

Nous nous réprimandons souvent lorsque nous faisons le mal, mais nous ne nous récompensons pas lorsque nous faisons le bien. Cette omission est une grave erreur, car la récompense est un facteur de motivation plus puissant que la punition. Lorsque vous vous fixez des objectifs précis et que vous les atteignez, célébrez votre victoire ! Lorsque Dieu a créé le monde, il n'a pas attendu que les anges le complimentent sur son chef-d'œuvre. Il a dit: « C'est bon [...], c'est très bon « (Gn 1:4, 31). Il est important d'être encouragé par le Seigneur.

Alors que David était parti en guerre, les Amalécites détruisirent sa ville de Ziglag et la brûlèrent. Les gens étaient en colère contre David et pensaient à le lapider, mais « Mais David reprit courage en s'appuyant sur l'Éternel, son Dieu. « (1 Samuel 30:6, LSG). Parfois, vous avez besoin d'applaudir votre réussite, de vous féliciter et de dire à votre âme: « C'est bien, c'est très bien «.

Encouragez-vous lorsque vous avancez dans la bonne direction. Célébrez votre succès sans perdre de vue que Dieu est votre source et atteignez vos objectifs sans perdre votre intégrité.

CHAPITRE 15

UN LEADER ÉTHIQUE

LES LEADERS ÉTHIQUES OPÈRENT AVEC INTÉGRITÉ et respectent les principes moraux qui guident leurs actions et leurs décisions, en s'assurant qu'ils s'alignent sur leurs valeurs et leurs croyances. L'intégrité est la caractéristique la plus précieuse et la plus respectée d'un leader. Sans cela, il n'y a aucune garantie de longévité d'une personne, d'une organisation ou d'un ministère.

L'intégrité structurelle est « la capacité d'un élément – qu'il s'agisse d'un composant structurel ou d'une structure composée de nombreux composants – à tenir ensemble sous une charge, y compris son propre poids, sans se briser ou se déformer excessivement. Il garantit que la construction remplira sa fonction conçue lors d'une utilisation raisonnable, aussi long-temps que sa durée de vie prévue ».[86] L'explication de l'intégrité relative à un bâtiment peut facilement être comparée à l'éthique du leadership.

Comme pour l'intégrité de toute structure, la capacité d'une orga-nisation à résister aux forces et aux stress externes sans s'effondrer ou être considérablement endommagée dépend de l'intégrité de ce qui a été impliqué dans sa construction ou de la personne qui a participé à sa *construction*. Néhémie était intègre.

L'intégrité consiste simplement à faire ce qui est juste, que ce soit en public ou en privé. Néhémie était un homme puissant, mais il a conservé son honneur. Il aurait pu utiliser le titre de gouverneur et sa position pour faire ce qu'il voulait. Il aurait pu utiliser son statut pour satisfaire ses propres désirs et besoins aux dépens du peuple (Né 5:15). Il s'est également abstenu de profiter de la famine pour acheter des propriétés à bas prix (Né 5:16). Il a compris qu'il était là pour servir le peuple. Sa stricte intégrité et son attitude humble ont fait de lui un exemple exceptionnel de leadership laïc.

Le véritable test d'intégrité est la façon dont vous vous comportez lorsque personne ne vous surveille. John D. MacDonald écrit: « L'intégrité n'est pas un mot conditionnel. Il ne souffle pas avec le vent et ne change pas avec la météo. C'est votre image intérieure de vous-même, et si vous regardez là-dedans et voyez un homme qui ne trichera pas, alors vous savez qu'il ne le fera jamais. »[87]

Un autre test d'intégrité est la façon dont vous vous comportez lorsque vous êtes en position de pouvoir où il n'y a pratiquement personne pour vous tenir responsable. Cela nécessite un renoncement conscient et constant de soi-même et un engagement solide envers ses valeurs et ses principes.

L'IMPORTANCE DE L'INTÉGRITÉ

Maintenir son intégrité n'est pas toujours facile, mais c'est une qualité essentielle qui définit le caractère d'une personne. Nous voyons dans la vie de Néhémie comment ses valeurs et principes moraux l'ont qualifié pour reconstruire les murs de Jérusalem et ont contribué à établir la confiance et la crédibilité auprès des autres. Le leadership éthique n'est pas moins important que les fondations et la charpente d'un bâtiment; c'est essentiel dans la vie d'un leader.

L'INTÉGRITÉ SERT DE BOUSSOLE MORALE

Lorsque vous pratiquez l'intégrité, votre conscience devient sensible à la droiture, agissant comme une boussole morale indiquant le vrai Nord.

> « L'intégrité des hommes droits les guide, mais la perversité
> des perfides les détruit. »
> — Proverbes 11:3 (LSG).

Refuser de pratiquer l'intégrité a l'effet inverse sur votre conscience; cela désensibilisera votre conscience et la démagnétisera face à la vérité. C'est ce que Paul voulait dire lorsqu'il dit: « par l'hypocrisie de faux docteurs portant la marque de la flétrissure dans leur propre conscience » (1 Timothée 4:2, LSG). Paul utilise une métaphore puissante pour décrire une personne qui refuse de marcher selon la vérité morale: sa conscience devient aussi insensible que si elle avait été brûlée avec un fer chaud, la rendant engourdie et handicapée. Paul fait référence aux personnes qui connaissent la vérité mais qui ne sont pas gênées par les mensonges. Ce sont des hypocrites qui n'ont aucun sentiment de culpabilité et restent impénitents et inaccessibles. Avec une conscience insensible, ils sont détachés de la direction du Saint-Esprit, les laissant moralement perdus. Cette situation ne se produit pas du jour au lendemain; cela résulte d'une norme éthique en lente dégradation dans leur pensée et dans leur façon de se comporter. Ce type de leader laissera tout le monde autour de lui en ruines.

Faites preuve d'intégrité dans les petites décisions. Les choix qui semblent sans conséquence sont votre formation pour prendre de grandes décisions avec des résultats cruciaux.

L'INTÉGRITÉ VOUS GARANTIT LA TRANQUILLITÉ D'ESPRIT

Vivre une vie honnête et éthique est essentiel pour atteindre la paix intérieure et le contentement. Lorsque vous agissez avec intégrité, vous pouvez prendre des décisions sans vous soucier des conséquences d'un comportement malhonnête ou inapproprié. Cela signifie que vous pouvez vous concentrer sur ce qui est important et faire des choix qui correspondent à vos valeurs et croyances.

La Bible dit: « Le méchant prend la fuite sans même qu'on le poursuive, tandis que le juste a autant de confiance qu'un jeune lion. » (Proverbes 28:1, LSG). Les méchants vivent dans la peur d'être découverts. Vivre avec intégrité garantit que vous pouvez dormir paisiblement la nuit, que votre cœur ne s'emballe pas lorsque vous voyez la police et que vous ne vous évanouissez pas lorsque vous recevez un avis d'audit.

> « Le méchant prend la fuite sans même qu'on le poursuive, tandis que le juste a autant de confiance qu'un jeune lion. »

Agissez selon vos valeurs et vous ne serez ni accablé de culpabilité ni de honte. Cela peut libérer de l'espace mental et de l'énergie qui peuvent être utilisés pour vous concentrer sur d'autres aspects de votre vie, tels que les relations, les objectifs de carrière ou la croissance personnelle.

L'INTÉGRITÉ VOUS PROTÈGE DES SCANDALES

L'intégrité est cruciale tant dans la vie personnelle que professionnelle, en particulier chez les personnalités publiques, les politiciens et les dirigeants. Le maintien de l'intégrité peut vous aider à vous protéger des scandales en garantissant que vous êtes honnête et sincère dans vos actions et vos décisions. Cela peut également vous aider à établir la confiance avec les autres, elle est essentielle pour entretenir des relations saines et réussir.

La Bible déclare: « *Celui qui marche dans l'intégrité marche avec assurance, mais celui qui prend des voies tortueuses sera découvert* » (Proverbes 10:9, LSG). Un escroc sera dénoncé tôt ou tard, surtout à l'ère des médias sociaux. Les nouvelles voyagent plus vite que jamais.

De nombreux scandales ont existé au cours de l'histoire, allant des effondrements d'entreprises aux controverses politiques. À quoi pensez-vous lorsque vous entendez les noms de Bernie Madoff ou d'Enron ? Savez-vous de quoi Harvey Weinstein a été accusé ? Vous souvenez-vous du nom du scandale politique aux États-Unis dans les années 1970 qui a conduit à la démission du président Richard Nixon ? Si l'une de ces personnes ou organisations a fait quelque chose de bien dans le monde, ce ne sera pas ce dont on se souviendra. Une fois que vous tombez dans un scandale, cela devient un phénomène mondial et il devient presqaue impossible de vous débarrasser de cette puanteur.

En tant que leader, vous devez être prudent et maintenir votre intégrité pour vous protéger des scandales potentiels et souiller l'œuvre du Seigneur.

L'INTÉGRITÉ VOUS DONNE UNE VOIX

Proverbes 28:1 parle des coupables qui regardent toujours par-dessus leur épaule, mais des innocents qui marchent avec audace. La confiance insufflée par l'intégrité donne à une personne la plateforme pour parler et diriger les autres. Quand votre vie n'est pas exemplaire, vous restez en retrait, incapable de prendre la parole. Si vous avez une bonne idée, vous ne pouvez pas la partager car votre caractère vous contredit. Une personne indigne de confiance, fourbe, sera ignorée, quoi qu'elle dise. Un leader qui n'a pas gagné le respect ne peut s'attendre qu'à superviser des imitateurs, jamais des disciples. Il est dépourvu d'autorité.

À l'époque de Néhémie, les biens d'une personne étaient censés rester au sein de la famille. Mais lorsque Jérusalem était en proie à une grande famine et à une grande pauvreté, les gens vendaient tout ce qu'ils pouvaient et à qui ils pouvaient, juste pour survivre. De nombreux dirigeants ont profité du désespoir des pauvres et ont acheté leurs biens à très bas prix. Que se serait-il passé lorsque le peuple s'est plaint à Néhémie d'avoir été manipulé par les riches si Néhémie avait pris part à l'exploitation ? Néhémie n'aurait pas eu voix au chapitre. Mais parce que Néhémie était un homme intègre, lorsque la controverse a éclaté, il a pu s'exprimer en disant: « *Je fus irrité lorsque j'entendis leurs plaintes et ces paroles-là.* » (Néhémie 5:6). Il réprimanda les nobles et les dirigeants et dit: « Chacun de vous exige de l'usure de la part de son frère. ». Lorsque Néhémie a affronté les hommes riches qui exploitaient le peuple, ils n'avaient « rien à dire ». Ils ont dû restituer ce qu'ils avaient pris au peuple (Né 5:6-9). Néhémie avait une voix d'autorité parce qu'il respectait le peuple de Dieu et maintenait son intégrité.

L'INTÉGRITÉ ÉTABLIT UN MODÈLE POSITIF

Un leader qui ne met pas en pratique ce qu'il prêche n'a aucun poids. Vous enseignez ce que vous savez, mais vous reproduisez qui vous êtes. Un homme noir peut parler japonais, mais cela ne signifie pas que ses enfants seront japonais. Vous ne produisez pas ce que vous dites; vous reproduisez qui vous êtes. Vous devez cultiver l'intégrité pour être un modèle positif pour ceux qui vous entourent.

> **Vous enseignez ce que vous savez, mais vous reproduisez qui vous êtes.**

Dans sa lettre à Tite, le chef des églises de Crète, Paul a déclaré: « *Te montrant toi-même à tous égards un modèle de bonnes œuvres, et donnant un enseignement pur, digne* » (Tite 2:7, LSG). Paul a dit à Timothée de s'assurer qu'il était un exemple afin que son enseignement puisse être pris au sérieux. Donner l'exemple de l'intégrité est le meilleur moyen de reproduire l'intégrité dans sa famille, son entreprise, son quartier et son pays.

L'INTÉGRITÉ PRÉSERVE L'ORGANISATION

De nombreuses organisations se sont effondrées en raison d'un manque d'intégrité. En fait, l'économie entière des États-Unis s'est presque effondrée en 2008 en raison du manque d'intégrité des banquiers, des professionnels de l'immobilier et du grand public. David a dit: « Que l'intégrité et la droiture me protègent, quand je mets en toi mon espérance! » (Ps 25:21, LSG). L'intégrité et la droiture préservent les individus, les organisations et des pays entiers.

Il y a une histoire sur la Chine ancienne où les gens ont construit la Grande Muraille pour se protéger des barbares. Cependant, au cours des 100 premières années d'existence du mur, la Chine a été envahie à trois reprises. Pas une seule fois les barbares n'ont brisé les barrières ni les ont franchies. Ils n'avaient pas besoin d'attaquer le mur; au lieu de cela, ils ont soudoyé les gardiens et ont franchi les portes. La faille ne résidait pas dans le mur mais dans le caractère des personnes censées le garder. Peu importe le nombre de règles, de réglementations, de caméras et de systèmes informatiques que nous mettons en place, si les personnes qui en font partie ne croient pas à l'importance de vivre avec intégrité, l'organisation est vulnérable et peut s'effondrer à tout moment.

L'INTÉGRITÉ PROTÈGE VOTRE HÉRITAGE

Notre caractère façonne notre héritage.

« Le juste marche dans son intégrité,
heureux ses enfants après lui ! »
— Proverbes 20:7 (LSG)

Selon la Bible, quand quelqu'un marche dans l'intégrité, ses enfants sont bénis après lui. Le bien le plus important que nous puissions laisser à nos enfants et à leurs enfants n'est pas l'argent sur nos comptes bancaires, ni la maison que nous avons achetée ou l'entreprise que nous avons acquise, mais notre nom.

« La réputation est préférable à de grandes richesses,
Et la grâce vaut mieux que l'argent et que l'or.»
— Proverbes 22:1 (LSG)

Une bonne réputation peut ouvrir des portes que l'argent ne peut pas ouvrir. Lorsque vous ne serez plus là, vous laisserez votre nom – votre caractère – comme héritage pour des générations. Protégez cet héritage en vivant avec intégrité.

L'intégrité vous sert de boussole morale, apporte la tranquillité d'esprit, vous protège des scandales, vous donne une voix, vous permet d'être un exemple positif, protège votre organisation et façonne votre héritage. Elle peut être activement et continuellement développée et renforcée.

DÉVELOPPER L'INTÉGRITÉ

Voici trois conseils pratiques qui vous aideront à développer votre intégrité.

- **N'oubliez pas que Dieu vous voit.**

« Les yeux de l'Eternel sont partout, observant les méchants
autant que les bons.»
— Proverbes 15:3 (LSG)

Lorsque votre employeur, vos employés, votre famille ou même le gouvernement n'y prêtent pas attention, un œil vous voit; Dieu récompensera le bien et le mal en temps voulu.

- **Faites des choix basés sur des valeurs plutôt que sur une gratification immédiate.**

Lorsque la femme de Potiphar essaya de séduire Joseph, celui-ci était jeune. Il aurait pu succomber à la tentation de coucher avec elle pour un épanouissement sexuel immédiat et une promesse de faveur. Cependant, quelque chose de plus grand que les émotions et les désirs intervint. Joseph basa sa décision sur ses valeurs. Il choisit le but ultime plutôt que la gratification immédiate. Joseph repoussa la femme de Potiphar en ces termes: « *Il n'est pas plus grand que moi dans cette maison, et il ne m'a rien interdit, excepté toi, parce que tu es sa femme. Comment ferais-je un aussi grand mal et pécherais-je contre Dieu?* » (Genèse 39:9 LSG). Par crainte du Seigneur, Joseph ne trahit point la confiance de son maître. Être obéissant et digne de confiance était plus important que le sexe. Il choisit la voie de l'excellence.

- **Vivez ouvertement.**

> « *Autrefois vous étiez ténèbres, et maintenant vous êtes lumière dans le Seigneur. Marchez comme des enfants de lumière.*
> — Éphésiens 5:8 (LSG)

Marcher en tant qu'enfants de lumière n'est pas une vie secrète. La transparence est essentielle, notamment en matière financière. Les membres de votre entourage doivent connaître vos sources de revenus pour éviter toute accusation d'irrégularité. Tout doit aller de mieux en mieux. Cela vous protège contre les tentations ou les soupçons financiers.

Pour être un leader communautaire efficace qui reste à l'écart du scandale, vous devez faire preuve d'éthique et vous le faites en pratiquant l'intégrité. Lorsque les gens vous font confiance et savent que vous vous souciez d'eux, ils vous suivront fidèlement.

SERVICE

Néhémie prenait soin des gens en écoutant, en s'imaginant à leur place, en résolvant des problèmes ou en répondant à leurs besoins physiques, émotionnels ou spirituels. Il a pris des mesures concrètes pour résoudre leurs problèmes quand il le pouvait – et le devait.

Lorsque les barons de la ville profitèrent du désespoir des Juifs exilés, il prit des mesures pour mettre fin à leur exploitation.

> *« Moi aussi, et mes frères et mes serviteurs, nous leur avons prêté de l'argent et du blé. Abandonnons ce qu'ils nous doivent! Rendez-leur donc aujourd'hui leurs champs, leurs vignes, leurs oliviers et leurs maisons, et le centième de l'argent, du blé, du moût et de l'huile que vous avez exigé d'eux comme intérêt.»*
> — Néhémie 5:10-11 (LSG)

Certes, Néhémie construisait une grande muraille, mais il n'oubliait pas qu'il était au service du peuple. Sa motivation première n'était pas son travail, mais ceux pour qui il le faisait. Robert K. Greenleaf a déclaré: " Le serviteur-leader est d'abord un serviteur... Cela commence par le sentiment naturel que l'on veut servir, servir d'abord" . Néhémie s'est présenté comme un serviteur de Dieu, un serviteur du roi et un serviteur du peuple. Le leadership par le service est essentiel car le service est le cœur du leadership et la voie de la grandeur.

Lorsque Salomon mourut et laissa le trône à son fils Roboam, de nombreuses personnes en Israël lui demandèrent d'être soulagées de leur travail. Roboam consulta un groupe d'anciens qui lui dirent: « Si aujourd'hui tu rends service à ce peuple, si tu leur cèdes, et si tu leur réponds par des paroles bienveillantes, ils seront pour toujours tes serviteurs.» (1 Rois 12:7, LSG) *Si vous semez du service, vous récolterez du service.* Où les anciens d'Israël ont-ils appris cette leçon ? Ils ont acquis cette sagesse auprès de Salomon, le plus grand roi d'Israël, pendant son règne. Cependant Roboam n'écouta pas. Au lieu de cela, il suivit les conseils de ses jeunes amis, qui lui disaient qu'il devait opprimer le peuple. En conséquence, le peuple se révolta et le royaume fut divisé entre Juda et Jérusalem. Le plus grand roi de l'Ancien Testament a déclaré que la clé pour être un grand leader était de servir. Qu'en est-il des plus grands du Nouveau Testament ?

Vers la fin du ministère terrestre de Jésus, les disciples ont commencé à se disputer pour savoir qui serait le plus grand dans le royaume de Dieu. Lorsqu'ils arrivèrent à la maison, Jésus, qui voyageait avec eux, s'enquit du désaccord. Ils n'ont pas répondu, mais Jésus le savait déjà.

> « *Jésus leur dit: «Les rois des nations dominent sur leurs peuples et ceux qui exercent le pouvoir se font appeler bienfaiteurs. Que cela ne soit pas votre cas, mais que le plus grand parmi vous soit comme le plus jeune, et celui qui commande comme celui qui sert. En effet, qui est le plus grand: celui qui est à table ou celui qui sert? N'est-ce pas celui qui est à table? Et moi, cependant, je suis au milieu de vous comme celui qui sert.»*
> — Luc 22:25-27 (LSG).

Notez que Jésus ne leur a pas dit que c'était mal d'aspirer à la grandeur, mais il leur a appris comment être grand. Il a dit: *si tu veux être grand, tu dois servir.* Les plus grands rois de l'Ancien et du Nouveau Testament ont révélé le secret d'un leadership exceptionnel: le service. Le principe se voit clairement dans les noms que nous reconnaissons et pourquoi ils sont mémorables.

- Connaissez-vous Mukesh Ambani ? Et le Mahatma Gandhi ?
- Si je dis Darlene Flynn, pourriez-vous imaginer son visage ? Mais Mère Teresa ?

Pourquoi connaissons-nous certaines personnes mais ne connaissons-nous pas d'autres ? C'est simple: un prénom n'est connu que grâce à une réputation méritée.

> **Un prénom n'est connu que grâce à une réputation méritée.**

Mukesh Ambani et Mahatma Gandhi sont tous deux indiens. Ambani est l'homme qui possède la maison la plus chère du monde, évaluée à 1 milliard de dollars. Gandhi a passé son temps à lutter pour la libération du peuple indien de la Grande-Bretagne. Ambani est riche, mais Gandhi était grand.

Darlene Flynn était la femme qui possédait le plus de paires de chaussures au monde. Elle en possédait 16 400. Mais le monde n'a pratiquement pas remarqué qu'elle a été assassinée dans sa piscine par son petit ami.[88] Mère Teresa, quant à elle, passait son temps au service des pauvres en Inde. Sa mort a été un phénomène mondial. Darlene Flynn était riche, mais Mère Teresa était grande.

Les hommes et les femmes dont nous nous souvenons, comme Gandhi et Mère Teresa, ne se concentraient pas sur leur réussite personnelle et leur richesse, mais sur le service aux autres et leur impact positif sur le monde. C'étaient des leaders serviteurs qui donnaient la priorité aux besoins des autres et travaillaient sans relâche pour améliorer leur vie.

Être un serviteur-leader ne signifie pas être faible ou soumis. Il s'agit d'utiliser votre position de pouvoir et d'influence pour servir les autres et avoir un impact positif sur leur vie. Ce type de leadership nécessite de l'empathie, de l'humilité et une volonté de faire passer les besoins des autres avant les vôtres. Ce n'est pas un chemin facile, mais c'est le chemin vers une véritable grandeur et un impact durable.

Un leader bienveillant écoute les gens, fait preuve d'empathie tout en restant objectif, il fait de son mieux pour répondre à leurs besoins, et les aide à renforcer leur caractère et leurs compétences pour faire partie de la solution.

PARTIE 9

LEADERSHIP: NOUS DEVONS ÊTRE ENGAGÉS ENVERS LES AUTRES

CHAPITRE 16

UN LEADER COLLABORATIF

L E LEADERSHIP COLLABORATIF EST UN STYLE de gestion qui encourage la coopération entre les leaders et leur personnel, ainsi que la collaboration interdépartementale. Les informations sont partagées ouvertement, l'opinion de chacun compte et la responsabilité est assumée par tous. Des études indiquent que cette approche pour diriger les employés produit un plus grand engagement que les règles autoritaires, et qu'elle encourage le partage des connaissances, ce qui aide à construire les organisations plus efficacement.[89]

Le style de leadership de Néhémie était transformationnel. Il a gagné la confiance du peuple et a constitué une équipe capable de concrétiser la vision. Les gens ont partagé la responsabilité de la réalisation de l'objectif. Personne, pas même Néhémie, ne pouvait accomplir cette vision seule. Néhémie a commencé avec quelques personnes, puis il a élargi l'équipe pour y inclure pratiquement tout le monde.

« Éliaschib, le souverain sacrificateur, se leva avec ses frères, les sacrificateurs, et ils bâtirent la porte des brebis. Ils la consacrèrent et en posèrent les battants; ils la consacrèrent, depuis la tour de Méa jusqu'à la tour de Hananeel.. [...] . À côté d'eux travailla Uzziel, fils de Harhaja, d'entre les orfèvres, et à côté de lui travailla Hanania, d'entre les parfumeurs. Ils laissèrent Jérusalem jusqu'à la muraille large..[...] A côté d'eux travailla, avec ses filles, Schallum, fils d'Hallochesch, chef de la moitié du district de Jérusalem.[...] Après lui Malkijah, d'entre les orfèvres, travailla jusqu'aux

maisons des Néthiniens et des marchands, vis-à-vis de la
porte de Miphkad, et jusqu'à la chambre haute du coin.
(Né 3 : 1, 8, 12, 31, LSG)

Néhémie a encouragé toute une communauté à travailler ensemble et a incité des gens de milieux différents à se réunir dans le but commun de construire la muraille. Néhémie a réuni Eliashib, un prêtre, et Uzziel, un parfumeur ; Hanania, un orfèvre, et Nethinim, un marchand, ont travaillé avec eux. Néhémie a fait travailler ensemble des personnes de statuts sociaux et économiques différents, de sexes et de générations différents. (Né 3 : 1, 8, 12, 31).

Pour unir votre communauté et travailler ensemble, commencez par une communication respectueuse.

COMMUNICATION

Dans le dernier chapitre, nous avons examiné l'importance d'écouter pour comprendre. La communication implique également de parler de manière à être compris. Une communication claire est la clé d'un bon leadership.

Pensez aux dirigeants qui ont eu le plus d'impact dans l'histoire, qu'ils soient bons ou mauvais : Winston Churchill, Martin Luther King Jr., Ronald Reagan, Adolf Hitler. Ils étaient tous des communicateurs persuasifs. James Humes, ancien rédacteur de discours présidentiels, a déclaré : «L'art de la communication est le langage du leadership», ce qui implique que la communication ne se limite pas à l'échange d'informations.

Lorsque Néhémie a décidé d'aller à Jérusalem pour reconstruire la muraille, il a expliqué au peuple ce qu'il allait faire et pourquoi c'était important. Puis il leur a demandé de participer. Le génie de Néhémie en tant que communicateur s'est révélé lorsque Sanballat et Tobija ont projeté d'attaquer les ouvriers qui construisaient la muraille. Néhémie a mis en place un système d'alerte d'urgence et a donné des instructions claires pour que chacun sache ce qu'il doit faire s'il entend le son de la trompette.

«Chacun d'eux, en travaillant, avait son épée ceinte autour des reins. Celui qui sonnait de la trompette se tenait près de moi.. [...] Au son de la trompette, rassemblez-vous auprès de nous, vers le lieu d'où vous l'entendrez; notre Dieu combattra pour nous.

(Né 4 : 18, 20, LSG)

Néhémie a conçu une procédure autour d'un système déjà familier. Le son de la trompette était comme une *alarme divine* pour que les gens se rassemblent pour le sabbat, pour des occasions spéciales ou pour la guerre. Le son spécifique de la trompette dépendait de l'occasion (1 Cor 14 : 8, LSG). Les gens étaient prêts à se protéger eux-mêmes, les uns les autres et le projet parce que leur chef les avait équipés et éduqués grâce à une communication claire. Tout autour du projet de muraille de la ville, chaque personne était protégée et connectée.

Imaginez si seulement quelques privilégiés connaissaient les détails du système d'alerte mis en place. Le système aurait échoué et ces individus mal informés se seraient retrouvés sans aide et incapables d'aider les autres. En tant que dirigeants, lorsque nous excluons des personnes de l'accès à des informations vitales pour leurs responsabilités, nous rabaissons leur valeur et leur laissons le sentiment que leur contribution est minime. Chaque personne doit savoir qu'elle est valorisée et qu'elle fait partie du processus. Comme le dit l'adage, « les gens ne se soucient pas de ce que vous savez tant qu'ils ne savent pas à quel point vous vous souciez d'eux ».

En tant que leader, vous devez vous préoccuper de vos collaborateurs ; pour ce faire, vous devez connaître votre public. Vous ne pouvez pas atteindre votre communauté si vous ne savez pas où elle se trouve. Alors écoutez et posez des questions. Remarquez les signaux non verbaux et prêtez attention aux réactions, aux expressions faciales, aux gestes et à l'humeur des gens. Sinon, vous risquez de communiquer le mauvais message aux mauvaises personnes.[90]

Comme pour toutes les compétences et qualités de leadership décrites dans chaque chapitre de cette section, maîtriser la communication ne vient pas naturellement de la plupart des gens. Même avec ceux qui sont forts dans ce domaine, ne pratiquez pas une communication claire et cohérente à cent pour cent. Nous sommes tous humains. Toutefois, à l'instar des autres qualités de leadership, les compétences en matière de communication peuvent et doivent être développées si l'on veut que les résultats ressemblent à la vision.

John Powell a dit : «*La communication fonctionne pour ceux qui y travaillent*». En tant que compositeur de musique de film, M. Powell connaît l'importance de «pratiquer, pratiquer, pratiquer», ce qui est la seule façon de s'améliorer dans n'importe quel domaine, y compris la communication. Pour mieux communiquer et collaborer avec vos collaborateurs, apprenez à lire entre les lignes.

PERCEVOIR CE QUI N'EST PAS DIT

Les gens ne viendront pas toujours vous dire tout ce qui leur arrive. Vous devez développer une conscience externe et analyser ce qui se passe autour de vous pendant que vous communiquez avec quelqu'un.

Lorsque j'entre dans une salle pour parler, la première chose que je fais est de balayer la salle du regard pour voir ou sentir l'atmosphère. Quel est l'état d'esprit de l'auditoire ? Heureux ? Fatigué ? Irrité ? Sceptique ? De même, lorsque vous êtes au bureau et que vous parlez à une personne, prêtez attention au ton de sa voix, à son langage corporel, à ses expressions faciales, à son vocabulaire et à ses lapsus freudiens. Il peut être judicieux de laisser l'ambiance de la pièce influencer la manière dont vous vous exprimez. Et soyez respectueux.

On a raconté l'histoire d'un nouveau PDG qui, lors de sa première réunion publique avec les employés, est monté sur l'estrade en adoptant un style de commandement et de contrôle. Il voulait qu'ils sachent qu'il y avait un nouveau shérif en ville et que les choses allaient changer. Avec des centaines d'employés dans l'assistance, le PDG commence à parler. Soudain, il remarque un homme dans un coin de la salle. L'homme est vêtu d'un jean et d'un tee-shirt, porte une casquette de base-ball de travers et n'est manifestement pas intéressé par ce que le PDG a à dire. Alors il se dit: *Voici un exemple parfait. Je vais profiter de ce fainéant pour montrer aux salariés qu'un tel laxisme ne sera pas toléré !*

«Hé ! Vous dans le coin», a crié le PDG. «Combien gagnez-vous par semaine?»

Levant les yeux avec surprise, le gars a répondu qu'il gagnait environ 400 $ par semaine. Avec un sourire narquois, le PDG fouilla dans sa poche et en sortit environ 1 000 $ en espèces.

«Vous êtes viré!»

Alors que l'homme à la casquette de baseball prenait l'argent, le PDG n'a presque pas remarqué le sourire narquois sur son visage. Certains des autres présents dans l'auditorium commencèrent à sourire, tandis que d'autres restèrent assis dans un silence stupéfait. Le PDG était trop arrogant pour s'en soucier.

«Alors, comment je m'en sors ?», demande-t-il à son directeur administratif. «J'ai tracé un exemple sur ce type, quel qu'il soit».

«Oh, c'était Johnny, le livreur de pizza», a-t-il dit. «Il nous apportait le déjeuner et il a vraiment apprécié le pourboire que vous lui avez donné.»

Lisez la pièce, soyez respectueux et regardez les gens dans les yeux.

COMMUNICATION PAR CONTACT VISUEL

Le contact visuel est une forme de communication non verbale qui permet d'établir la confiance, d'instaurer un rapport et de transmettre l'assurance. Les chercheurs estiment que le contact visuel est la forme la plus importante de communication non verbale, car c'est lui qui a le plus d'impact sur la façon dont l'autre personne se sent par rapport à vous et à ce que vous dites.[91]

Le maintien du contact visuel vous permet de savoir si le message a été transmis clairement et compris, et vous permet d'être constamment conscient de la manière dont votre déclaration est perçue. Un leader attentif peut éviter les malentendus en surveillant les indices non verbaux de cette manière. Lorsque vous collaborez avec une ou plusieurs personnes, vous voulez vous assurer qu'elles quittent l'échange avec le sentiment d'avoir été entendues, respectées et comprises. Pour nouer et préserver des relations étroites et solides, montrez que vous êtes attentif et vos collaborateurs continueront à être francs et sincères avec vous tout au long de vos projets.

COMMUNIQUER GRÂCE À LA TRANSPARENCE

Les leaders influents n'ont pas peur de montrer aux gens qui ils sont. L'un des moyens les plus efficaces d'y parvenir est de raconter des anecdotes de sa vie, même si elles révèlent une faiblesse ou une erreur passée. Les gens ont tendance à se méfier de l'inconnu, mais sont attirés par ceux avec qui ils ont l'impression de pouvoir s'identifier. Le fait d'afficher la perfection ne permet pas de gagner la confiance et d'établir des liens, bien au contraire. Les autres savent que nous ne sommes pas parfaits ; prétendre que nous le sommes fait de nous des menteurs. Soyez honnête sur ce que vous êtes et ceux avec qui vous travaillez le seront aussi.

COMMUNIQUER PAR DES MOTIVATIONS CLAIRES

Avant de convaincre les gens de se joindre à la cause, Néhémie a expliqué le *pourquoi* du projet. Si les gens veulent être passionnément motivés, ils doivent comprendre et s'unir dans leurs motivations.

Le succès de tout ce que vous construisez dépend en grande partie de la passion et du dévouement de ceux qui travaillent avec vous. Pour cultiver cette passion, il est essentiel que les dirigeants proposent une mission et une vision claires et inspirantes qui correspondent aux valeurs et aux croyances des travailleurs.

Un moyen efficace d'accroître la loyauté et la collaboration entre les travailleurs consiste à créer un sentiment d'utilité. Les travailleurs qui comprennent comment leurs contributions individuelles font une différence dans la réalisation des objectifs généraux sont plus susceptibles de se sentir engagés et motivés. Selon *Forbes*, les travailleurs des secteurs à but non lucratif et sociaux sont souvent animés par la passion et le désir de contribuer au changement social.[92]

La loyauté envers un leader et une tâche, dans les bons moments comme dans les moments difficiles, doit provenir d'une compréhension plus profonde du but et de la priorité du projet. Ne présumez pas que tout le monde connaît la raison de votre message ou de votre décision. Prenez le temps de justifier votre message avec les Écritures, la raison, l'empathie ou une simple logique commerciale, et votre vision sera difficile à rejeter. Le dramaturge irlandais George Bernard Shaw a écrit : « Le plus gros problème de la communication est l'illusion qu'elle a eu lieu. »[93] Ne supposez rien. Soyez aussi clair que possible.

En plus d'aligner la mission et la vision sur les valeurs des travailleurs, il est également important que les dirigeants offrent un environnement de travail solidaire et collaboratif où les attentes sont claires.

LA COMMUNICATION ET LA COLLABORATION REQUIÈRENT DE LA SPÉCIFICITÉ

Lorsqu'il s'agit de la communication et de la collaboration avec les employés, il est essentiel de créer un environnement de travail positif. Un leader efficace doit favoriser un dialogue ouvert, écouter activement les préoccupations et traiter chaque membre de l'équipe avec équité et respect. Il arrive à tout dirigeant de devoir corriger un membre de son équipe.

L'interaction ne doit pas nécessairement être désagréable et, si elle est faite avec respect et dans un esprit de mentorat, elle peut favoriser le développement des compétences et de la compréhension de votre travailleur, ainsi que votre relation. Soyez précis, donnez des exemples de ce qui a été mal fait (ou bien fait), utilisez un ton respectueux et proposez un retour d'information constructif lorsque c'est possible.

Lorsque vous faites l'éloge d'un membre de votre équipe, veillez à détailler ses réalisations, à le complimenter en temps opportun et à vous assurer que vos paroles sont sincères. Il est important d'être précis et productif dans votre approche lorsque vous réprimandez ou félicitez vos employés.

Mike Myatt a déclaré : «La spécificité vaut mieux que l'ambiguïté 11 fois sur 10 : apprenez à communiquer avec clarté. La simplicité et la concision sont toujours préférables à la complexité et à la confusion».[94]

Qu'il s'agisse de souligner les points forts ou les points à améliorer, assurez-vous qu'ils quittent la réunion en connaissant l'objectif et le plan d'action exact à suivre. Si vous le faites sur un ton respectueux et en le regardant dans les yeux, votre employé peut repartir reconnaissant de l'instruction et habilité à mieux collaborer avec l'équipe.

LA FLEXIBILITÉ

La flexibilité du leadership est "la capacité à diagnostiquer correcte-ment les exigences d'une situation et à y répondre en conséquence par une approche de leadership viable».[95] Être flexible signifie évaluer la situation et s'y adapter sans perdre son identité. Jeff Bezos, le fon-dateur d'Amazon, croit également en la flexibilité, déclarant : «Nous sommes têtus sur la vision, nous sommes flexibles sur les détails.»

Un leader flexible s'adapte à l'environnement sans jamais sacrifier son identité ou sa mission. Si vous versez de l'eau dans une tasse, elle aura la forme de la tasse ; si vous la versez dans une bouteille, c'est le contenant qui déterminera le contour de l'eau, mais elle ne cessera jamais d'être H2O. Colin Powell a dit un jour : «*Les leaders honorent leurs valeurs fondamen-tales, mais ils sont flexibles dans la manière dont ils les mettent en œuvre*».

Néhémie s'est rendu à Jérusalem avec une stratégie bien conçue. Il a travaillé sur ce plan pendant quatre mois, par le biais d'un travail acharné, de la prière et du jeûne. Il a voyagé pendant trois mois, s'est reposé quelques jours et s'est attelé à la tâche de recruter les gens pour reconstruire la muraille. Son plan se déroulait bien, chaque membre de la communauté étant prêt à apporter sa pierre à l'édifice. C'est à ce moment-là que le bât blesse.

Lorsque Sanballat, Tobija, les Arabes, les Ammonites et les Ashdo-dites ont conspiré pour attaquer les bâtisseurs, Néhémie a dû modifier les responsabilités de ses ouvriers afin de poursuivre le projet tout en assurant la sécurité de son peuple.

> «*Depuis ce jour, la moitié de mes serviteurs travaillait, et l'autre moitié était armée de lances, de boucliers, d'arcs et de cuirasses. Les chefs étaient derrière toute la maison de Juda.*
> (Né 4:16, LSG).

Omar Garcia explique : «Néhémie 4:16-20 fait état d'un chan-gement de stratégie pour la durée du projet. Néhémie a adopté une nouvelle stratégie d'organisation pour éviter une nouvelle crise et une nouvelle menace pour le moral des troupes. Il a organisé le peuple en travailleurs, guerriers et gardiens. Il a demandé aux gens de travailler avec une arme à la main ou au côté. Il a désigné d'autres personnes pour monter la garde. Comme précaution supplémentaire, il nomma des clairons pour monter la garde autour de la ville et sonner l'alarme au premier signe de danger».[96] Un leader collaboratif doit être flexible, capable d'adapter son plan aux réalités du terrain, en rappelant à tous que le Seigneur orchestre chacun de ses mouvements.

> *«Le cœur de l'homme médite sa voie, Mais c'est l'Éternel qui dirige ses pas.»*
> (Prov 16 : 9, LSG)

Dieu peut nous parler de plusieurs manières : par sa Parole et par son Esprit ; parfois, il annonce son plan en changeant nos circonstances. Nous voyons dans la nature l'importance d'être adaptable.

LA FLEXIBILITÉ ASSURE LA STABILITÉ

En grandissant à Haïti, j'ai appris l'importance de la flexibilité. Quand j'avais environ sept ans, l'île a subi un terrible cyclone qui a déraciné de nombreux arbres. Après l'ouragan, j'ai demandé à une dame nommée Casimir pourquoi tant d'arbres avaient été brisés ou arrachés du sol et d'autres non. Elle m'a dit que les cocotiers n'avaient pas été déracinés car ils avaient des racines profondes et la capacité de se plier. Lorsque soufflent la tempête, ils s'inclinent mais ne se brisent pas. Tout comme dans la nature, notre capacité à ajuster un plan, à corriger un modèle et à faire preuve de souplesse lorsqu'un plan d'action ne fonctionne plus n'est pas un signe de faiblesse ou d'échec.

Certains leaders pensent que s'ils bougent ou s'adaptent, ils admettent leurs fautes ou font preuve de faiblesse. La flexibilité n'est pas un inconvénient, mais la preuve que notre pensée et notre comportement ne sont pas limités par l'ego ou par un besoin de validation. Une organisation flexible peut résister à des circonstances imprévues et s'adapter rapidement à des situations imprévisibles. Comme l'a dit John Wooden : « La flexibilité est la clé de la stabilité ».

LA FLEXIBILITÉ CONTRIBUE À LA LONGÉVITÉ

Le contraste entre la souplesse et la rigidité est illustré par les étapes de la vie. Un jeune arbre est vert et souple, hydraté et plein de vie. La souplesse des arbres leur permet également de répartir les pressions de manière plus homogène dans leur structure, réduisant ainsi la probabilité de cassures ou de dommages.[97] De la même manière, un jeune de dix-sept ans est plus agile qu'une personne de soixante-dix ans. Ce n'est pas pour rien que les médecins conseillent aux personnes âgées de continuer à bouger et à s'étirer : la souplesse contribue à une vie plus longue et plus agréable.

Une organisation inflexible peut avoir du mal à s'adapter aux changements et à s'adapter aux nouvelles situations. Les dirigeants doivent veiller à croître constamment, à rester formés et à maintenir un flux d'informations constant vers leurs *branches*. S'ils ne peuvent ou ne veulent pas le faire, l'établissement est soit mort, soit il a un pied dans la tombe.

LA FLEXIBILITÉ PERMET L'ADAPTATION

Les leaders qui établissent des bases saines pour la collaboration laissent place à différentes personnalités, cultures, expériences professionnelles et personnelles. Comprendre et respecter les origines et les cultures variées de vos travailleurs sans renoncer à l'objectif ni sacrifier l'identité est essentiel.

Les équipes les plus performantes sont constituées lorsqu'un superviseur comprend les capacités et les lacunes de chaque travailleur, sait comment utiliser les forces spécifiques de chacun et stimule la collaboration. Les leaders charismatiques sont mieux acceptés par les adeptes extravertis. Un leadership dominant et autocratique fonctionne bien pour ceux qui ont besoin de motivation, mais peut étouffer la créativité de ceux qui se gèrent et se motivent bien. Chaque employé a des motivations et des compétences différentes. Les leaders intelligents sont ceux qui savent modifier leur style de gestion pour faire ressortir le meilleur de chacun d'eux.

LA FLEXIBILITÉ AUGMENTE L'INTELLIGENCE

La flexibilité peut aider les dirigeants et les travailleurs à apprendre de manière plus efficace et efficiente. Par exemple, les personnes adaptables sont plus susceptibles d'être ouvertes aux nouvelles idées et expériences, ce qui rend une collaboration saine possible et productive.

Albert Einstein disait : « La mesure de l'intelligence est la capacité de changer. »[98] Lorsque nous pouvons identifier et évaluer nos erreurs, nous pouvons en tirer des leçons. Les personnes intelligentes apprennent également de leurs expériences et s'adaptent correctement aux nouvelles situations. L'intelligence ne concerne pas seulement ce que vous savez, mais aussi la manière dont vous utilisez ces connaissances. Les dirigeants influents tirent des leçons de leur expérience de vie et s'ajustent si nécessaire.

DÉVELOPPER LA FLEXIBILITÉ

Un leader qui apporte de la flexibilité lors de la collaboration est inestimable pour le succès de tout projet. La flexibilité ne consiste pas seulement à être capable de s'adapter au changement ; il s'agit aussi d'être ouvert d'esprit, curieux et disposé à apprendre de nouvelles choses. Les dirigeants qui mettent en œuvre la flexibilité peuvent résoudre les problèmes de manière créative et peuvent utiliser des ressources limitées pour ce faire.

IDENTIFIER VOTRE STYLE NATUREL

Selon un article paru dans la Harvard Business Review, il est essentiel qu'un leader ne soit pas coincé dans un style défini qui ne convient pas à son contexte opérationnel. Au lieu de cela, il devrait créer et élargir sa « gamme de douceurs de leadership ».[99]

- **Leadership charismatique/transformationnel :** visionnaire, inspirant, altruiste, décisif, axé sur la performance et digne de confiance
- **Leadership axé sur l'équipe :** collaboratif, diplomatique, intégrateur, compétent sur le plan administratif et non malveillant

- **Leadership participatif :** participatif et non autocratique, et impliquant les autres dans la prise de décision
- **Leadership axé sur l'humain :** modeste, solidaire, prévenant, généreux et sensible aux besoins des adeptes
- **Leadership autonome :** indépendant, unique et individualiste
- **Leadership auto protecteur :** procédural, compétitif en interne, soucieux de son statut, égocentrique et soucieux de sauver la face.[100]

Pour devenir un leader plus flexible, vous devez évaluer votre style de leadership actuel et élargir la gamme d'approches que vous pouvez utiliser. Si vous répondez à tout le monde de la même manière, pensez au marteau de Maslow.

«LA LOI DE L'INSTRUMENT»

Le fait de trop se fier à une approche ou à un mode de pensée familier pour résoudre un problème ou prendre une décision est dangereux pour un leader, en particulier lorsqu'il collabore avec d'autres personnes. La «loi de l'instrument» ou «marteau de Maslow» est attribuée au célèbre psychologue Abraham Maslow, qui a écrit en 1966 : «Si le seul outil dont vous disposez est un marteau, il est tentant de tout traiter comme s'il s'agissait d'un clou».[101] Si votre répertoire ne comprend qu'une ou deux approches pour chaque travailleur, pensez à ajouter d'autres outils à votre boîte à outils. Tout le monde ou toute situation n'est pas un clou.

La capacité d'ajuster votre technique pour mieux servir votre peuple et la vision principale ne peut commencer que lorsque vous considérez que votre manière la plus naturelle n'est peut-être pas la seule. En d'autres termes, il est essentiel de disposer d'un ensemble diversifié d'outils et d'approches pour résoudre efficacement différents problèmes.

Si vous êtes bloqué, vous pouvez sortir de l'ornière - commencez par essayer de nouvelles choses dans votre vie personnelle pour faire bouger les choses. Entraînez-vous dans votre propre vie. Vous pouvez essayer un nouveau restaurant, pratiquer un autre sport ou regarder un autre genre de film. La flexibilité commence par de petites choses avant de s'étendre et de se ramifier. Commencez par faire des recherches.

RESTER INFORMÉ

Il est impossible de planifier un résultat que l'on n'a pas envisagé. La planification d'un voyage en voiture commence généralement par une destination ; la collecte d'ingrédients pour une recette commence par le choix de ce que l'on souhaite cuisiner. Le premier pas vers la flexibilité, le changement et l'innovation consiste donc à s'exposer à de nouvelles informations. Prenez le temps d'écouter des conférences, d'assister à des formations et de lire des ouvrages importants sur le leadership ou sur des domaines spécifiques de votre choix. Identifiez un leader que vous admirez et appliquez certains de ses comportements et stratégies. Si cette personne est une de vos connaissances, invitez-la à déjeuner et faites-lui savoir que vous cherchez à progresser en tant que dirigeant. Vous constaterez que les gens sont heureux de partager leurs connaissances durement acquises avec quelqu'un de réceptif. Réfléchissez à la manière dont ces principes peuvent être appliqués dans votre contexte, puis testez votre approche en prenant note de la réponse.

Les situations réelles vous donneront l'occasion de voir ce qui fonctionne et ce qui ne convient pas à vous et à votre équipe, ce qui vous permettra de modifier votre approche. Cela prendra du temps, une bonne dose d'essais et d'erreurs, et vous ne vous sentirez pas immédiatement à l'aise. Votre objectif est d'améliorer vos compétences naturelles en matière de leadership et de pratiquer les autres jusqu'à ce qu'elles deviennent une seconde nature. Le succès de vos équipes dépend de leur discipline, de leurs principes, de leur souci des autres, de leur flexibilité et de leur capacité à travailler en équipe. Ils apprennent ces choses en vous observant ; ils ont la possibilité d'affiner leurs compétences au fur et à mesure que vous leur confiez des responsabilités

CHAPITRE 17

UN LEADER RESPONSABILISANT

L'AUTONOMISATION DU LEADERSHIP REPOSE SUR LA confiance et sur le fait de donner aux employés le pouvoir de prendre des décisions. Ce type de leadership crée plus de confiance en soi et de satisfaction parmi les travailleurs. Les leaders responsabilisants rappellent continuellement aux gens la mission et combien leur contribution est essentielle. Ils encouragent les communicateurs qui comprennent l'importance de doter chaque personne des éléments essentiels dont elle a besoin pour réussir dans le travail qui lui est confié.

En responsabilisant les personnes que vous dirigez, vous augmenterez la confiance en leurs capacités et les motiverez à consacrer davantage d'efforts à leur travail. En permettant aux collaborateurs de s'approprier leur travail et en leur apportant un soutien tout au long du processus, vous pouvez créer une culture de collaboration et de réussite.

DÉLÉGATION

La délégation est « l'acte de donner à autrui le pouvoir d'agir par lui-même ». Elle confie des tâches, des responsabilités et de l'autorité à un autre individu ou groupe. Les leaders qui connaissent les compétences et le niveau de maturité de leurs équipes savent précisément ce que chacun peut accomplir.

La délégation générale décrit une responsabilité sur un département ou un projet. Les emplois de cadre intermédiaire représentent ce niveau d'autorité. Ces travailleurs se voient attribuer des objectifs projetés mais sont responsables du choix de la méthode pour les atteindre.

Une délégation spécifique est accordée aux travailleurs chargés d'accomplir des tâches particulières. Des instructions détaillées sont fournies pour chaque étape du processus avec un niveau de surveillance plus élevé. Ce niveau de responsabilité est parfait pour les personnes en formation, tandis que la délégation générale est réservée aux plus aguerris.

La délégation est l'un des comportements les plus fondamentaux des dirigeants responsabilisants. C'est une manière pour eux de montrer leur confiance à leurs collaborateurs et de leur offrir des opportunités de développer leurs compétences. Tout grand leader maîtrise l'art de la délégation. John Maxwell a déclaré: « *Sans cela, un leader est limité à ses propres capacités et disponibilités.* »[102]

NÉHÉMIE ÉTAIT UN LEADER PUISSANT

Pour établir le calendrier des travaux de construction du mur de Jérusalem, Néhémie a divisé le travail en sous-ensembles et l'a délégué à différentes personnes de la communauté.

> «*A côté d'eux travailla vis-à-vis de sa maison Jedaja, fils de Harumaph, et à côté de lui travailla Hattusch, fils de Haschabnia.*»
>
> (Né 3:10, LSG)

> «*Après eux Tsadok, fils d'Immer, travailla devant sa maison. Après lui travailla Schemaeja, fils de Schecania, gardien de la porte de l'orient.*»
>
> (Né 3:29, LSG)

> «*Après lui Néhémie, fils d'Azbuk, chef de la moitié du district de Beth-Tsur, travailla aux réparations jusque vis-à-vis des sépulcres de David, jusqu'à l'étang qui avait été construit, et jusqu'à la maison des héros.*»
>
> (Né 3:16, LSG)

*«Après lui Baruc, fils de Zabbaï, répara avec
ardeur une autre portion, depuis l'angle
jusqu'à la porte de la maison d'Éliaschib, le
souverain sacrificateur.»*

(Né 3 :20, LSG)

*«Après eux Benjamin et Haschub
travaillèrent vis-à-vis de leur maison. Après
eux Azaria, fils de Maaséja, fils d'Anania,
travailla à côté de sa maison.»*

(Né 3:23, LSG)

Alors que certaines personnes n'ont réparé que la partie du mur devant leur maison, d'autres se sont vu confier davantage de responsabilités. Nous devons savoir quels travailleurs peuvent supporter la charge supplémentaire lorsque nous déléguons.

Le maître de la Parabole des Trois Serviteurs n'a pas donné à chacun de ses serviteurs le même nombre de talents dont il devait être responsable. L'un en a reçu cinq; un autre, deux; le troisième un seul talent. Il a donné en fonction de leurs capacités (Mt 25:14-30, LSG). De même, lorsque nous déléguons, nous devons donner aux gens le niveau de responsabilité qu'ils peuvent assumer.

Donner trop et trop tôt peut submerger certains, tandis que ne pas confier suffisamment de responsabilités à un autre travailleur peut les rendre sans inspiration et s'ennuyer. Connaissez vos gens et donnez-leur suffisamment pour les étirer, mais pas au point qu'ils craquent. Tout le monde doit mettre la main à la pâte.

Néhémie a donné à chacun la responsabilité de travailler devant sa maison, ce qui signifie que le travail qu'ils accomplissaient était personnellement important pour eux. Nous ne pouvons pas toujours faire seulement ce que nous préférons; cependant, l'un des secrets d'une délégation réussie est d'essayer d'inclure certaines tâches qui plairont à l'individu. Si nous voulons devenir des dirigeants efficaces comme Néhémie, nous devons également devenir doués dans la délégation.

LA DÉLÉGATION FAVORISE L'EXCELLENCE

Personne ne peut être bon en tout. C'est pourquoi la Bible nous présente comme un corps composé de différents membres.

> *«Car, comme le corps est un et a plusieurs membres, et comme tous les membres du corps, malgré leur nombre, ne forment qu'un seul corps, ainsi en est-il de Christ.»*
> *(1 Cor 12:12,LSG).*

Les yeux sont meilleurs pour voir, les oreilles pour entendre, les mains pour toucher et les pieds pour marcher. L'excellence vient lorsque nous attribuons des tâches appropriées à chaque membre. Les bons dirigeants savent qu'ils ne peuvent pas tout faire eux-mêmes et qu'ils ne peuvent certainement pas tout faire correctement. Ainsi, ils s'entourent de personnes qui excellent dans les domaines pour lesquels ils ne sont pas compétents ou n'ont pas le temps de le faire.

Le politologue Nicolas Machiavel avait raison lorsqu'il disait: « *La première méthode pour estimer l'intelligence d'un dirigeant est de regarder les hommes qui l'entourent.* »[103] John Maxwell, faisant écho à cette affirmation, déclara: « *Les meilleurs dirigeants sont ceux qui cherchent à s'entourer d'assistants et d'associés plus intelligents qu'eux.* »[104]

En déléguant des tâches à des personnes plus aptes à les accomplir, vous pouvez vous concentrer sur d'autres choses que personne dans l'organisation ne peut faire à part vous, en tant que leader. La délégation est essentielle pour fonctionner de manière optimale et avoir l'impact le plus significatif sur votre communauté.

LA DÉLÉGATION PERMET D'OBTENIR DE MEILLEURS RÉSULTATS

La délégation est nécessaire si vous souhaitez avoir un grand impact dans votre environnement opérationnel. La loi de la croissance exponentielle est « un concept mathématique qui décrit le phénomène d'une quantité augmentant à un rythme proportionnel à sa valeur actuelle ».[105] Cela signifie que plus la quantité est grande, plus elle croît rapidement. La Bible le dit ainsi:

«Deux valent mieux qu'un, parce qu'ils retirent un bon salaire de leur travail.»

(Ecc 4:9, LSG)

Un proverbe africain dit: « Si tu veux aller vite, vas-y seul, mais si tu veux aller loin, vas-y avec quelqu'un d'autre. » La collaboration et le travail d'équipe conduisent à un succès encore plus considérable à long terme. Voulez-vous simplement réaliser quelques petites choses, ou voulez-vous faire de grandes choses et avoir un impact significatif? Pour faire ce dernier, vous devez apprendre à déléguer.

LA DÉLÉGATION RÉDUIT LA CHARGE DE TRAVAIL

Le partage des tâches entre les membres de l'équipe peut alléger votre charge et vous permettre de vous concentrer sur des problèmes plus critiques. *Harvard Business School Online* indique que la délégation est une compétence de leadership cruciale qui peut vous permettre d'allouer du temps à des responsabilités de plus grande valeur tout en offrant au personnel l'autonomie qu'il désire.[106] La délégation est une compétence de leadership essentielle que de nombreux managers ont du mal à mettre en œuvre.

De nombreux dirigeants s'effondrent sous le poids de leurs responsabilités parce qu'ils estiment qu'il leur faudrait trop de temps pour enseigner à quelqu'un d'autre. D'autres pensent que personne d'autre ne peut faire ce travail aussi bien. Cependant, les dirigeants qui ne délèguent pas risquent l'épuisement professionnel et la fatigue. Michael Gungor a déclaré: « *L'épuisement professionnel est ce qui se produit lorsque vous essayez d'éviter d'être humain pendant trop longtemps.* » Vous n'êtes pas une machine – Jethro a dit essentiellement la même chose à Moïse.

Lorsque Jéthro se rendit chez son gendre Moïse, il remarqua que Moïse travaillait constamment. Jethro, étant en quelque sorte un expert en efficacité, a demandé: « Qu'accomplis-tu réellement ici ? Pourquoi essaies-tu de faire tout cela seul alors que tout le monde est autour de toi du matin au soir ? Lorsque Moïse expliqua que le

231

peuple allait vers lui pour obtenir des conseils, régler des différends et recevoir des instructions du Seigneur, son beau-père lui donna quelques conseils sur la délégation.

> *«Le beau-père de Moïse lui dit: Ce que tu fais n'est pas bien. Tu t'épuiseras toi-même, et tu épuiseras ce peuple qui est avec toi; car la chose est au-dessus de tes forces, tu ne pourras pas y suffire seul. Maintenant écoute ma voix; je vais te donner un conseil, et que Dieu soit avec toi! Sois l'interprète du peuple auprès de Dieu, et porte les affaires devant Dieu. Enseigne-leur les ordonnances et les lois; et fais-leur connaître le chemin qu'ils doivent suivre, et ce qu'ils doivent faire.»*
> (Exo 18:17-20, LSG)

Jéthro suggère à Moïse de choisir des hommes capables et de leur confier différents niveaux de responsabilité pour gérer les petites affaires. Pourtant, Moïse continuera à s'attaquer aux problèmes les plus importants (Exo 18:25-26). Moïse a commencé à partager la charge de travail, ce qui lui a permis d'exercer un ministère florissant sans l'accabler. Moïse conduit environ 3 millions de personnes dans le désert pendant 40 ans, en partie parce qu'il a cessé d'essayer de tout faire lui-même.

La délégation aide un leader à éviter l'épuisement professionnel tout en préparant et en équipant les autres à l'appel de Dieu dans leur vie.

L'AUTONOMISATION PAR LE DÉVELOPPEMENT

Permettre aux travailleurs d'acquérir de nouvelles compétences est un moyen efficace d'améliorer leur productivité et leur moral. *Le perfectionnement des compétences* est un investissement à long terme dans le développement des connaissances, des aptitudes et des capacités qui maintiennent les gens engagés et mieux équipés pour devenir un élément précieux de leur équipe. Plus chacun apporte sa contribution, plus le groupe est fort.

Chaque membre de votre équipage a ses principales forces, sous-compétences et intérêts. Déléguer des tâches plus petites en dehors du domaine d'expertise d'une personne, qu'elle peut apprendre et accomplir, lui permet de développer de nouvelles compétences.

Même si cela ne doit jamais être considéré comme un substitut à l'expertise, le chevauchement des compétences est vital à plusieurs égards. Avoir quelqu'un pour accomplir les tâches lorsque la personne principale n'est pas disponible permet de préserver le calendrier des projets afin que vous ne preniez pas de retard. De plus, le fait d'avoir des travailleurs dotés de capacités interdépendantes encourage la collaboration et facilite le partage de connaissances et d'expériences. Vous servez au mieux ceux que vous dirigez en leur donnant les moyens de réaliser leur potentiel.

La délégation est une manifestation du leadership-serviteur. Un serviteur-leader se soucie du bien-être, de la croissance et du développement des autres personnes autour de lui. En développant votre vivier de talents, vous montrez que vous reconnaissez leurs capacités et qu'il vaut la peine d'investir en eux.

LA DÉLÉGATION RENFORCE LE MORAL

Lorsque vous déléguez des tâches à d'autres membres de l'équipe, vous leur montrez que vous avez confiance en eux. La variété des tâches contribue également à maintenir l'énergie et la motivation. L'ennui est épuisant. Offrez à votre équipe la possibilité de déployer ses ailes et de proposer ses propres idées, rendant ainsi le travail plus personnel et plus significatif. La délégation facilite la collaboration et crée un sentiment de communauté. À mesure que les membres de votre équipe travaillent ensemble sur des projets stimulants offrant des opportunités d'éducation et de promotion, le moral, la motivation, la confiance et la coopération augmentent et unissent l'équipe.

LA DÉLÉGATION EXPLOITE LES RESSOURCES

Dans le monde des finances, il existe un concept qui consiste à tirer parti de l'argent des gens. C'est l'idée d'utiliser l'argent des autres pour lancer une entreprise. Par exemple, vous souhaiterez peut-être démarrer une entreprise qui coûte 10 000 $. Vous investissez 1 000 $, puis trouvez neuf autres amis prêts à investir 1 000 $. Vous disposez alors de ce dont vous avez besoin tout en n'en produisant vous-même qu'un dixième, en espérant que le profit dépassera de loin le prêt. L'idée d'effet de levier est également pratiquée par les meilleurs leaders en matière de temps.

Un jour, j'ai pensé à Mark Zuckerberg et à la façon dont il a pu bâtir une organisation aussi incroyable que Facebook. Je me suis demandé: « Comment un jeune homme peut-il bâtir une organisation aussi incroyable dans sa jeunesse alors qu'il a simplement vingt-quatre heures dans sa journée comme tout le monde ? » Ensuite, j'ai pensé à la pratique de *l'effet de levier.*

Tout comme la contribution de 1 000 $ a permis de récolter 10 000 $ pour le démarrage de l'entreprise, Mark Zuckerberg possède bien plus que ses heures de travail personnelles. Facebook, désormais *Meta Platforms,* compte 86 482 employés à temps plein, travaillant, disons, environ huit heures par jour pour un total de 691 856 heures de travail.[107] Ainsi, l'entreprise de Mark Zuckerberg bénéficie de près de 700 000 heures de productivité par semaine. Lorsque vous apprenez à déléguer du travail à d'autres personnes, vous faites essentiellement la même chose; vous exploitez leur temps pour produire plus que vous ne pourriez le faire vous-même.

La quantité de travail que vous pouvez effectuer par vous-même est limitée. Le nombre d'heures que vous pouvez travailler dans une journée est limité. Vous ne pouvez pas ajouter une heure de plus à votre journée, mais vous pouvez augmenter les heures de travail avec un bénévole, un employé et une personne de plus qui peuvent vous aider à atteindre vos objectifs. Néhémie l'a fait lorsqu'il a incorporé chaque personne pour aider à construire. La délégation peut vous faire gagner du temps à l'infini.

LA DÉLÉGATION DONNE DU TEMPS À LA RÉFLEXION
Les leaders influents s'appuient sur la prière, l'observation et la réflexion. Lorsque nous prenons le temps de réfléchir, nous pouvons

apprendre de nos expériences, voir ce qui fonctionne et ce qui ne fonctionne pas, et apporter les changements appropriés pour induire des progrès. Il est difficile de progresser dans la vie quand on n'a pas le temps de réfléchir.

Néhémie a eu l'idée de construire le mur après avoir passé quatre mois à jeûner, prier et réfléchir. Il élabora un plan pour reconstruire les murs de Jérusalem, un défi qui n'avait pas été relevé depuis 140 ans.

J'ai appris il y a des années que le travail le plus important d'un leader n'est pas de travailler dans l'entreprise mais de travailler *sur* l'entreprise. Pour être un leader créatif, efficace et innovant, vous devez avoir le temps de méditer.

Les visionnaires doivent prendre le temps d'imaginer l'avenir et d'élaborer une stratégie en conséquence. Vous devez clairement comprendre où vous voulez amener votre organisation et comment vous y parviendrez. Déléguer des tâches à d'autres vous libérera du temps pour vous concentrer et vous permettra d'évoluer.

DÉVELOPPER LA COMPÉTENCE DE DÉLÉGATION

La plupart des dirigeants pensent que la délégation est importante. Cependant, selon John Hunt, professeur à la London Business School, « seulement 30 % des managers et dirigeants estiment déléguer efficacement et parmi eux, seulement 1 sur 3 est considéré comme un bon délégateur par ses subordonnés et collègues ».[108] Voici quelques conseils pour devenir un leader plus responsabilisant :

CHOISISSEZ LA BONNE PERSONNE POUR LE POSTE

Pour déléguer efficacement, la première étape consiste à sélectionner la bonne personne pour la tâche. Il peut s'agir d'une personne capable de s'acquitter de la tâche mais qui ne l'a jamais fait auparavant. Ou d'une personne qui pourrait accomplir le travail, mais qui a besoin d'une chance de développer ses compétences. Le meilleur choix peut être celui d'une personne qui considère le travail comme une opportunité. Quelle que soit la personne choisie, précisez dès le départ pourquoi elle a été sélectionnée pour cette activité spécifique, afin que les attentes soient comprises par les deux parties. Choisissez judicieusement et communiquez clairement l'objectif.

SOYEZ CLAIR SUR LE RÉSULTAT

Le niveau d'instruction que vous donnerez lors de la délégation dépendra du niveau de compréhension, de compétence et de maturité de la personne choisie pour la tâche. Même si vous avez choisi la bonne personne, ce travailleur peut avoir besoin d'instructions plus détaillées en cours de route. Cependant, vous pouvez être sûr que le travailleur peut atteindre son objectif de manière indépendante. Stephen Covey illustre parfaitement ce niveau de responsabilité dans cette histoire:

Il y a quelques années, j'ai vécu une expérience intéressante en délégation avec un de mes fils. Nous avions une réunion de famille et nous avions affiché notre énoncé de mission au mur pour nous assurer que nos projets étaient en harmonie avec nos valeurs. Tout le monde était là. J'ai installé un grand tableau et nous avons noté nos objectifs – les choses clés que nous voulions faire – et les emplois qui en découlaient. Ensuite, j'ai demandé des volontaires pour faire le travail.

Qui veut payer l'hypothèque ? J'ai demandé. J'ai remarqué que j'étais le seul à lever la main.

Qui veut payer l'assurance ? La nourriture ? Les voitures ? J'avais l'impression d'avoir un véritable monopole sur les opportunités.

Qui veut nourrir le nouveau bébé ? Il y avait plus d'intérêt ici, mais ma femme était la seule à avoir les qualifications requises pour le poste.

En parcourant la liste, emploi par emploi, il est vite devenu évident que maman et papa avaient des semaines de travail de plus de soixante heures. En gardant ce paradigme à l'esprit, certains des autres travaux ont pris une perspective plus appropriée. Mon fils de sept ans, Stephen, s'est porté volontaire pour s'occuper du jardin. Avant de lui confier le travail, j'ai entamé un processus de formation approfondie. Je voulais qu'il ait une idée claire de ce qu'était un jardin bien entretenu, et je l'ai donc emmené chez notre voisin:

Regarde, mon fils, lui dis-je. Tu vois comme le jardin de notre voisin est vert et propre ? C'est ce que nous voulons: de la verdure et de la propreté. Maintenant, viens voir notre jardin. Tu vois les couleurs mélangées ? Ce n'est pas ça, ce n'est pas vert. Ce que nous voulons, c'est du vert et du propre. Maintenant, c'est à toi de décider comment tu vas faire pour que ce soit vert. Tu es libre de le faire comme tu veux, sauf de le peindre. Mais je vais te dire comment je le ferais si c'était à moi de le faire...

Comment ferais-tu ça, papa ?

Je mettrais en marche les arroseurs. Mais tu peux utiliser des seaux ou un tuyau d'arrosage. Cela ne fait aucune différence pour moi. Tout ce qui nous importe, c'est que la couleur soit verte. D'accord ?[109]

Comme le Dr Covey, vous devez être certain que les personnes qui ont ce niveau de responsabilité professionnelle peuvent assumer le fardeau du choix de la méthode une fois qu'on leur a donné une image claire du résultat souhaité. Le degré d'autonomie et d'autorité d'une personne doit être précisé dès le départ afin d'éviter les erreurs dues à un dépassement ou à un travail incomplet en raison d'une hésitation.

SOYEZ CLAIR SUR LES LIMITES DE L'AUTORITÉ

Un facteur important en matière de délégation est de fixer la limite de l'autorité. Dès le départ, il est essentiel de définir clairement de quoi la personne est responsable et quelle est la liberté dont elle dispose pour accomplir la tâche. Généralement, plus une personne est expérimentée, plus elle bénéficie d'autorité et d'autonomie. Il existe un équilibre délicat entre trop et pas assez.

D'une part, vous souhaitez responsabiliser les personnes à qui vous avez confié des responsabilités. D'un autre côté, si vous abandonnez tout contrôle et toute responsabilité, le projet pourrait devenir incontrôlable et devenir coûteux, voire impossible à corriger. Le consultant Tom Rath note avec précision que « *la clé de la délégation est de trouver le bon équilibre entre contrôle et responsabilisation* ».[110]

L'un des meilleurs moyens de clarifier l'autorité et la responsabilité est de commencer par une description de poste écrite. Dans le document, vous devez clairement indiquer les responsabilités, les dates d'achèvement prévues et toutes les ressources dont ils disposent ou qu'ils pourraient avoir besoin d'acquérir.

FOURNIR DES RESSOURCES

Lors de la délégation de tâches, il est essentiel de réfléchir aux ressources dont la personne aura besoin pour les accomplir. Déléguer des tâches sans ressources peut entraîner de la frustration. Par conséquent, donnez à vos collaborateurs les ressources nécessaires telles que le temps, l'espace, l'argent et les personnes nécessaires pour faire du rêve une réalité. L'expert en leadership Patrick Lencioni a déclaré: « *La délégation est une voie à double sens. On ne peut pas simplement confier des responsabilités sans donner aux gens les ressources et l'autorité dont ils ont besoin pour réussir.* »

ÉTABLIR DES JALONS

Ronald Reagan a dit un jour: « *Entourez-vous de gens formidables et déléguez de l'autorité. Écartez-vous et laissez ces gens faire leur travail.* »[111] Déléguer, oui. S'assoupir - non.

En tant que chef, c'est à vous qu'incombe la responsabilité. Vous êtes responsable des résultats, qu'ils soient excellents ou non, et vous devez donc vérifier les progrès accomplis et identifier les problèmes avant qu'ils ne débouchent sur une catastrophe. L'une des techniques les plus efficaces consiste à établir des jalons. Les jalons sont des points de contrôle intermittents en cours de route et présentent de nombreux avantages.

Les points de contrôle permettent de rendre des comptes et rappellent à toutes les parties que c'est vous qui êtes responsable en dernier ressort du résultat. Des évaluations périodiques vous permettront d'inspecter le travail, de donner votre avis et d'apporter les corrections nécessaires. Si quelque chose ne va pas, vous vous en apercevrez suffisamment tôt pour remédier au problème avant d'avoir gaspillé beaucoup de ressources. En prenant des nouvelles de vos travailleurs, vous leur donnez l'assurance que vous ne les avez pas abandonnés et vous leur permettez de se réjouir de leurs efforts, de leurs améliorations et de leurs succès.

Les leaders responsabilisants sont des supporteurs et des motivateurs naturels. Encouragez vos travailleurs à donner le meilleur d'eux-mêmes en applaudissant leur travail. Cela peut paraître anodin, mais un peu d'appréciation peut faire beaucoup de bien. Reconnaître chaque étape encourage la progression, surtout lorsqu'il reste beaucoup de travail à faire.

Certaines personnes peuvent se sentir dépassées par l'ampleur du travail. Les jalons décomposent l'objectif plus large en tâches plus gérables. Lorsque les États-Unis ont construit le premier vaisseau spatial destiné à aller sur la Lune, un intervieweur a demandé à l'un des ingénieurs comment il pouvait travailler sur un projet aussi compliqué. Il a déclaré: « Aucun projet n'est particulièrement complexe si vous le divisez en tâches plus petites. » Et il a bénéficié de l'aide d'autres hommes et femmes courageux, innovants et perspicaces.

SOYEZ OUVERT AUX NOUVELLES IDÉES

L'une des vertus cruciales des grands délégateurs est qu'ils sont ouverts aux nouvelles idées. Ils encouragent leur équipe à trouver des moyens nouveaux et créatifs d'atteindre leurs objectifs. Pour déléguer correctement, nous ne devons pas être tellement attachés à la façon dont les choses étaient faites avant car nous pouvons manquer l'occasion de mieux les faire. Restez curieux et donnez à vos collaborateurs les moyens de sortir des sentiers battus.

TOLÉRER LE RISQUE

La théorie de la sécurité psychologique d'Amy C. Edmondson suggère que les organisations devraient reconnaître que les erreurs sont inévitables et offrir un espace sûr permettant aux employés de prendre des risques sans craindre de représailles ou d'humiliation. Cela crée un environnement d'autonomisation où la résolution de problèmes, la collaboration et l'innovation améliorées peuvent prospérer.

Edmondson souligne que la sécurité psychologique est un indicateur fiable des performances de l'équipe et de la production d'idées. Les groupes présentant un taux élevé de sécurité psychologique collaborent plus efficacement, partagent ouvertement les informations et prennent des risques calculés.[112]

Ne vous inquiétez pas de prendre un risque avec une personne que vous formez. Donnez-lui un espace protégé pour qu'elle puisse tester ses compétences en matière de résolution de problèmes et développer de nouvelles aptitudes. Lorsqu'une personne obtient de bons résultats, nous la félicitons. Mais lorsqu'elle commet une erreur, nous devons considérer cela comme une occasion de l'instruire. Les erreurs sont des douleurs de maturation; elles ne prouvent pas que le fait d'avoir confié la tâche à la personne en question était une erreur de jugement. Si nous en sommes là aujourd'hui, c'est parce que nous avons commis beaucoup d'erreurs et que quelqu'un nous a appris à les considérer comme des opportunités de recherche. Les erreurs sont des opportunités de formation.

PARTIE 10

COMMUNAUTÉ : NOUS DEVONS TRAVAILLER DANS L'UNITÉ

CHAPITRE 18

TRAVAILLER DANS L'UNITÉ

UNE COMMUNAUTÉ EST ESSENTIELLEMENT UNE GRANDE famille organisée. En effet, au sein d'une communauté, les membres interagissent les uns avec les autres, comme s'ils faisaient partie d'une seule famille. Mais ils mettent en place également des structures qui leur permettent de fonctionner comme une nation. Ces deux concepts susmentionnés se retrouvent dans la Bible. Lisons en ce sens les déclarations de Paul:

> *« Ainsi donc, vous n'êtes plus des étrangers, ni des gens du dehors; mais vous êtes concitoyens des saints, gens de la maison de Dieu.»*
>
> (Éph 2:19 LSG)

Pierre de son côté a corroboré ces dires en déclarant ceci: « *Vous, au contraire, vous êtes une race élue, un sacerdoce royal, une nation sainte...*»1 (Pi 2:9 LSG).

Ces versets mettent en exergue l'idée qu'une communauté agit comme une famille, tout en se structurant comme une nation. La communauté juive en est une illustration exemplaire. En effet, les Juifs vivent dans des communautés distinctes, mais dans leur lieu d'établissement ils se sont rassurés de se doter de leurs propres structures en termes de services sociaux de base tels des établissements d'enseignement, des services médicaux. Autrement dit, ils fonctionnent comme des entités autonomes au sein d'une communauté élargie.

Sur le plan religieux, les juifs adhèrent à leurs propres lois et s'assurent d'établir une culture d'assistance et de soutien mutuels au sein de leur communauté. De plus, par rapport à la structure de gouvernance, ils déterminent leurs propres figures dirigeantes, connus sous le nom de rabbins. Ces derniers jouent un rôle important dans la gestion et l'administration des affaires publiques ainsi que dans la justice afin d'adresser les problèmes qui y sont liés au sein de leur communauté. En d'autres termes, une communauté est une nation au sein d'une nation.

LA PUISSANCE D'UNE COMMUNAUTÉ

Néhémie ne s'était pas contenté de construire un mur, mais il a également bâti un peuple. En effet, dans les cultures anciennes, il existait une relation étroite entre les deux. Ce passage ci-après mentionné l'indique clairement. Hanani, en rapportant les nouvelles de Jérusalem, l'a ainsi exprimé: « *Ceux qui sont restés de la captivité sont là dans la province, au comble du malheur et de l'opprobre; les murailles de Jérusalem sont en ruines, et ses portes sont consumées par le feu.*» (Né 1:3 LSG). Remarquez le lien étroit établi entre les personnes vivant dans «la *détresse et l'opprobre* » d'avec « *les murs et les portes détruits* ». Ainsi, la muraille constituait donc une structure de protection pour les gens, qui leur permettait de vivre en paix.

En revanche, les portes représentaient les centres d'activités où les gens pouvaient facilement traiter affaires les uns avec les autres (Né 3:3, 14, 15, 28, LSG). Par conséquent, en reconstruisant les murailles et ses portes, Néhémie n'a fait que réveiller la conscience des gens et rétablir la vie de la ville. En d'autres termes, il a reconstruit la communauté.

Il est important d'attirer l'attention sur l'importance que revêt le concept « communauté », car il relève de l'essence même de Dieu. Voyons cela en profondeur dans la section suivante.

DIEU EST UNE *COMMUNAUTÉ*

En référence à ce que dit la Bible, nous pouvons avancer que Dieu existe, non seulement au sein d'une communauté, mais est, en fait, lui-même une communauté. C'est pourquoi l'un des principes fondamentaux qui constitue le socle du christianisme est ainsi stipulé « *nous croyons en un seul Dieu en trois personnes* ».

En effet, d'une part, **La Bible démontre que le Père est Dieu**

> *Ce verset nous l'atteste « Ne travaillez pas pour la nourriture qui périt, mais pour celle qui subsiste pour la vie éternelle, et que le Fils de l'homme vous donnera, parce que Dieu le Père l'a marqué de son sceau. »*
>
> - Jn 6:27 (LSG)

D'autre part, l**a Bible présente** également **le Fils comme Dieu** :

> *« Au commencement était la parole, et la parole était avec Dieu, et la parole était Dieu... Et la <u>Parole s'est faite chair</u> et a habité parmi nous, et nous avons contemplé sa gloire, la gloire de l'unique enfant du Père, pleine de grâce et de vérité »*
>
> . Jn 1:1, 14, (LSG),

Enfin, **La Bible démontre que le Saint-Esprit** également **est Dieu:**

> *« Car il est notre Dieu, Et nous sommes le peuple de son pâturage, Le troupeau que sa main conduit... Oh! si vous pouviez écouter aujourd'hui sa voix!»*
>
> - Ps 95:7 (LSG).

L'auteur de l'épître aux Hébreux cite le Psaume 95:7 et précise que « notre <u>Dieu</u> » qui y est mentionné se réfère à l'<u>Esprit Saint</u>. C'est pourquoi, comme le dit l'<u>Esprit Saint</u> : « *Aujourd'hui, si vous écoutez sa voix, N'endurcissez pas vos cœurs comme lors de la révolte, au jour de la tentation dans le désert* » . - Héb 3:7-8 (LSG).

Ces versets identifient Dieu le Père, le Fils et le Saint-Esprit comme Dieu, mais ne les présentent pas comme trois dieux, mais comme étant un. Le grand Chema Israël est clair à ce sujet :

« Écoute, Israël ! L'Éternel, notre Dieu, est le seul Eternel. Tu aimeras l'Éternel, ton Dieu, de tout ton cœur, de toute ton âme et de toute ta force »

- Deut 6:4-5 (LSG).

Jésus est également très clair à ce sujet lorsqu'il déclare : « *Le premier de tous les commandements est :* « Écoute, Israël, l'Éternel notre Dieu, est *l'unique Seigneur* » (Mc 12:29, LSG). Dieu existe en trois personnes qui vivent, parlent, se comportent et agissent comme une seule personne. C'est l'essence même de la communauté.

CRÉÉ POUR LA *COMMUNAUTÉ*

Dieu a créé l'homme à son image, cela sous-entend que ce dernier a été créé en tant que communauté, puisque Dieu lui-même est une communauté. Voila ce que dit le verset « *Dieu créa l'homme à son image ; il le créa à l'image de Dieu ; il créa l'homme et la femme. -»* (Gen 1:26-27 LSG) .

En fait, l'homme et la femme ont été créés en même temps, mais ils ont été formés à des moments différents (Gen 2:7 cf. 21-22, LSG). Ainsi, la création de l'homme fait référence à sa composante spirituelle, et sa formation à sa composante physique. Autrement dit, lorsque Dieu a créé l'homme, il l'a créé en tant que communauté composée de deux personnes, l'homme et la femme. Selon un auteur, dans Genèse 1:26, Dieu a dit en fait: « Créons Adam et Ève et leurs descendants comme des créatures qui peuvent partager l'amour et la communauté que nous avons déjà entre nous ».[113] C'est pourquoi, lorsqu'Adam était seul dans le jardin, le Seigneur a dit : « *Il n'est pas bon que l'homme soit seul ; je lui ferai une aide semblable à lui »* (Gen 2:18, LSG). Ce verset ne se réfère pas seulement au mariage, mais attire surtout notre attention sur le fait que les êtres humains ne sont pas créés pour vivre seuls. C'est pourquoi Dieu n'a pas doté une personne de toutes les capacités dont il a besoin pour survivre ou s'épanouir. Pour accomplir son plein potentiel, il a besoin de l'autre.

«En fait, penser à Dieu au pluriel, en tant que communauté, peut sembler étrange, mais cela a des implications très pratiques. Cette perception constitue la base sur laquelle la compréhension du mariage et de la famille est établie. En d'autres termes, elle permet de cerner à quel point les relations humaines sont importantes aux yeux de Dieu et en tant qu'être créé à l'image de Dieu combien nous sommes dépendants les uns des autres. Finalement, cette compréhension des choses nous encourage également, en tant que peuple de Dieu à nous investir dans la construction des communautés au lieu de les fuir.»[114]

CROISSANCE EXPONENTIELLE GRÂCE AU TRAVAIL D'ÉQUIPE

Lorsque Dieu a contemplé le jardin d'avant Eve, il s'est rendu compte qu' : « *Il n'est pas bon que l'homme soit seul ; je lui ferai une aide semblable à lui* » (Gen 2:18, LSG). Il a donc établi le principe qui veut que chacun ait besoin de l'aide de l'autre. En ce sens, le sage Salomon l'a corroboré et nous a rappelé que « *Deux valent mieux qu'un,* parce qu'ils retirent un bon salaire de leur travail.» (Ecc 4:9 , LSG).

En effet, il est reconnu et a été documenté que les plus grandes réalisations de l'homme ont été accomplies en collaboration avec d'autres personnes. Prenons par exemple les pyramides d'Égypte: il a fallu la participation des milliers d'hommes aux compétences diverses, travaillant ensemble en petites équipes, pendant plus de vingt ans, pour les construire. En ce sens, les preuves archéologiques ont démontré que la main-d'œuvre était composée d'environ 20 000 hommes.[115] Aujourd'hui, plus de 4 000 ans plus tard, les pyramides égyptiennes ont conservé une grande partie de leur grandeur, prouvant ainsi ce que le travail d'équipe et le dur labeur peuvent accomplir, quoique le plus souvent seulement quelques-uns d'entre eux sont sous les feux des projecteurs.

L'été 1969 a marqué l'atterrissage du premier homme sur la lune. Ainsi, le 21 juillet 1969, notre relation avec l'Univers a connu une tournure sans précédent. En effet, n'importe quel élève de CE1 peut vous citer le nom de l'homme qui a réalisé ce grand exploit et a fait cette inédite déclaration : « C'est un petit pas pour un homme, un grand pas pour l'humanité ». En fait, ces mots historiques ont été prononcés par l'astronaute Neil Armstrong au moment où ses bottes ont touché la surface lunaire. Par contre, cette grande réalisation n'a pas été l'œuvre d'un seul homme. En effet, ce jour-là, pour qu'Apollo 11 ait réussi à se poser sur la lune, la NASA a dû employer plus de 400 000 personnes.[116]

Ils ont dû coordonner les efforts des scientifiques, des ingénieurs, des techniciens et du personnel de soutien répartis sur plusieurs sites. Les astronautes eux-mêmes ont dû travailler en équipe pour mener à bien leur mission.[117] Armstrong n'aurait pas pu atterrir sur la lune tout seul. Il a fallu une communauté pour y parvenir.

Sans les autres, nos efforts sont sérieusement limités. H.E. Luccock, professeur de théologie à Yale, a dit, « Personne ne peut siffler une symphonie. Il faut un orchestre pour la jouer ».[118] Travailler avec d'autres ne sera pas toujours facile ou sans désaccord, mais nous sommes plus fructueux et nettement plus épanouis lorsque nous choisissons la collaboration plutôt que l'isolement.

> « *Si vous voulez aller vite, allez-y seul. Si vous voulez aller loin, allez-y ensemble.* »
> - Proverbe africain

COMMUNAUTÉS RICHES VS ÉTOILES MONTANTES

Dans le sport, l'équipe qui a le plus de stars ne gagne pas toujours. Par exemple, les équipes de la NBA qui comptent trois joueurs vedettes ou moins ont un avantage face aux équipes qui en comptent quatre ou plus.[119] En effet, il est essentiel d'avoir des joueurs talentueux dans une équipe, mais établir un équilibre entre les joueurs vedettes et les joueurs de second rôle revêt d'une importance capitale, car une telle stratégie peut conférer un plus grand nombre de victoires à l'équipe.

En effet, les équipes gagnantes se fixent des objectifs clairs, se font confiance mutuellement. Elles ont aussi des joueurs qui non seulement connaissent leur rôle, mais également comprennent comment chaque joueur contribue au succès de l'équipe et sont entraînés. L'entraîneur construit l'équipe en instruisant les joueurs, en misant sur leurs points forts, en les responsabilisant et en les poussant à s'améliorer. Les mêmes principes s'appliquent à la construction d'une communauté forte. Malheureusement, il semble que notre société soit plus encline à produire des vedettes alors que nos communautés souffrent.

Le grand problème des communautés noires dans le monde est que nous sommes doués pour produire des célébrités qui font cavalier seul plutôt que des communautés fortes qui se réussissent en tant que groupe. Selon un rapport de la Brookings Institution, environ 1 % seulement des ménages noirs gagnent plus de 200 000 dollars par an. Dans la communauté juive, environ un juif sur quatre (23 %) déclare avoir un revenu familial de 200 000 dollars ou plus.[120] Par conséquent, le mode de vie du juif moyen aux États-Unis est nettement meilleur que celui des Noirs, qui ont produit de nombreux chanteurs, basketteurs et footballeurs. Les Juifs réussissent grâce à l'éducation, aux affaires et, surtout, à la constitution de réseaux. Le peuple juif comprend et exploite le pouvoir de la communauté. Une communauté travaillant ensemble sera toujours plus performante que des individus travaillant seuls, quel que soit leur talent.

Comme dans le sport, le fait d'avoir quelques individus remarquables peut donner l'impression de réussir, mais en réalité, c'est l'effort collectif de chaque membre qui crée une communauté prospère. Il est essentiel d'avoir des objectifs clairs et une vision commune pour la communauté. Cela donnera aux membres un sens de la direction et un but à atteindre. La confiance est également essentielle, car les individus doivent compter les uns sur les autres pour atteindre ces objectifs.

En outre, chaque personne devrait avoir un rôle défini au sein de la communauté. Les forces et les capacités uniques de chacun doivent être reconnues et utilisées au maximum de leur potentiel. Ce faisant, chacun peut contribuer à la réussite du groupe.

Un leader ou un coach fort est nécessaire pour guider la communauté vers ses objectifs. Cette personne doit être capable de communiquer efficacement la vision et de motiver les membres à agir. Elle doit également tenir les individus responsables de leurs actions et les inciter à s'améliorer.

La construction d'une communauté forte nécessite un équilibre entre les forces individuelles et l'effort collectif. En reconnaissant le rôle de chacun et en travaillant à la réalisation d'une vision commune, les communautés peuvent s'épanouir et connaître un grand succès.

CHAPITRE 19

PLAN D'ACTION POUR UNE COMMU-NAUTÉ FORTE

DANS UNE COMMUNAUTÉ FORTE, LES GENS comprennent l'impor-tance de leur rôle et la façon dont ils s'intègrent dans le tableau d'ensemble. La sociologue Tracy Brower, PhD, a déclaré : «*Les gens ne veulent pas seulement poser des briques, ils veulent construire une cathédrale*».[121] Pour un véritable épanouissement et une longévité au sein de la communauté, nous ne voulons pas simplement faire quelque chose, nous avons besoin de poser des actions significatives. L'interaction avec d'autres personnes qui partagent nos valeurs et notre vision peuvent nous procurer un sentiment d'utilité et d'appartenance. En reconnaissant et en admirant les différents rôles joués par chacun d'entre nous, plusieurs points communs nous uniront en tant que membres d'une communauté.

UN ENVIRONNEMENT COMMUN

Lorsque Dieu a appelé Abraham, la première bénédiction qu'il lui a donnée a été la terre. Il a dit à Abraham : « *Va-t-en de ton pays, de ta patrie, et de la maison de ton père, dans le pays que je te montrerai.*» (Gen 12:1 LSG). De même, lorsqu'Israël a été emmené en captivité à Babylone, Jé lui a demandé d'acquérir des terres dès son arrivée.

« Ainsi parle l'Éternel des armées, le Dieu d'Israël, à tous les captifs que j'ai emmenés de Jérusalem à *Babylone: Bâtissez des maisons, et habitez-les; plantez des jardins, et mangez-en les fruits.*» (Jé 29:4-5 LSG).

La construction de maisons et la plantation de jardins nécessitent toutes deux l'acquisition de terres. La terre est plus qu'un bien économique, elle est liée à la survie des personnes. Même si les Juifs de Babylone y possédaient des propriétés, ils ont toujours considéré Israël comme le centre de la communauté juive. Ainsi, lorsque Néhémie apprit que les murs de Jérusalem étaient brisés et les portes brûlées, il dit au roi : «... *envoie-moi en Juda, vers la ville des sépulcres de mes pères, pour que je la rebâtisse.*» (Né 2:5 LSG).

En 70 après J.-C., les Juifs ont perdu le contrôle de la terre promise et ont aspiré à rentrer chez eux pendant près de deux millénaires. Lorsque l'antisémitisme a commencé à gagner du terrain en Europe, le juif austro-hongrois Theodor Herzl a fondé le mouvement sioniste qui prônait le retour des Juifs dans leur patrie. Il sait que leur existence n'est pas assurée tant qu'ils n'ont pas repris le contrôle de Jérusalem. Pour garder le sens de leurs racines, les Juifs qui ne vivent pas à Jérusalem se regroupent souvent en communautés, quel que soit l'endroit où ils vivent dans le monde.

Pour construire une communauté, il faut qu'il y ait un lieu de rencontre. Nous nous sommes adaptés aux réunions virtuelles pendant la pandémie, et beaucoup le font encore. Il est nécessaire de se rassembler autour d'une cause commune dans un environnement partagé, que ce soit en personne ou en ligne.

UNE CAUSE COMMUNE

Lorsque Néhémie est arrivé dans la terre promise, il leur a rappelé qu'ils étaient tous ensemble dans la détresse : « *Vous voyez le malheureux état où nous sommes! Jérusalem est détruite, et ses portes sont consumées par le feu! ...*» (*Né 2:17 LSG)*

Il faut une cause commune pour rassembler les gens. Au moment de combattre, Néhémie a dit aux nobles, aux chefs et au reste du peuple : « *...combattez pour vos frères, pour vos fils et vos filles, pour vos femmes et pour vos maisons!*» (Né 4:14 LSG). Un commentateur écrit : «*Néhémie a également fait appel au sens de la camaraderie du reste de la population. Les guerriers juifs doivent se battre pour* *défendre leurs familles, y compris leurs femmes et leurs enfants. Ils doivent également défendre leurs* מִיחָא *(« frères»), leurs compatriotes. Tous les Juifs étaient liés d'une manière ou d'une autre, puisqu'ils descendaient tous de Jacob. Néhémie a motivé ses auditeurs en faisant appel à leurs deux grands amours : leur Dieu et leur nation* .»[122] Lorsque nous nous unissons autour d'une cause commune, nous devenons exceptionnellement convaincants.

LE «H» DE VIH NE SIGNIFIE PAS «HAÏTIEN».

La première manifestation importante des Haïtiens-Américains aux États-Unis a eu lieu le 20 avril 1990, lorsque plus de 100 000 Haïtiens se sont déversés sur le pont de Brooklyn. Cette marche était une réponse à une politique de la FDA interdisant le don de sang aux Haïtiens et aux Africains sub-sahariens, sous prétexte qu'ils avaient un mauvais sang .[123] Cette politique a été mise en œuvre en 1983 en réponse à l'épidémie du sida. Elle était toutefois fondée sur des hypothèses et des stéréotypes inexacts concernant les Haïtiens et les Africains subsahariens. Avant cette manifestation, les Haïtiens-Américains de New York ne s'étaient jamais unis à une telle échelle. Grâce à cette unité, la politique a été annulée en 1991.

FAIRE DU MAL À L'UN NUIT À TOUS

Il y a quelques années seulement, le 25 mai 2020, un homme de 46 ans, George Floyd, est mort lors de son arrestation par un policier à Minneapolis. Le policier a maintenu son genou appuyé sur le cou de Floyd bien que ce dernier ait répété à plusieurs reprises «*Je ne peux pas respirer*». Le policier a gardé Floyd coincé pendant plus de neuf minutes, tandis que les agents empêchaient les passants d'intervenir. Quelques heures seulement après le meurtre de George Floyd, alors que la vidéo de l'incident était diffusée dans le monde entier, des manifestations massives ont commencé à éclater dans tous les États-Unis. Les experts estiment qu'au cours de l'été 2020, 15 à 20 millions de personnes ont participé aux manifestations, ce qui en fait le plus grand mouvement de protestation de l'histoire du pays.[124] Ces mani-festations ont incité de nombreuses entreprises à redoubler d'efforts en faveur de l'inclusion et de la diversité. Lorsque les gens défendent les droits des autres, même ceux des étrangers, les communautés se renforcent et il est alors impossible d'ignorer les injustices.

AIDE À HAÏTI

Le 9 juillet 2023, après avoir reçu des instructions claires du Seigneur, notre ministère a appelé les Haïtiens du monde entier à marcher pour Haïti. La réponse a été immédiate. En moins de trois semaines, 930 pasteurs et leurs congrégations, 750 organisations de la société civile, 500 entreprises et plus de 100 médias se sont engagés à participer. Des Haïtiens des dix départements d'Haïti, de chacun des cinquante États-Unis et de soixante-sept pays du monde entier ont rejoint le mouvement. Nous avons reçu des demandes de plus de 250 000 personnes. Cependant, beaucoup plus de personnes ont participé à la marche. C'était la première fois que les Haïtiens se réunissaient pour marcher à une échelle aussi grande et globale. Les gens ont répondu à l'appel parce qu'ils partageaient une cause commune : l'insécurité en Haïti. Pour construire une communauté, il ne suffit pas qu'un groupe de personnes se retrouve au même endroit, il faut qu'elles s'unissent autour d'une cause et qu'elles mettent en œuvre une vision commune.

UNE VISION COMMUNE

Une grande vision est nécessaire pour unir les familles, les commu-nautés ou les nations. Lorsque Néhémie a mobilisé les gens pour une cause commune - «*Vous voyez le malheureux état où nous sommes!*» Il leur a donné une vision commune «*Venez, rebâtissons la muraille de Jérusalem,*» (Né 2:17 LSG). Pour unir les familles, il faut plus qu'un simple lien de sang ; une vision commune est essentielle. Certaines des familles les plus fortes et les plus durables au monde sont celles qui sont liées par une grande idée.

LE NEW YORK TIMES

La famille Sulzberger, propriétaire du New York Times, est convaincue que Dieu lui a confié la mission d'informer le monde. Dès leur plus jeune âge, les enfants de cette famille sont préparés aux rôles qu'ils joueront plus tard au sein du journal. Arthur Sulzberger père, par exemple, a commencé à s'entraîner à la gestion des conflits avec l'avocat de la famille dès l'âge de onze ans. Étant donné que quatre membres de la famille avaient les mêmes droits sur l'entreprise, un conflit familial aurait pu facilement conduire à la disparition du Times. Ils ont dû trouver des moyens de gérer leur dynamique familiale de manière saine afin de protéger leur vision commune de la diffusion de l'information à l'humanité. L'année dernière, Arthur Gregg Sulzberger est devenu président du New York Times, marquant ainsi l'avènement d'une dynastie médiatique de plus de 120 ans.[125]

VISION ET VALEURS

Hoshi Ryokan, la plus ancienne entreprise familiale au monde, existe depuis l'an 718. La famille Hoshi gère cette auberge japonaise traditionnelle depuis 52 générations ! Le ryokan a une vision singulière de l'hospitalité et du confort qu'il offre à ses hôtes et des valeurs fortes de tradition, de loyauté et de service. Le ryokan a survécu à des guerres, des incendies, des tremblements de terre et d'autres défis et a maintenu sa réputation et sa qualité depuis plus de 1300 ans. [126]

LA MONARCHIE BRITANNIQUE

En grandissant dans une famille royale, les futurs monarques sont formés dès l'enfance à leurs futures responsabilités. Tout ce qu'ils font tourne autour de cet objectif. Dès leur plus jeune âge, les enfants doivent se conformer à des règles qui peuvent leur sembler absurdes, ainsi qu'au public. Par exemple, les jeunes garçons doivent porter des shorts, s'abstenir de mettre leurs mains dans leurs poches en public et ne peuvent pas voyager dans le même avion que leur père ; cette dernière mesure vise avant tout à protéger la lignée royale. Les membres de la famille royale se plient volontiers à ces règles parce qu'ils partagent une mission familiale. Protéger la stabilité politique en Angleterre en assurant la continuité du règne de la Maison de Windsor est un état d'esprit commun qui a permis à la monarchie britannique de rester forte pendant plus de 1 000 ans. La succession héréditaire garantit une continuité parfaite de la vision et de l'objectif d'une génération à l'autre, comme l'illustre la phrase *«Le roi est mort. Vive le roi»!*

VOISINS ET NATIONS

Une vision commune soutient un groupe de personnes sur une longue période. Cette vérité s'applique aussi bien aux familles biologiques qu'aux familles sociales. Le peuple juif croit que nous vivons dans un monde fracturé et que Dieu l'a appelé à le réparer. Ce principe, connu sous le nom de *«Tikkun olam»*, qui signifie *«réparation du monde»*, est l'un des principes les plus fondamentaux qui unifient les Juifs dans le monde entier.[127] Cet objectif central a servi à les unir pendant des siècles. Le principe d'une vision commune s'applique non seulement aux familles biologiques et aux familles ethniques, mais aussi aux communautés nationales. Le Rwanda est un excellent exemple de ce principe.

Les Rwandais ont passé cinquante ans à se battre entre eux. Le pays était divisé en plusieurs groupes - Tutsi, Hutu et Twa - mais ils ne formaient pas une nation. En 1994, la crise a dégénéré en un véritable génocide où, selon les estimations les plus prudentes, plus de 800 000 personnes ont été tuées à la machette en cent jours. La situation a plongé le pays dans une véritable crise humanitaire. Deux millions de Rwandais sont devenus des réfugiés. Les infrastructures du pays ont été détruites et l'agriculture, leur principale source de revenus, a été abandonnée. L'économie du pays était alors au bord du gouffre.

En 2000, lorsque Paul Kagame est arrivé au pouvoir, il a présenté la Vision 2020. L'idée générale était de transformer le Rwanda d'une nation pauvre en un pays à revenus moyens en 20 ans. Tout le monde au Rwanda s'est uni autour de cette vision. Tous les derniers samedis du mois, il y avait une activité appelée «Umuganda», au cours de laquelle la population se rassemblait pour effectuer des travaux publics tels que le nettoyage des rues et la construction d'écoles et de centres médicaux. Une fois les tâches accomplies, ils se réunissaient pour discuter de leurs problèmes et trouver des solutions. [128]

Les résultats ont été stupéfiants. Aujourd'hui, le Rwanda est l'un des pays les plus sûrs du monde, plus sûr que les États-Unis. Le Rwanda est le pays le plus propre d'Afrique et l'un des plus propres du monde. Bien que le Rwanda n'ait pas atteint l'objectif qu'il s'était fixé de parvenir à un revenu de classe moyenne, il a fait des progrès considérables. Son PIB est passé de 2 milliards à 10 milliards, et des plans sont mis en œuvre pour devenir un pays à revenu élevé d'ici 2050. L'augmentation du nombre d'emplois s'est accompagnée d'une diminution des combats. Lorsque les gens ont un but, il y a moins de conflits internes. Les individus déconnectés sont unis dans l'espoir pour leur famille et leur nation grâce à une vision commune et à un appel à l'action.

UN PROJET COMMUN

Une vision partagée implique que nous ayons le même objectif ; un projet commun nous relie alors que nous travaillons dans la même entreprise. Sous la direction de Néhémie, la construction de la muraille a été une force unificatrice, motivant tout le monde à collaborer. Le cri de ralliement était : «*Venez, bâtissons la muraille de Jérusalem*» (Né 2:16). Chacun devait apporter ses compétences individuelles pour atteindre l'objectif du groupe. Ils ont vu cette relation de travail dans la collaboration et la coopération de Néhémie et d'Esdras (Né 8:9).

Dans la société, hier comme aujourd'hui, les positions d'Esdras et de Néhémie au sein de la communauté étaient souvent diamétralement opposées. Néhémie occupait un poste au sein du gouvernement, tandis qu'Esdras était prêtre, représentant respectivement les domaines de la politique et de la spiritualité. Pourtant, ils se sont tous deux unis pour améliorer la situation de la ville. Pour cultiver des communautés fortes, les dirigeants spirituels et politiques doivent travailler en partenariat pour le bien de tous et accepter l'aide de ceux qui peuvent être considérés comme des «étrangers».

Esdras résidait à Jérusalem depuis longtemps. Lorsque Néhémie arriva tout juste de Perse, les deux hommes auraient pu se disputer la première place. Cependant, grâce à la singularité de l'objectif, la mission a pris le pas sur l'homme. Cela souligne la nécessité de collaborer avec ceux qui se trouvent à l'intérieur et à l'extérieur de nos communautés pour construire des sociétés fortes. Il est également essentiel de résister à la tentation de considérer ceux qui sont partis comme des traîtres. Il arrive que des personnes partent pour un certain temps, puis reviennent en ayant acquis la maturité, les compétences et l'expérience dont la communauté a besoin.

UNE IDENTITÉ COMMUNE

Néhémie s'identifie à la désobéissance et à la détresse des Juifs (Né 1:7). Quelle que soit leur corruption ou leur condition, il s'est positionné comme l'un d'entre eux. Il a assumé les méfaits du peuple et s'est efforcé de les réparer, même s'il n'était pas directement impliqué dans le péché. C'est en s'identifiant à eux qu'est né le désir de les voir restaurés. C'est ce même sentiment d'identité qui a poussé les Juifs à travailler ensemble. Pour devenir une communauté, il faut avoir le sentiment de vivre la vie ensemble - Vos joies sont mes joies, vos peines sont mes peines.

La métaphore que la Bible utilise pour décrire la communauté chrétienne est celle d'un corps.

> *«Puisqu'il y a un seul pain, nous qui sommes plusieurs,*
> *nous formons un seul corps; car nous participons tous à un*
> *même pain.»*
>
> (1 Cor 10:17 LSG)

> *«Car, comme le corps est un et a plusieurs membres, et*
> *comme tous les membres du corps, malgré leur nombre, ne*
> *forment qu'un seul corps, ainsi en est-il de Christ.»*
>
> (1 Cor 12:12 LSG).

Être membre d'un corps signifie que l'on ne trouve plus son identité uniquement dans sa partie, mais dans le corps tout entier. C'est ce que signifie la Bible lorsqu'elle dit que nous sommes membres d'un seul corps. Quand je me présente, je ne dis pas : «Je suis une bouche». La partie qui sert à parler ne se présente pas, elle représente Gregory : l'esprit, l'âme et le corps.

Imaginez que vos mains ne se préoccupent que d'elles-mêmes. Vous ne feriez rien d'autre qu'applaudir, claquer des doigts et limer vos ongles. Si vous aviez une écharde dans le pied, vos mains ne s'en apercevraient pas et vous aideraient encore moins à l'enlever. Si vous aviez faim et que votre bouche parvenait à attraper un morceau de quelque chose sans utiliser vos mains, cela ne ferait pas de bien à votre estomac, car la bouche travaille également de manière indépendante. Elle goûterait, mâcherait, puis recracherait la nourriture sans se soucier des nutriments dont le corps a besoin pour survivre. Cette illustration peut sembler idiote, mais elle est riche d'enseignements. Ce qui affecte une partie du corps l'influence dans son ensemble, il en est de même dans la communauté.

Ce sentiment de connexion crée un lien entre le corps et l'âme et fait de nous un seul être. Nous dépendons les uns des autres. Aujourd'hui, j'ai besoin de toi, mais demain, tu auras peut-être besoin de moi. Nous devons développer ce sens profond de l'interdépendance pour fonctionner en tant que famille. Nous formons un sentiment d'identité lorsque nous réalisons que nos vies sont inextricablement entrelacées.

CONNECTIVITÉ ÉMOTIONNELLE

L'un des tests de la solidarité au sein d'une communauté consiste à déterminer si nous sommes émotionnellement liés. «*Réjouissez-vous avec ceux qui se réjouissent; pleurez avec ceux qui pleurent.*» (Ro 12:15 LSG)

Le premier test de la solidarité est la capacité à ressentir la douleur de l'autre. Dans son livre intitulé «Le problème de la douleur», C.S. Lewis écrit : «*La douleur n'est pas bonne en soi. Ce qui est bon dans toute expérience douloureuse, c'est, pour celui qui souffre, sa soumission à la volonté de Dieu, et, pour les spectateurs, la compassion suscitée et les actes de miséricorde auxquels elle conduit».*[129] Nous sommes unis lorsque nous ressentons la souffrance de l'autre ; nous sommes une famille lorsque nous ressentons la douleur de l'autre ; nous sommes une communauté lorsque nous sommes bouleversés par l'agonie de quelqu'un d'autre. Une communauté se construit lorsque nous nous connectons et que nous sommes émus de compassion pour la douleur de l'autre. Lorsque nous existons à ce niveau de symbiose, nous offrons notre aide pour porter le fardeau et sommes invités à consommer les bénédictions.

Se réjouir avec ceux qui se réjouissent représente la solidarité et l'altruisme au sein d'une communauté. Une mère célibataire envie-t-elle les fiançailles de sa fille ? Un père sans instruction éprouve-t-il de la jalousie lorsque son fils obtient un diplôme universitaire ? Non, les parents considèrent leurs enfants comme des prolongements d'eux-mêmes. Nous commençons à vivre en tant que communauté lorsque nous percevons les autres comme des prolongements de nous-mêmes. Dans une course à trois jambes, vous n'avez aucune chance de gagner si vous êtes attaché à un partenaire dont la hanche est disloquée. L'équipe ne peut être ce qu'elle est censée être tant que chaque individu n'est pas fort.

L'équipe de football d'Haïti ne s'est qualifiée qu'une seule fois pour la Coupe du monde, en 1974. Cette année-là, lors du match contre l'Italie, Dino Zoff, le gardien de but, était resté invaincu pendant un temps record de 1 143 minutes entre les poteaux. Cependant, Emmanuel Sanon dribbla Dino Zoff et marqua. La cage de Zoff est enfin franchie après deux ans d'un record inégalé. Le monde a explosé à ce moment-là. Certains étaient heureux, d'autres stupéfaits. Même si Haïti a perdu ce match, les Haïtiens parlent encore aujourd'hui de ce moment comme s'ils avaient été sur le terrain en train de marquer le but. Ce jour-là, Emmanuel Sanon a marqué pour tous les Haïtiens, qu'ils soient vivants, décédés ou à naître. C'est ce que signifie faire partie d'une communauté : lorsqu'un membre réussit le tir, vous aussi vous marquez, quelle que soit la distance ou le nombre d'années qui vous séparent.

UNE SPIRITUALITÉ COMMUNE

Un autre facteur qui unit une communauté est la spiritualité. Lorsqu'Israël a quitté l'Égypte, il n'était pas encore une nation ; c'était simplement un groupe de personnes, un groupe de personnes diverses. «Les *enfants d'Israël partirent de Ramsès pour Succoth au nombre d'environ six cent mille hommes de pied, sans les enfants. Une multitude de gens de toute espèce montèrent avec eux; ils avaient aussi des troupeaux considérables de brebis et de boeufs.*» (Ex 12:37-38 LSG)

Le terme «multitude mélangée» implique des étrangers (Jé 50:37 ; Né 13:3). Dans ce groupe, il y avait des Juifs et des non-Juifs qui avaient quitté l'Égypte, ainsi que des Éthiopiens (Nom 12:1), et peut-être aussi un nombre important d'Égyptiens. «*L'Éternel fit trouver grâce au peuple aux yeux des Égyptiens; Moïse lui-même était très considéré dans le pays d'Égypte, aux yeux des serviteurs de Pharaon et aux yeux du peuple.*» (Ex 11:3 LSG)

La nation d'Israël n'est pas née comme un groupe homogène. Les récits de la Bible décrivent Israël comme un collectif diversifié. Quelle est la force qui a unifié ce groupe hétérogène en une seule nation ?

CULTE

Moïse est allé voir Pharaon avec un message du Seigneur qui disait : «*Laisse aller mon peuple, afin qu'il me serve.*» (Ex 8:1 LSG). Ils ont été appelés à adorer le Seigneur, et ils ont influencé les autres à faire de même.

Lorsque les différentes nations asservies en Égypte à cette époque ont observé comment Dieu a affligé le pays par dix plaies, de nombreux étrangers ont exprimé le désir de servir le même Dieu et se sont joints à Israël lors de son départ. Au départ, ce qui constituait Israël en tant que nation n'était pas la langue, la couleur, la nourriture ou le code vestimentaire ; c'était l'adoration commune du même Dieu.

La foi a joué un rôle essentiel dans le maintien de l'unité de la nation. Le Dieu que l'on sert devient l'autorité ultime dans la vie de chacun. Dans une communauté où la majorité ne sert pas le même

Dieu, il est difficile de préserver la cohésion, car les gens ne se soumettent pas à une autorité finale commune.

Néhémie a également compris l'importance d'une vision spirituelle commune pour maintenir la cohésion de la communauté. À l'époque de Néhémie, les Juifs qui avaient épousé des étrangers étaient encouragés à se séparer d'eux. La préoccupation première d'alors n'était pas l'appartenance ethnique, mais la spiritualité. La Bible relate l'amour de Salomon pour de nombreuses femmes étrangères, ce qui l'a finalement conduit à adorer d'autres dieux dans sa vieillesse (1 Ro 11:1-4). Il était donc conseillé aux Juifs de s'éloigner des étrangers pour éviter d'être entraînés dans l'idolâtrie. Cette division entre l'adoration du vrai Dieu et l'idolâtrie pouvait affaiblir l'unité de la nation. Par conséquent, la connaissance de Dieu ainsi que l'engagement à le servir au sein d'une communauté la renforcent.

UN SENS COMMUN DES RESPONSABILITÉS

Lorsque Néhémie apprend que des Juifs vendent leurs compatriotes en esclavage pour rembourser leurs dettes, il est furieux. *«Je fus très irrité lorsque j'entendis leurs plaintes et ces paroles-là....»* *«et je leur dis: Nous avons racheté selon notre pouvoir nos frères les Juifs vendus aux nations; et vous vendriez vous-mêmes vos frères, et c'est à nous qu'ils seraient vendus! Ils se turent, ne trouvant rien à répondre.»* (Né 5:6-8 LSG)

Néhémie fait ici allusion à une ancienne pratique de la communauté juive, qui consistait à racheter ses frères devenus esclaves dans d'autres nations. Le Talmud juif dit : *«Tous les Juifs sont responsables les uns des autres»* (B. Shevuot 39a). En hébreu, le mot pour *«responsable»* est *arab*, qui signifie «sûreté». Ce terme désigne un parrain, une marraine ou, en termes juridiques, le *garant d'un prêt»*. Le terme *«arab»* apparaît dans l'histoire de Joseph. Jacob hésite à autoriser Benjamin à partir avec ses frères en Égypte. Juda dit à Israël, son père : «Juda *dit à Israël, son père: Laisse venir l'enfant avec moi, afin que nous nous levions et que nous partions; et nous vivrons et ne mourrons pas, nous, toi, et nos enfants. Je réponds de lui; tu le redemanderas de ma main. Si je ne le ramène pas auprès de toi et si je ne le remets pas devant ta face, je serai pour toujours coupable envers toi.»* (Gen 43:8-9 LSG).

Ce concept de responsabilité mutuelle reste au cœur du succès actuel de la communauté juive. Même parmi ceux qui ne sont pas de fervents religieux, qui ne fréquentent pas la synagogue ou qui n'observent pas le shabbat, la croyance en la responsabilité partagée des Juifs persiste. Ils n'abandonnent pas à d'autres la responsabilité de s'occuper de leur peuple. Ils construisent leurs propres écoles, hôpitaux, universités, maisons de retraite et autres ressources. Leur croyance en leur responsabilité mutuelle est inébranlable.

Comme le dit le Nouveau Testament, *«portez les fardeaux les uns des autres»* (Ga 6:2 LSG). Dans une communauté, personne ne doit lutter seul. Nous devons nous entraider pour atténuer les difficultés. La Bible va au-delà de la simple responsabilité et met l'accent sur le dévouement et l'amour profonds au sein d'une communauté.

«soyez pleins d'affection les uns pour les autres...»
(Ro 12:10 LSG).

La loyauté fervente et le souci sincère du bien-être des uns et des autres ne découlent pas d'un sens du devoir, mais d'un engagement passionné à s'aider et à se soutenir mutuellement. Lorsqu'une communauté voit quelqu'un dans le besoin, elle doit s'empresser de lui apporter une aide rapide et complète. *«Ainsi donc, pendant que nous en avons l'occasion, pratiquons le bien envers tous, et surtout envers les frères en la foi.»* (Ga 6:10 LSG).

En tant que croyants, nous devons aller au-delà d'un simple sentiment d'obligation et cultiver une profonde affection les uns pour les autres, quelle que soit leur appartenance. Cette dévotion implique de prendre des mesures rapides et approfondies pour répondre aux besoins des uns et des autres au sein de la communauté et de faire preuve de bonté à l'égard de tous. Le message est clair : ***pratiquez l'amour inconditionnel et la bonne volonté envers tout le monde tout en chérissant et en privilégiant le bien-être des membres de votre propre communauté.***

263

Le schéma directeur d'une communauté forte comprend des liens sociétaux, un investissement émotionnel dans des objectifs communs, un soutien mutuel et la responsabilité des membres. Ces fondements donnent lieu à des liens plus forts et favorisent les communautés qui peuvent résister aux pressions et aux défis tout en gagnant en dynamisme au fur et à mesure que nous progressons.

PARTIE 11

LE MOMENTUM : NOUS DEVONS PERSISTER

CHAPITRE 20

TROUVER LE MOMENTUM ET SURMONTER L'INERTIE

Lorsque Néhémie a décidé de se lancer dans la construction de la muraille, il n'avait aucune garantie de réussite. Son premier obstacle n'était pas différent de celui de n'importe quel dirigeant qui se lance dans une entreprise gigantesque : il s'agissait de motiver d'autres personnes à se joindre à lui. On pourrait penser que la population était prête pour un changement. Pourtant, après tant d'années, beaucoup s'étaient habitués à l'état lamentable de Jérusalem. Cependant, lorsque Néhémie arriva à Jérusalem et transmit la vision d'une communauté restaurée, ils étaient tous prêts à faire de l'idée de Néhémie une réalité (Né 2:18). La Bible dit que « *le peuple prit à coeur ce travail.*» (Né 4:6). Ils ont travaillé ensemble, hommes et femmes, riches et pauvres, religieux et laïques - et ils ont travaillé aussi dur qu'ils le pouvaient.

Ce que Néhémie a vécu s'appelle le momentum. En termes généraux, l'élan est une force qui pousse un mouvement vers ses objectifs et son but, donnant à chacun un sentiment de progrès et d'accomplissement. L'élan est essentiel dans toute entreprise. John Maxwell a déclaré : « L'élan est le meilleur ami du leader. Sans lui, le leader n'est qu'un simple gardien.»[130] Alors, comment maintenir l'élan une fois qu'on l'a acquis ? Tout d'abord, il faut prier pour le travail et continuer à prier pour le travail.

PRIEZ POUR LE TRAVAIL

Dans le livre de Néhémie, il y a plus de douze exemples de prière vers Dieu, depuis le départ de la Perse jusqu'à la fin des travaux, et surtout pendant les périodes d'attaque.

Lorsque les ennemis de Néhémie apprirent qu'il ne restait plus aux ouvriers qu'à poser les battants des portes, ils commencèrent à l'accuser faussement, essayant de les pousser à abandonner leurs outils et à laisser la muraille inachevée. Néhémie a refusé de se cacher, mais a plaidé : «ô *Dieu, fortifie-moi!*» (Né 6:9 LSG), et a achevé la tâche pour laquelle le Seigneur l'avait préparé. En cinquante-deux jours seulement, la muraille qui entourait Jérusalem a été restaurée, et les nations environnantes savaient que *et reconnurent «que l'œuvre s'était accomplie par la volonté de notre Dieu»* (Né 6:16 LSG). Néhémie a cherché le Seigneur lorsque Jérusalem a été détruite et a continué à prier jusqu'à ce qu'elle soit reconstruite.

N'attendez pas d'être en difficulté pour prier. Dans son discours sur l'État de l'Union de 1962, John F. Kennedy a déclaré : *«Le moment de réparer le toit est celui où le soleil brille.»* Priez lorsque tout va bien afin d'être prêt à affronter les difficultés.

Il y a quelques années, j'ai été invité à une conversation à huis clos entre Bishop Jakes et l'ambassadeur Andrew Young, un protégé de Martin Luther King. Au cours de cette réunion, Bishop Jakes lui a demandé quelle était la différence entre le mouvement des droits civiques et Black Lives Matter. La réponse de l'ambassadeur Young m'a surpris. Il a expliqué que le mouvement Black Lives Matter n'est pas immergé dans la prière comme l'était le mouvement des droits civiques. Il a déclaré : « À l'époque de Martin Luther King, avant les marches, nous priions et chantions pendant deux heures et, au moment de marcher, nous étions remplis de *l'Esprit Saint et prêts à affronter les flics racistes et les chiens sauvages.»* Si le mouvement des droits civiques a connu un tel élan, c'est parce qu'il s'appuyait fermement sur la prière.

MAXIMISEZ VOTRE TEMPS

Lorsque Néhémie est arrivé à Jérusalem, il n'a pas perdu de temps avant de se mettre au travail. Après un voyage de trois mois à cheval, il ne s'est reposé que trois jours et s'est levé au milieu de la nuit pour commencer à travailler (Né 2:11-16). Néhémie a travaillé presque sans interruption (Né 4:6), ne changeant de vêtements que pour les laver (Né 4:16). Il a travaillé jour et nuit (Né 4:22) et a terminé le travail en cinquante-deux jours (Né 6:15). Il a saisi le momentum et ne l'a pas lâché. Lorsque vous avez le vent en poupe, profitez-en au maximum.

Michael Hyatt a dit : « Le *momentum est le produit du mouvement et de la direction. Plus il y a de mouvement et de direction, plus le momentum est fort* ».[131] Pendant les élections de 2008, j'ai entendu John Maxwell expliquer pourquoi Barack Obama avait remporté les primaires face à Hillary Clinton. Selon lui, Hillary Clinton est une personnalité bien connue aux États-Unis et dans le monde entier, qui a été une première dame puissante et une secrétaire d'État. Hillary Clinton s'est comportée comme si elle tenait les élections dans la paume de sa main. Elle n'a pas travaillé autant qu'elle l'aurait pu.

D'autre part, Barack Obama était un homme noir au nom bizarre qui n'était même pas connu aux États-Unis, et encore moins dans le monde. Mais il a donné à l'élection tout ce qu'il avait. Il frappait aux portes et menait des campagnes populaires massives. Le résultat a été qu'Obama est devenu président et qu'Hillary ne l'a pas été. L'expert en leadership a déclaré : « Lorsque le vent tourne en votre faveur, naviguez.» Lorsque les choses vont bien pour vous, travaillez plus dur.

Lorsque votre carrière, votre entreprise ou votre ministère se développe, ce n'est pas le moment de croiser les bras et de profiter de la croissance. Il est temps de profiter du vent et d'aller aussi loin que possible, car vous ne savez pas combien de temps le vent durera en votre faveur. Comme le disent les sages proverbes, «le *temps et la marée n'attendent pas*» , nous devons donc «battre le fer pendant qu'il est chaud.» Jésus a exprimé la même urgence à ses disciples lorsqu'il a dit : «... *Il faut que je fasse, tandis qu'il est jour, les œuvres de celui qui m'a envoyé; la nuit vient, où personne ne peut travailler.*»»(Jn 9:4-5 LSG).

Personne ne sait quand la nuit arrivera. L'obscurité peut prendre la forme d'un ralentissement de l'économie, d'un changement de technologie, d'une concurrence acharnée, d'une perte financière ou d'une maladie. Lorsque les choses vont bien pour vous, allez de l'avant. Vous ne savez pas de quoi demain sera fait. «Carpe diem» - *Profitez du moment !* [132]

BOUGEZ AVEC CEUX QUI BOUGENT

Néhémie et les ouvriers ont saisi leur momentum, mais certaines personnes n'ont pas participé. La Bible dit : «à côté d'eux travaillèrent les *Tekoïtes, dont les principaux ne se soumirent pas au service de leur seigneur.*»(Né 3:5 LSG). Aucune raison explicite n'est donnée pour expliquer leur refus ; cependant, les spécialistes pensent que les nobles n'ont pas aidé parce qu'ils avaient peur de contrarier les Arabes qui vivaient à côté d'eux et qui auraient pu les attaquer à tout moment.

Israël Loken déclare : «Peut-*être les dirigeants de la ville ont-ils anticipé l'opposition de Geshem l'Arabe au projet de reconstruction et n'ont-ils pas voulu se rallier à Néhémie, donnant ainsi aux Arabes une raison d'attaquer leur ville sans défense.*»[133]

D'autres pensent que les Tekoïtes essayaient de saper l'autorité de Néhémie :

H.G.M. Williamson écrit : «Aucune *raison n'est donnée pour expliquer le refus des dirigeants des Tekoïtes de servir. La forme d'expression utilisée, cependant [...] est révélatrice d'un ressentiment à l'égard des nouveaux dirigeants.*»[134]

Warren Wiersbe émet l'hypothèse qu'ils considéraient le travail manuel comme indigne d'eux, en écrivant : « *Les Tekoïtes construisirent en deux endroits de la muraille (v. 5 et 27), tandis que leurs nobles refusèrent de plier l'échine et de travailler ne serait-ce qu'à un seul endroit. Ces 'aristocrates' étaient-ils si importants à leurs propres yeux qu'ils ne pouvaient pas effectuer un travail manuel ?*»[135]

Quelle que soit la raison de leur manque d'implication, Néhémie s'est rapidement rendu compte que leur participation n'était pas nécessaire à la réussite du projet. Rappelez-vous que vous n'avez pas besoin de la coopération de tout le monde pour réussir - c'est ce qu'il faut retenir du débat sur la qualité par rapport à la quantité. Ne passez pas votre temps à essayer de convaincre des personnes qui ne veulent pas travailler avec vous. Si la personne en face de vous vous dit « non», cela peut signifier qu'elle ne partage pas votre vision. Plutôt que de considérer ce désintérêt comme un rejet, saisissez l'occasion de trouver une personne qui corresponde mieux à vos objectifs ou à vos valeurs.

Rappelez-vous le principe de Pareto dont nous avons parlé dans un chapitre précédent - 80% de votre succès viendra de 20% des gens. 80% du travail sera effectué par 20% des volontaires. Trouvez les personnes que Dieu a prévues pour vous et vous réussirez. Si vous êtes à la tête d'une entreprise et que vous souhaitez passer au niveau supérieur, consacrez votre temps aux vingt pour cent d'employés qui contribuent à quatre-vingts pour cent de votre croissance. Vous vous demandez peut-être *comment identifier ces vingt pour cent ?* Prenez une feuille de papier et notez les noms de vos employés. Posez-vous la question suivante : « Lequel d'entre eux, s'il partait, aurait un impact significatif sur l'entreprise ?» Si vous avez cinq employés, ce sera probablement un ; si vous en avez dix, ce sera probablement deux ; si vous en avez vingt, ce sera quatre. Ce sont vos vingt pour cent principaux.

CÉLÉBREZ LES ÉTAPES IMPORTANTES

Les jalons sont des mini-objectifs que vous fixez dans le cadre d'un grand projet pour faire une pause en vue d'une évaluation, d'un retour d'information et d'une célébration. Pour reconstruire la ville de Jérusalem, Néhémie devait reconstruire la muraille, restaurer la porte et repeupler la ville. Mais Néhémie avait des étapes à franchir, dont l'une consistait à construire le mur à la moitié de sa hauteur finale. «*Nous rebâtîmes la muraille, qui fut partout achevée jusqu'à la moitié de sa hauteur. Et le peuple prit à cœur ce travail.*»(Né 4:6 LSG)

Se fixer des objectifs plus modestes, comme l'a fait Néhémie, permet de donner de l'élan au travail.

Simon Sinek, conférencier motivateur, a déclaré : « Le *momentum engendre le momentum, et la meilleure façon de le construire est de commencer modestement.»* [136] En tant que leader, prenez le temps de célébrer les étapes importantes franchies par les bénévoles ou les employés. Commandez-leur une pizza, envoyez à chacun une carte-cadeau dans un café local ou laissez-les sortir plus tôt un vendredi après-midi. Quelle que soit la façon dont vous choisissez de célébrer, le fait de reconnaître le travail acharné de votre équipe stimule leur moral et améliore leur engagement.

ADAPTEZ DE NOUVELLES STRATÉGIES

Lorsque l'on s'efforce de maintenir le momentum, il est essentiel de ne pas percevoir les problèmes comme des obstacles, mais comme des occasions d'innover. Lorsque les ennemis de Néhémie ont comploté une attaque contre lui, il a restructuré leurs opérations pour s'adapter à la menace, et le travail n'a jamais manqué (Né 4:16). Néhémie a réorganisé son équipe en ouvriers, guerriers et gardiens. Il les a également équipés de nouveaux outils, tels que des lances, des boucliers et des arcs. Néhémie est resté innovant. Les défis auxquels il a été confronté lui ont simplement donné une raison de continuer à et de se développer .

LE GROUPE FOLKES

Le secret de la réussite de nombreuses entreprises réside dans leur capacité à changer. Au fil des siècles, le groupe Folkes s'est adapté aux besoins et aux opportunités du marché.

À partir de 1697, la famille a exploité une forge, fabriquant des armures et des armes de guerre. Pendant la révolution industrielle, l'entreprise s'est développée pour devenir une société d'ingénierie lourde fabriquant des pièces de chemin de fer et des composants pour les industries aérospatiale, pétrolière, gazière et nucléaire. L'entreprise s'est ensuite diversifiée en investissant dans l'immobilier au Royaume-Uni et en Afrique du Sud ; elle s'est également lancée dans les services de gestion de patrimoine dans les îles anglo-normandes. Enfin, elle a investi dans d'autres domaines, tels que la finance, l'agriculture, le capital-risque et le tourisme. Depuis plus de 300 ans, le groupe Folkes est une entreprise familiale et il est actuellement dirigé par la 9e génération en raison de sa capacité d'adaptation.[137]

Pour garder le rythme, il faut considérer les défis comme des opportunités de croissance et rester créatif et innovant dans la recherche de solutions. Il est essentiel de rester attentif aux nouvelles technologies, aux tendances et aux préférences des consommateurs pour garder une longueur d'avance. Vous ne pouvez peut-être pas changer la direction du vent, mais vou

ABORDEZ LES PROBLÈMES

Régler rapidement les problèmes mineurs est une excellente stratégie pour éviter qu'ils ne deviennent plus importants et plus difficiles. Les petits problèmes peuvent s'accumuler et s'aggraver au fil du temps, entraînant stress, frustration et inefficacité. Les régler rapidement permet d'économiser du temps, de l'énergie et des ressources et de maintenir une attitude positive et une dynamique. Lorsque Néhémie a appris que les personnes aisées de la communauté profitaient des pauvres, les poussant à vendre leurs terres, il s'en est occupé rapidement et directement (Né 5:6-8).

En tant que dirigeant, il est important d'aborder ces questions car elles affectent la culture, qui est la force la plus puissante d'une organisation. Quelle que soit la créativité ou l'innovation de vos idées, la stratégie de vos plans ou la révolution de vos pensées, une culture toxique pèsera sur l'organisation et finira par en étouffer l'élan. Un célèbre consultant en gestion, Peter Drucker, a déclaré : *«La culture mange la stratégie au petit déjeuner.»* [138]

Lorsque j'ai commencé à exercer mon ministère pastoral, j'ai rencontré un pasteur anglophone avec lequel je me suis entretenu plusieurs fois dans le cadre d'un programme de mentorat. À l'époque, j'étais confronté à de nombreux problèmes interpersonnels dans l'Église, où les gens ne s'entendaient pas. Parmi eux, deux membres de mon équipe de direction ne se parlaient pas. J'ai parlé de ce problème à mon mentor, qui m'a dit : «Combien *d'entre eux quitteront l'équipe de direction - l'un d'eux ou les deux ?»* J'ai immédiatement compris que ces dirigeants ne pouvaient pas être ennemis et rester à la tête de l'entreprise. Pour préserver l'élan, il faut régler les problèmes rapidement avant qu'ils ne deviennent des crises. Il est de la responsabilité du dirigeant de s'attaquer aux opposants humains lorsque la santé de la mission est en jeu.

RESTEZ CONCENTRÉ SUR LA MISSION

Pour maintenir l'élan, il faut se souvenir du *pourquoi* et le rappeler aux autres - la mission de l'organisation doit toujours rester au premier plan. Au cours de la construction du mur, les bâtisseurs commencèrent à se décourager. Ils se plaignaient des conditions du chantier, disant : *«Les forces manquent à ceux qui portent les fardeaux, et les décombres sont considérables; nous ne pourrons pas bâtir la muraille.»* (Né 4:10 LSG). Ils craignaient leurs adversaires, qui les menaçaient en disant : *«nous les tuerons, et nous ferons ainsi cesser l'ouvrage.»* (Né 4:11, LSG). Lorsque Néhémie a vu que les gens avaient peur et étaient découragés, il les a d'abord armés. Ensuite, il leur a rappelé pourquoi la construction était si importante pour leur peuple. *«Souvenez-vous du Seigneur, grand et redoutable, et combattez pour vos frères, pour vos fils et vos filles, pour vos femmes et pour vos maisons!»* (Né 4:14 LSG).

Ils se battaient pour l'honneur de Dieu et pour donner un avenir à leurs enfants en construisant le mur. Ils se battaient pour leur foi et pour leur famille. En tant que dirigeant, vous devez toujours garder la mission de votre organisation au premier plan, en particulier dans l'adversité. Restez concentré sur votre mission.

CHAPITRE 21

LA TÉNACITÉ FACE À L'OPPOSITION

RESTER FORT ET DÉVOUÉ MALGRÉ LES difficultés, c'est le concept de ténacité. C'est la capacité de surmonter les obstacles et les malheurs en continuant à avancer malgré les obstacles. Dans les chapitres précédents, nous avons étudié et été inspirés par des personnes qui ont été confrontées à la discrimination et au danger, mais qui ont persévéré dans leurs efforts :

- Martin Luther King Jr. est un leader américain des droits civiques qui a lutté contre les discriminations raciales et les préjugés, alors même qu'il était menacé de mort et qu'il a fini par être assassiné.
- Malala Yousafzai - la militante de l'éducation des filles au Pakistan qui a reçu une balle dans la tête par les talibans et qui a finalement obtenu le prix Nobel de la paix en tant que plus jeune lauréate du monde.
- Nelson Mandela - emprisonné en Afrique du Sud pendant 27 ans en raison de son activisme contre l'apartheid, il est devenu le premier président démocratiquement élu de la nation et un symbole international d'harmonie et de paix.
- Marie Curie - chercheuse novatrice dans le domaine des radiations nucléaires, qui a découvert deux nouveaux éléments en dépit d'une communauté scientifique sexiste et pleine de préjugés, avant de souffrir d'un empoisonnement aux radiations qui l'a finalement tuée.

Le courage, la force, la diligence et la confiance sont nécessaires pour réussir. Comme l'a dit Winston Churchill, «Le *succès n'est pas définitif, l'échec n'est pas fatal : c'est le courage de continuer qui compte.*» La ténacité face à l'opposition est une capacité unique qui peut nous aider à atteindre nos ambitions et à avoir un impact sur le monde.

GESTION DE L'OPPOSITION

Les opposants peuvent être des concurrents, des adversaires, des critiques ou même des amis et des membres de la famille. L'opposition peut prendre différentes formes, telles que la critique, le ridicule, le rejet, le sabotage ou la violence. Lorsque Néhémie a décidé de reconstruire la muraille, cela n'a pas plu à tout le monde. Selon la Bible, «*Sanballat, le Horonite, et Tobija, le serviteur ammonite, l'ayant appris, eurent un grand déplaisir de ce qu'il venait un homme pour chercher le bien des enfants d'Israël.*» (Né 2:10 LSG). Néhémie a dû faire face à de nombreuses oppositions pour reconstruire la ville.

On a douté de lui et on l'a rejeté, car Sanballat le Horonite, Tobija le fonctionnaire ammonite et Geshem l'Arabe se sont moqués de lui lorsqu'il a dit qu'il reconstruirait la muraille (Né 2:19). On s'est moqué de lui et de ses ouvriers dès le début, et leurs connaissances et leurs compétences ont été insultées lorsque Tobija l'Ammonite a dit : «*Qu'ils* bâtissent seulement! Si un renard s'élance, il renversera leur muraille de *pierres!*» (Né 4:1-3 LSG). Sanballat, Tobie, les Arabes, les Ammonites et les Ashdodites conspirèrent pour attaquer la ville et semer la confusion alors que les menaces de mort affluaient. (Né 4:7, 11). Néhémie a identifié et réprimandé la prophétesse Noadia, qui était «payée *pour faire des prophéties qui le feraient paniquer*» (Né 6:10-14). Aucun de ces stratagèmes n'ayant fonctionné, quelqu'un a publié une lettre ouverte accusant faussement Néhémie d'avoir l'intention de devenir roi (Né 6:5-7). Ce genre de diffamation équivaut aujourd'hui à publier des mensonges sur les médias sociaux pour détruire la réputation de quelqu'un et le mettre physiquement en danger. Pourtant, malgré ces menaces et ces railleries, Néhémie est allé de l'avant, affrontant chaque obstacle au fur et à mesure qu'il se présentait, mais n'abandonnant jamais.

Brian Tracy, conférencier spécialiste de la motivation, a déclaré : «Le véritable test du leadership est la façon dont vous fonctionnez en situation de crise. » Néhémie était un véritable leader dont la polyvalence reposait sur une bonne gestion des problèmes, en commençant par ne pas se laisser surprendre par ces derniers.

S'ATTENDRE À DES DÉTRACTEURS
Néhémie s'attendait à une opposition. Lorsqu'il allait inspecter la muraille, il dit : «*je me levai pendant la nuit avec quelques hommes, sans avoir dit à personne ce que mon Dieu m'avait mis au coeur de faire pour Jérusalem. Il n'y avait avec moi d'autre bête de somme que ma propre monture.*» (Né 2:12 LSG). Néhémie savait qu'il y aurait des détracteurs dès que son projet serait connu.

Comme Néhémie, si vous faites quelque chose de valable, vous serez critiqué. Aristote a fait remarquer un jour qu'il était très facile d'éviter les critiques : il suffit de *ne rien dire, de ne rien faire et de n'être rien* - ce qui revient à dire qu'il est impossible d'éviter les critiques. Il est impossible de plaire à tout le monde ou d'éviter tout conflit. Par conséquent, il vaut mieux être préparé à l'opposition que d'en être surpris.

PRENDRE LES PRÉCAUTIONS NÉCESSAIRES
Dans la gestion de notre ministère, on a adopté cette pratique : *la prière, puis la préparation.* Si la prière est l'aspect le plus important de la réussite, ce n'est pas le seul. La prière ne justifie pas la négligence et ne nous libère pas de nos responsabilités. Néhémie a prié, mais il a aussi compris qu'il devait faire sa part. «*Nous priâmes notre Dieu, et nous établîmes une garde jour et nuit pour nous défendre contre leurs attaques.*» (Né 4:9 LSG)

La prière, puis la préparation.

La protection de Dieu n'est pas une excuse pour la paresse ou l'insouciance. Nous avons la responsabilité de prier et de prendre soin de nos proches de manière concrète. Benjamin Franklin croyait en la valeur de la responsabilité civique. Il a dit : «La *vigilance est le prix de la sécurité.*» Oui, nous devons prier, mais nous devons aussi être vigilants et attentifs.

> *«Soyez sobres, veillez. Votre adversaire, le diable, rôde*
> *comme un lion rugissant, cherchant qui il dévorera.»*
>
> (1 P 5:8 LSG)

Vous serez en guerre lorsque vous voudrez faire de grandes choses pour Dieu. Comme l'a dit le grand général Jules César, *«à la guerre, la vigilance est la plus haute vertu* . « Soyez vigilants dans la prière, la planification, la poursuite et la protection de vos objectifs. »

Néhémie établit des gardes pour surveiller la ville et arma les serviteurs pour qu'ils puissent se défendre. Il écrit : *«Depuis ce jour, la moitié de mes serviteurs travaillait, et l'autre moitié était armée de lances, de boucliers, d'arcs et de cuirasses. Les chefs étaient derrière toute la maison de Juda.- Ceux qui bâtissaient la muraille, et ceux qui portaient ou chargeaient les fardeaux, travaillaient d'une main et tenaient une arme de l'autre »* (Né 4:16-17 LSG).

Les gardes du corps de Né ont été formés en Perse, le pays qui possédait la meilleure armée. Il a armé son peuple avec le meilleur équipement militaire de l'époque, notamment des lances, des boucliers, des arcs et des armures. Ce qu'il faut retenir, c'est que la foi et l'action vont de pair. Nous ne pouvons pas nous contenter de prier et de ne rien faire pour nous protéger et subvenir à nos besoins. Il est essentiel de prendre des mesures pratiques pour nous protéger, ainsi que nos familles, nos communautés et notre pays.

N'AYEZ PAS PEUR

Lorsque Néhémie a remarqué que le peuple commençait à trembler à cause de la menace de l'ennemi, il a dit aux nobles, aux chefs et au reste du peuple : «N'ayez *pas peur d'eux*» (Né 4:14). Le courage n'est pas une émotion, c'est une décision. Le courage n'est pas l'absence de peur, mais la détermination à aller de l'avant malgré la peur, en sachant qu'il y aura une récompense. Winston Churchill a dit : «Le *pessimiste voit la difficulté dans chaque opportunité. L'optimiste voit une opportunité dans chaque difficulté.*» Caleb s'est concentré sur l'opportunité plutôt que sur la difficulté.

Lorsque Moïse et les Israélites atteignirent la terre promise, douze espions furent envoyés pour inspecter le pays. La plupart des hommes furent effrayés en voyant la taille des géants dans le pays, et ils retournèrent auprès de Moïse avec un rapport décourageant. Ils dirent :«Nous *sommes des sauterelles à côté de ces géants.*»En entendant cela, le peuple se mit en colère, se retourna contre Moïse et Aaron, et fut prêt à plier bagage et à retourner en Égypte. Mais Caleb et Josué voyaient les choses différemment.

> «Le pays que nous avons parcouru, pour l'explorer, est un
> pays très bon, excellent.- Si l'Éternel nous est favorable,
> il nous mènera dans ce pays, et nous le donnera: c'est un
> pays où coulent le lait et le miel.- Seulement, ne soyez point
> rebelles contre l'Éternel, et ne craignez point...»
> (Nombres 14:7-9 LSG).

Dix hommes se voyaient comme de la nourriture pour les géants, mais Caleb voyait le géant comme de la nourriture pour lui-même parce qu'il savait que le Seigneur était du côté des Israélites. Le courage de David était motivé par la même confiance.

Lorsque Goliath est venu en Israël pour défier l'armée, les soldats plus âgés l'ont vu et se sont enfuis, mais David a demandé : «*Que fera-t-on à celui qui tuera ce Philistin, et qui ôtera l'opprobre de dessus Israël? Qui est donc ce Philistin, cet incirconcis, pour insulter l'armée du Dieu vivant?*» (1 Samuel 17:26 LSG). David a vu l'opportunité plutôt que la difficulté. N'ayez pas peur ; dans chaque problème, il y a un prix à gagner. Ne vous laissez pas décourager ou distraire par l'opposition.

CONTINUEZ À AVANCER

Les chefs adverses tentèrent à quatre reprises de persuader Néhémie de les rencontrer. Chaque fois, il rejeta leur proposition en disant : *«J'ai un grand ouvrage à exécuter, et je ne puis descendre; le travail serait interrompu pendant que je quitterais pour aller vers vous. »* (Né 6:3 LSG).

Néhémie ne s'est pas laissé prendre par les ruses de ses ennemis. Dans le cadre de la série *New International Commentary on the Old Testament*, Charles Fensham pose une question intrigante qui a dû venir à l'esprit du gouverneur lui-même : «Si Néhémie était occupé par une révolte, pourquoi le gouverneur d'une autre province voulait-il le rencontrer ? Les autorités perses *auraient immédiatement interprété cette rencontre comme une collaboration.»*[139] Il aurait été désastreux que Néhémie s'écarte de sa mission pour rencontrer les chefs. Continuez à avancer et faites honte à vos ennemis. *«Lorsque nos ennemis apprirent que nous étions avertis, Dieu anéantit leur projet, et nous retournâmes tous à la muraille, chacun à son ouvrage.»* (Néhémie 4:15 LSG).

Malgré les insultes, les critiques, les complots, les manipulations, les infiltrations et les fausses accusations, Néhémie a continué à travailler. Quoi qu'il arrive, si vous continuez à avancer et à faire un pas après l'autre, vous atteindrez tôt ou tard votre destination. Dans un discours prononcé lors d'un rassemblement au Spelman College en 1960, Martin Luther King a encouragé les étudiants à persévérer en disant : «Si *vous ne pouvez pas voler, alors courez, si vous ne pouvez pas courir, alors marchez, si vous ne pouvez pas marcher, alors rampez, mais quoi que vous fassiez, vous devez continuer à avancer.»*[140] Continuez à avancer et vous finirez par atteindre votre destination.

NE PAS CÉDER

Les ennemis de Néhémie étaient tenaces. Vous pouvez être sûr que les vôtres le seront aussi. Resterez-vous concentré ou les distractions vous épuiseront-elles comme Dalila l'a fait pour Samson ?

Lorsque Dalila voulut obtenir de Samson des informations sur sa force, elle le séduisit continuellement. Le livre des Juges précise que «*Comme elle était chaque jour à le tourmenter et à l'importuner par ses instances, son âme s'impatienta à la mort,*»(Jug 16:16 LSG). Samson tint bon pendant un certain temps, mais il finit par révéler le secret de sa force et mourut sous un tas de pierres, les yeux crevés. Néhémie a refusé avec ténacité l'offre de l'ennemi. Lorsqu'ils ont compris qu'il ne bougerait pas, ils l'ont laissé tranquille. «*Soumettez-vous donc à Dieu; résistez au diable, et il fuira loin de vous.*» (Jacques 4:7 LSG)

La différence entre un vainqueur et un vaincu n'est souvent pas l'intelligence ou la force, mais la volonté. L'auteur George Moore a écrit : « Un gagnant n'est qu'un perdant qui a essayé une fois de plus.»[141] N'abandonnez pas, et n'abandonnez jamais!

SE SOUVENIR DE LA CAUSE

L'opposition, et la fatigue physique et mentale qui en résulte, nous font souvent oublier la raison pour laquelle nous avons commencé le projet. Nous devons garder la vision fraîche dans notre esprit et nous encourager dans les moments difficiles.

Néhémie a rappelé au peuple de se souvenir : «*Souvenez-vous du Seigneur, grand et redoutable, et combattez pour vos frères, pour vos fils et vos filles, pour vos femmes et pour vos maisons!*» (Né 4:14 LSG).

Néhémie a insisté sur le fait que la restauration de Jérusalem se faisait d'abord pour la gloire de Dieu. Une fois le travail achevé, tout le monde, même les ennemis, «*...et reconnurent que l'œuvre s'était accomplie par la volonté de notre Dieu.*»(Né 6:16 LSG). Après avoir déposé leurs outils, la première prière d'Israël commença par ces mots : «*Que l'on bénisse ton nom glorieux, qui est au-dessus de toute bénédiction et de toute louange! »* (Né 9:5 LSG).

Néhémie leur a rappelé que la reconstruction de la ville de Jérusalem était pour la gloire de Dieu, car c'est là qu'il avait fait résider son nom (Né 1:10). Au milieu de l'opposition, gardez les yeux sur Dieu. Walt Whitman, le poète américain, a dit : «*Gardez toujours le visage tourné vers le soleil - et les ombres tomberont derrière vous. »*

Néhémie leur a ensuite rappelé qu'ils se battaient pour leurs frères, leurs fils, leurs filles et leurs femmes. Gandhi a dit : «*Le meilleur moyen de se trouver soi-même est de se perdre au service des autres.*» Trouver une cause plus grande que soi pour laquelle vivre, ajoute une plus grande dimension de sens à votre vie. Martin Luther King Jr. a donné sa vie pour réaliser le rêve qu'un jour «*ses enfants vivront dans une nation où ils ne seront pas jugés sur la couleur de leur peau, mais sur le contenu de leur caractère.*» [142] Trouvez une grande cause, gardez-la à l'esprit et vous résisterez à toute forme d'opposition.

LE FAIBLE RESTE : QUELQUES ÉLUS

CHAPITRE 22

LA MINORITÉ DÉVOUÉE

U N PETIT GROUPE DE PERSONNES PEUT faire une grande différence. Samuel Adams, le père de la Révolution américaine, a écrit: « Il ne faut pas une majorité pour l'emporter, mais une minorité rageuse et déterminée à attiser la flamme de la liberté dans l'esprit des hommes ».[143] Il avait raison. Si vous parvenez à trouver une minorité dédiée à une cause, elle peut faire une différence significative. C'est précisément ce que l'on observe dans la reconstruction de la ville de Jérusalem.

> « Il ne faut pas une majorité pour l'emporter, mais une minorité rageuse et déterminée à attiser la flamme de la liberté dans l'esprit des hommes ».

Lorsque le roi Cyrus autorisa les Juifs à retourner à Jérusalem pour la reconstruire, même s'il y en avait des millions dans l'Empire perse, seuls 50 000 environ revinrent.

> *« L'assemblée tout entière était de quarante-deux mille trois cent soixante personnes, sans compter leurs serviteurs et leurs servantes, au nombre de sept mille trois cent trente-sept. Parmi eux se trouvaient deux cent quarante-cinq chantres et chanteuses.»*
> — Ne. 7:66-67 (LSG).

Après que Néhémie ait reconstruit le mur de Jérusalem, il n'a fallu que 10 % des habitants de Juda pour retourner à Jérusalem pour la repeupler.

Tandis que « Les chefs du peuple s'établirent à Jérusalem. Le reste du peuple tira au sort, pour qu'un sur dix vînt habiter Jérusalem, la ville sainte, et que les autres demeurassent dans les villes.» (Ne. 11:1, LSG). Une minorité de personnes de la diaspora et un groupe du terroir se sont réunis. Ils ont rétabli une communauté qui avait été dénudée pendant plus de 140 ans.

La Bible montre de nombreux cas où Dieu a choisi « la qualité plutôt que la quantité ». Avoir plus de personnes ne signifie pas que le groupe sera plus fort ou plus efficace. Lorsque l'opposition a l'avantage imaginaire de « la force du nombre », Jéhovah donne la victoire aux petits et aux faibles — à la minorité dévouée. La Bible les appelle *le faible reste*.

CATÉGORIES DE RESTES

Bibliquement, le « faible reste » fait généralement référence aux survivants d'un groupe ou d'une nation particulière. Le plus souvent, il est utilisé dans le contexte du peuple d'Israël. Mais il existe des cas où ce terme a également été appliqué à d'autres nations.

> *« C'en est fait de la forteresse d'Éphraïm,*
> *Et du royaume de Damas,*
> *et du reste de la Syrie:*
> *Il en sera comme de la gloire des enfants d'Israël,*
> *Dit l'Éternel des armées.»*
> – És. 17:3 (LSG)

Certains considèrent le terme « faible reste » comme négatif, car il peut faire référence à ceux qui restent après que Dieu les a punis. Cependant, le reste porte l'espoir d'un retour à Dieu et de l'accomplissement de ses promesses. Le reste, dans la Bible en général et dans le livre de Néhémie en particulier, est composé de deux catégories.

CEUX QUI RESTENT

Hanania fait référence au peuple du pays lorsqu'il dit: « Ceux qui sont restés de la captivité sont là dans la province, au comble du malheur et de l'opprobre; les murailles de Jérusalem sont en ruines, et ses portes sont consumées par le feu.» (Ne. 1:3, LSG). Lorsque Nabuchodonosor envahit le pays de Juda 140 ans auparavant, il détruisit les murs, brûla le temple et s'empara des hommes et des femmes jeunes et les plus capables de Jérusalem, laissant derrière lui les pauvres, les veuves et les malades. Ce petit groupe est appelé « le faible reste ».

CEUX QUI SONT SUPPRIMÉS

Le terme faible *reste* fait également référence à un autre groupe de personnes: les Juifs qui ont été déportés dans la diaspora babylonienne et perse mais qui n'ont pas perdu leur identité. Ils restèrent juifs partout où ils allèrent. C'est à propos de ce groupe que Jérémie a prophétisé: « Et je rassemblerai le reste de mes brebis De tous les pays où je les ai chassées; Je les ramènerai dans leur pâturage; Elles seront fécondes et multiplieront. » (Jr. 23:3, LSG).

Ces deux catégories de restes se sont réunies et ont reconstruit les murs et la ville de Jérusalem. Il faudra la participation de ceux qui vivent à l'intérieur et à l'extérieur de ces zones pour reconstruire des villes, des communautés et des nations fortes. La reconstruction d'une nouvelle Haïti nécessitera la participation de ceux qui vivent dans le pays et de ceux qui vivent à l'extérieur. Pour transformer significativement nos communautés, nous n'avons besoin que de quelques personnes de chaque catégorie se réunissant avec un objectif et un plan.

LES BÉNÉDICTIONS DU RESTE

Les croyants de chaque nation ont beaucoup en commun, mais le « reste d'Israël » est distinct. Bien qu'il existe de nombreuses promesses que Dieu a faites à Israël dans la Bible, qui ne se sont pas encore réalisées, le tableau d'ensemble est que le reste fidèle d'Israël occupe une place centrale dans le plan de Dieu pour leur élection - un plan pour bénir Israël et le monde. De plus, Dieu a promis de sauver les nations et de les faire prospérer grâce au reste.

PROSPÉRITÉ

Le Seigneur a envoyé le prophète Zacharie, un contemporain de Néhémie, pour rassurer le peuple sur le fait que son traitement envers son futur restant serait différent de celui des jours passés. Il a promis que la semence prospérerait, que la vigne donnerait son fruit, que la terre donnerait ses fruits, que les cieux donneraient leur rosée, et qu'il donnerait possession de tout cela au reste de son peuple (Za. 8:11–12). Ces promesses faites aux familles, aux communautés et aux nations ne se sont pas encore concrétisées. Mais si nous parvenons à rassembler les restes à la fois dans le pays et dans la diaspora, à l'intérieur comme à l'extérieur, nous verrons ces paroles devenir réalité.

LA PERMANENCE

Une autre promesse que Dieu a faite au reste est qu'il prendra racine en bas et portera du fruit en haut (És. 37:31). Cette promesse assure non seulement au reste qu'il sera ramené à la terre, mais qu'il y sera également de façon permanente.

PRÉSERVATION

La troisième promesse que Dieu a faite au reste est qu'ils seront protégés pour témoigner de la gloire de Dieu. En ce jour-là, l'Éternel des armées sera pour le reste de son peuple une couronne de gloire et un diadème de beauté (És. 28:5). Si un petit groupe de personnes, tant à l'intérieur qu'à l'extérieur de Jérusalem, peuvent se rassembler pour reconstruire les murs et la ville, ils verront la gloire de Dieu se manifester parmi eux.

C'est pourquoi le prophète Esaïe a dit: « *Si l'Éternel des armées Ne nous eût conservé un faible reste, Nous serions comme Sodome, Nous ressemblerions à Gomorrhe.* » (És.1:9 LSG). En d'autres termes, Israël aurait pu disparaître comme Sodome et Gomorrhe, mais le Seigneur les a sauvés de l'extinction en préservant un faible reste. Le Seigneur a toujours fait de grandes choses avec un reste.

> « Si l'Éternel des armées Ne nous eût conservé un faible reste, Nous serions comme Sodome, Nous ressemblerions à Gomorrhe. » (És.1:9 LSG).

LE FAIBLE RESTE DANS L'HISTOIRE

Franklin D. Roosevelt a déclaré: « Le courage n'est pas l'absence de peur, mais plutôt l'évaluation que quelque chose d'autre est plus important que la peur. » Le changement s'accompagne de défis qui peuvent sembler insurmontables. Pourtant, nous avons vu Dieu déplacer des montagnes et rendre possible l'impossible lorsque des personnes courageuses agissent.

GÉDÉON

Les Israélites, fidèles à leur modèle typique rapporté dans le Livre des Juges, s'étaient éloignés des enseignements de Yahvé après 40 ans de paix suite à la bataille de Deborah contre Canaan. En représailles, les Madianites, les Amalécites et d'autres tribus bédouines ont tourmenté Israël pendant de nombreuses années. Après sept années de souffrance, de peur et de terreur, les Israélites ont fait appel au Seigneur. Dieu a envoyé un prophète aux enfants d'Israël pour leur rappeler les nombreuses fois où il les avait délivrés des conséquences de leur péché; pourtant, le Seigneur a envoyé un ange à Gédéon pour sauver son peuple une fois de plus.

> *« L'ange de l'Éternel lui apparut, et lui dit: L'Éternel est avec toi, vaillant héros!! [...] Va avec cette force que tu as, et délivre Israël de la main de Madian; n'est-ce pas moi qui t'envoie? »*
> — Jg. 6:12, 14 (LSG).

En tant que moindre dans la maison de son père, Gédéon ne se considérait pas comme un homme de valeur. En plus de sa position personnelle au sein de sa famille, son clan était « le plus faible de

Manassé » (Jg. 6:15). Le Seigneur lui a dit de partir avec ce qu'il avait et qu'il sauverait Israël des mains des Madianites. Après avoir reçu la confirmation qu'il avait bien entendu Dieu, Gédéon accepta de relever le défi et rassembla une armée de 32 000 hommes pour attaquer les Madianites. Alors le Seigneur dit quelque chose d'inattendu:

> « *L'Éternel dit à Gédéon: Le peuple que tu as avec toi est trop nombreux pour que je livre Madian entre ses mains; il pourrait en tirer gloire contre moi, et dire: C'est ma main qui m'a délivré.*»
>
> *— Jg. 7:2 (LSG)*

Pour réduire le nombre de combattants, le Seigneur dit à Gédéon que si l'un de ses hommes avait peur, il pouvait rentrer chez lui. Environ 22 000 personnes sont retournées dans leurs familles, laissant à Gédéon 10 000 personnes. C'était encore trop, alors le Seigneur dit: « Celui qui lape l'eau avec sa langue, comme un chien, vous le mettrez à part; de même, quiconque se met à genoux pour boire » (Jg. 7:5, LSG). Sur les 10 000 personnes, seulement 300 lapaient l'eau comme un chien; ceux que le Seigneur choisirait pour faire partie de l'armée, donneraient à Gédéon la victoire sur les Madianites. Avec un petit reste de personnes, une minorité dévouée, Gédéon a vaincu une armée de 135 000 hommes et a brisé sept années d'esclavage. Gédéon a fait une différence avec moins de dix pour cent.

Lorsque nous examinons le succès en fonction du calcul de « la force du nombre », le Seigneur utilise une équation différente qui attribue la victoire à sa puissance, et non à la nôtre. Comme pour Gédéon, la faiblesse et le manque de position qui, selon nous, nous disqualifient, sont précisément ce que le Seigneur recherche pour apporter la victoire à notre pays et la gloire de son nom.

JOHN WESLEY

L'époque de John Wesley était difficile pour la société anglaise. La révolution industrielle a entraîné des changements importants, notamment l'essor des usines, la production de masse et l'urbanisation. Les mauvaises conditions de travail, les bas salaires et le travail des enfants ont laissé de nombreuses familles dans une extrême pauvreté, sans accès aux nécessités de base telles que la nourriture, le logement et les soins de santé.

L'écart croissant entre riches et pauvres ainsi que la pauvreté et le chômage généralisé ont entraîné une augmentation significative de la criminalité, en particulier dans les zones urbaines, rendant les émeutes et les soulèvements, monnaie courante. De nombreuses personnes étaient aux prises avec des problèmes tels que l'alcoolisme, le jeu et la prostitution. Sur le plan politique, la classe ouvrière manquait de représentation et la corruption politique était endémique. Sur le plan social, il y avait un sentiment de décadence morale et un manque de guidance spirituelle. C'est dans ces conditions désastreuses que John Wesley a eu une rencontre avec Dieu, connue sous le nom d'*expérience d'Aldersgate*. Cela a mis en lumière les profondes ténèbres de cette communauté.

John Wesley était pasteur de l'Église d'Angleterre et missionnaire en Géorgie. Pourtant, il luttait avec sa foi et avait l'impression de ne pas avoir vraiment expérimenté le salut. Le soir du 24 mai 1738, Wesley assista à une réunion sur Aldersgate Street à Londres, où quelqu'un lisait la préface de Martin Luther au Livre des Romains. Pendant que Wesley écoutait, il sentit son cœur « étrangement réchauffé » et réalisa soudain que la vraie foi était une question de cœur, et pas seulement une question de croyance intellectuelle ou d'observance extérieure. Wesley est devenu un homme nouveau, en feu pour Dieu et est devenu une force de transformation en Angleterre et au-delà.

Sur le plan social, le ministère de Wesley a amélioré la vie des pauvres, notamment en leur fournissant une éducation et des soins de santé. Il a encouragé ses disciples à mener une vie disciplinée et morale, en favorisant le développement personnel et en s'engageant activement dans la philanthropie. Sur le plan économique, le message de travail acharné, d'économie et d'autodiscipline de Wesley a contribué à améliorer les conditions économiques de nombreuses personnes. L'accent mis sur la valeur du travail et l'évitement de l'endettement a contribué à une société plus stable financièrement. Sur le plan politique, les enseignements de Wesley ont conduit à une réforme des prisons, à l'amélioration des conditions de travail et à l'abolition de l'esclavage. À l'âge de 87 ans, dans une lettre à son ami Alexander Mather, il dit: « Donnez-moi cent prédicateurs qui ne craignent rien d'autre que le péché et ne désirent rien d'autre que Dieu, et peu m'importe qu'ils soient ecclésiastiques ou laïcs, eux seuls ébranleront les portes de l'Enfer et établiront le royaume des Cieux sur Terre ».[144]

> **« Donnez-moi cent prédicateurs qui ne craignent rien d'autre que le péché et ne désirent rien d'autre que Dieu, et peu m'importe qu'ils soient ecclésiastiques ou laïcs, eux seuls ébranleront les portes de l'Enfer et établiront le royaume des Cieux sur Terre ».**

À l'époque de John Wesley, la population de l'Angleterre était de 10 millions d'habitants; il a changé le visage et le destin de la nation avec seulement 72 000 adeptes. Une petite minorité dévouée peut faire une grande différence. Comme l'a dit le général et théoricien militaire français Ferdinand Foch: « L'arme la plus puissante sur terre est l'âme humaine en feu ».[145]

> **« L'arme la plus puissante sur terre est l'âme humaine en feu ».**

LE CHEMIN DE FER CLANDESTIN

Le *chemin de fer clandestin* était un réseau complexe de sentiers, de refuges et d'activistes qui aidaient les personnes asservies dans le Sud des États-Unis à tenter d'obtenir la liberté dans le Nord. Les personnes qui contribuaient à la mise en place de ce chemin de fer étaient passionnées par la justice. Elles étaient déterminées à mettre fin à l'esclavage à tout prix, même si cela impliquait de sacrifier leur propre sécurité ou liberté.

Le réseau n'était ni ferroviaire ni clandestin, mais l'analogie avec le chemin de fer a perduré, car les « conducteurs » conduisaient les fugitifs d'une « station » à l'autre. Les fugitifs qui empruntaient le chemin de fer étaient appelés « passagers », et ceux qui atteignaient un refuge étaient considérés comme des « cargaisons ».

Les gens étaient transportés sur de longues distances et hébergés dans des maisons, des granges, des églises et des commerces offerts par les quelques personnes assez courageuses pour être des « chefs de gare ». Des lanternes placées aux fenêtres accueillaient les personnes en quête de liberté et leur promettaient la sécurité. Les patrouilles qui cherchaient à attraper les personnes asservies étaient souvent à leurs trousses.

Les personnes impliquées dans le chemin de fer clandestin étaient issues de professions et de milieux financiers variés, y compris des anciens esclaves. Selon des récits historiques, de nombreux soi-disant conducteurs se faisaient passer pour des esclaves alors qu'ils aidaient les autres à fuir les plantations. En raison du risque de capture, la majeure partie de cette activité s'est produite la nuit. Après avoir quitté chaque refuge, les conducteurs guidaient les passagers jusqu'à 10 à 20 milles (16 à 19 kilomètres) jusqu'à ce qu'ils atteignent la zone de sécurité suivante, où un autre conducteur prendrait le relais. On pense que de 1810 à 1850, grâce au réseau du chemin de fer clandestin, des hommes et des femmes comme Harriet Tubman, travaillant souvent seuls, ont aidé plus de 100 000 personnes à échapper à l'esclavage.[146] Quelques personnes courageuses et convaincues peuvent accomplir des choses extraordinaires.

> On pense que de 1810 à 1850, grâce au réseau du chemin de fer clandestin, des hommes et des femmes comme Harriet Tubman, travaillant souvent seuls, ont aidé plus de 100 000 personnes à échapper à l'esclavage. Quelques personnes courageuses et convaincues peuvent accomplir des choses extraordinaires.

LES SECRETS DU FAIBLE RESTE

Les gens courageux ne sont pas toujours célèbres. Quiconque défend ce en quoi il croit, même si cela implique d'aller à l'encontre de la norme, peut avoir un impact énorme. Il faut du courage pour s'exprimer lorsque l'on constate que quelque chose ne va pas ou pour agir lorsque les autres ont trop peur pour le faire. Rosa Parks a refusé de céder sa place dans un bus de Montgomery, inspirant ainsi le mouvement de boycott des bus et des droits civiques. Candy Lightner a fondé *Mothers Against Drunk Driving* (Les mères contre l'alcool au volant) après que sa fille ait été tuée par un conducteur ivre, ce qui a conduit à des lois plus strictes contre la conduite en état d'ivresse. Le 11 septembre 2001, lorsque le vol 93 de United Airlines a été détourné par des terroristes, Todd Beamer et ses compagnons de voyage ont uni leurs forces pour reprendre le contrôle de l'avion. Leur courage et leur abnégation ont permis d'empêcher l'avion d'atteindre sa destination prévue, préservant ainsi de nombreuses vies. Malala Yousafzai est une militante pakistanaise, lauréate du prix Nobel, qui milite pour l'éducation des femmes. Chaque porteur de changement est motivé par la conviction qu'une situation ou une société doit et peut être améliorée. Nous avons vu qu'un petit groupe de personnes, souvent moins d'un pour cent, peut faire une grande différence. Mais comment font-elles pour influencer la majorité ?

CONVICTION

Néhémie avait une conviction. Lorsque Sanballat, Tobija, Guéshem et d'autres lui dirent qu'il n'allait pas construire le mur, il répondit: « Et je leur fis cette réponse: Le Dieu des cieux nous donnera le succès. Nous, ses serviteurs, nous nous lèverons et nous bâtirons » (Ne. 2:20, LSG). Néhémie a pu reconstruire le mur parce que lui et ceux qui étaient à ses côtés avaient de la conviction. Ils comprenaient ce qui était juste, comptaient sur le Seigneur et étaient prêts à respecter leurs principes.

Dans la société d'aujourd'hui, on dit aux chrétiens de tolérer les opinions erronées des autres et de les considérer comme leur « vérité ». Nous sommes censés compromettre la vérité de Dieu – la *seule vérité* – pour plaire aux autres. Chaque fois que nous faisons des compromis, notre colonne vertébrale devient un peu plus molle jusqu'à ce que nous nous retrouvions réduits à aucune conviction, aucun courage et rien de concret à défendre. Un chrétien sans âme est un chrétien inutile. Pendant ce temps, les minorités convaincues continuent de façonner le monde.

La communauté musulmane ne représente qu'environ 5 % de la population française, et pourtant presque tout le monde mangeait de la viande Halal jusqu'à ce que cela devienne un problème national majeur. Pourquoi? Parce qu'ils refusent de manger de la viande qui n'est pas Halal. La communauté juive représente environ 5 % de la société américaine, mais presque tout le monde boit casher. Pourquoi? Parce qu'ils refusent de boire des jus qui ne sont pas casher. La communauté adventiste du septième jour représente moins de 1 % de la population américaine, et pourtant presque tous les employeurs sont prêts à faire des concessions pour ne pas les faire travailler le samedi. Pourquoi? Parce qu'ils refusent de violer leur sabbat. C'est une réalité dans toutes les sociétés: la minorité qui refuse de faire des compromis influencera la majorité.

> **La minorité qui refuse de faire des compromis influencera la majorité.**

Dieu nous a appelés à être le sel de la terre et la lumière du monde. Il nous a appelés à influencer la société. Mais nous ne pouvons pas y parvenir si nous continuons à renégocier nos valeurs.

Lorsque Daniel, Shadrach, Méschac et Abednego se sont retrouvés dans le vaste empire babylonien, où de nombreux dieux différents étaient adorés, ils ont refusé de changer leur façon d'adorer et ne se sont pas inclinés devant l'idolâtrie. À un moment donné, Nebucadnetstar a fabriqué une image dorée et a demandé à tous les habitants de l'empire de l'adorer. Pourtant, les trois Hébreux refusèrent de le faire. En colère, Nebucadnetstar les jeta dans une fournaise ardente où un quatrième homme apparut et les délivra. Lorsque les trois Hébreux en sortirent indemnes, sans même l'odeur de fumée sur eux, le roi promulgua un décret disant que quiconque parlerait contre le Dieu de Shadrach, Méschac et Abed-Nego serait coupé en morceaux et leurs maisons seraient incendiées. La loi de tout un empire a été modifiée parce que quatre jeunes hommes ont refusé de s'incliner (Dn. 3:16-28). Quelques personnes avec des convictions sont la majorité, surtout lorsqu'elles travaillent ensemble.

> **Quelques personnes avec des convictions sont la majorité, surtout lorsqu'elles travaillent ensemble.**

COLLABORATION

Lors de la reconstruction de la ville de Jérusalem, Néhémie, Esdras et Aggée ont réuni leurs compétences et leur expérience et ont mis leur vaste réseau social au service d'une plus grande cause. Néhémie était le chef du projet de construction à Jérusalem. Alors qu'il se trouvait encore au Palais Royal de Perse, il a commencé par mettre en relation les principaux participants, notamment le roi lui-même, les princes, les nobles et les Juifs de Jérusalem. Esdras était un expert en droit et celui qui lisait et interprétait la loi en araméen afin que tout le monde puisse la comprendre. Enfin, il y avait Aggée, Zacharie et Malachie. Ce sont ces prophètes qui ont dit au peuple qu'il pouvait reconstruire le temple du Seigneur, qu'il devait reconstruire la ville de Dieu et qu'il devait recommencer à vivre selon les normes de Dieu. La collaboration de ces trois groupes de personnes a relancé Jérusalem et en a fait à nouveau une ville glorieuse.

COMMUNICATION

Il ne suffit pas d'être convaincu de ce en quoi nous croyons et de collaborer avec d'autres personnes qui partagent nos convictions. Nous devons également communiquer efficacement notre position à ceux qui ne partagent pas immédiatement notre point de vue.

La communication ouverte atteint deux objectifs:

- La communication donne aux personnes partageant les mêmes idées le courage de s'exprimer. Les gens ont souvent peur de rester seuls, alors lorsque quelqu'un partage ses convictions, les autres se sentiront probablement plus à l'aise pour exprimer ce qu'ils pensent.

- La communication influence ceux qui sont peut-être sur la clôture. Le principe de Pareto s'applique également à l'opinion publique sur la plupart des questions; environ 10 % des gens se situent à chaque extrême et 80 % se situent au milieu. Le groupe de l'extrême qui décide de communiquer ses idées aura tendance à attirer à son côté une bonne partie des 80 % d'indécis et à devenir majoritaire.

La minorité dévouée doit communiquer ses idées dans autant de forums que possible. Par conséquent, les quelques fidèles doivent aussi être remplis de foi.

COURAGE

La vérité et les idées non traditionnelles ne sont souvent pas reconnues au départ; au contraire, le processus d'acceptation est long et compliqué. Il faudra de l'audace et de la détermination pour guider les autres sur le chemin de l'acceptation de la vérité. Le philosophe allemand Arthur Schopenhauer a dit un jour que toute vérité passe par trois étapes: premièrement, elle est ridiculisée; deuxièmement, elle est violemment opposée; et troisièmement, elle est acceptée comme une évidence.[147]

> **Le philosophe allemand Arthur Schopenhauer a dit un jour que toute vérité passe par trois étapes: premièrement, elle est ridiculisée; deuxièmement, elle est violemment opposée; et troisièmement, elle est acceptée comme une évidence.**

Bon nombre des idées que nous considérons comme évidentes aujourd'hui étaient autrefois violemment opposées – *la terre est ronde*, par exemple. Cependant, une minorité dévouée était prête à résister à l'opposition et à payer le prix de sa réputation, de sa dignité et même de sa vie pour la rendre acceptable.

Le christianisme s'est développé dans un contexte gréco-romain où les gens adoraient des milliers de dieux et où le divorce, l'adultère, le viol, l'homosexualité et la prostitution faisaient partie de la culture. Les chrétiens, quant à eux, croyaient au culte d'un seul Dieu et au fait que le sexe était réservé uniquement à un homme et une femme mariés. Aussi bizarre que cela puisse paraître, à l'époque de Paul, la fidélité conjugale et le monothéisme étaient des opinions minoritaires. Les premiers disciples refusèrent de compromettre leur foi et leur éthique au profit de la structure sociale populaire et presque tous moururent horriblement.

Matthieu a été tué par l'épée, Jacques, fils d'Alphée, a été lapidé à mort, Jude a été battu avec une massue, Simon le Zélote a été scié en deux, Barthélemy a été écorché vif et Philippe, André et Pierre ont été crucifiés. Seul Jean mourut naturellement mais fut isolé sur l'île de Patmos. Les idées d'une minorité, autrefois si violemment combattues, devinrent plus tard la religion dominante de l'Empire romain.

Il faut du courage pour qu'une minorité dévouée ait un impact, mais le courage vient naturellement là où il y a la conviction. Quelques gens fidèles peuvent changer le monde. En fait, ce sont eux qui l'ont toujours fait. Pour faire une différence, vous devez faire preuve de confiance, de collaboration, de communication et de courage et l'enseigner à votre famille et à vos travailleurs.

CHAPITRE 23

SUCCÈS ET SUCCESSEURS

L E SUCCÈS EST UN TERME SUBJECTIF, chaque individu le définit d'une manière différente. Généralement, avoir du succès signifie atteindre ses objectifs ou être satisfait de sa vie. Il ne s'agit pas d'une destination, mais de tout un parcours qui permet de développer des compétences et des ressources pour s'épanouir. La définition du succès de chacun est unique, car elle tient compte des besoins, des objectifs et des situations de chacun. Certains priorisent d'autres aspects, tels que les relations ou la croissance, plutôt que le succès. D'autres sont inconfortables à l'idée d'avoir du succès et sont plus à l'aise avec l'échec, trouvant la défaite plus gérable que la victoire.

La racine de cette anxiété pourrait provenir de l'idée que réussir exigerait trop de sacrifices, tant pour l'atteindre comme pour le conserver. Ils pourraient avoir l'impression qu'ils ne méritent pas le triomphe ou s'inquiètent d'être perçus comme étant trop fiers.[148] En outre, certains peuvent se sentir incommodés par les responsabilités qui accompagnent leurs accomplissements.

> **Ils pourraient avoir l'impression qu'ils ne méritent pas le triomphe ou s'inquiètent d'être perçus comme étant trop fiers.**

Si vous vous retrouvez à procrastiner, à adopter un comportement autodestructeur ou à abandonner complètement, il est crucial d'identifier la cause de votre peur. La plupart des leaders, surtout au début, sont nerveux sous les projecteurs. Ils sont anxieux à l'idée d'assumer des responsabilités croissantes, ou craignent que les circonstances ne deviennent trop difficiles à gérer. Beaucoup doutent de leur capacité à diriger, même après un succès.

Ce comportement est connu sous le nom de Syndrome de l'Imposteur, un phénomène courant chez les personnes qui réussissent. Le Syndrome de l'Imposteur fait référence au sentiment d'être un charlatan ou un bluffeur malgré les preuves de ses réalisations.[149] Les personnes atteintes du Syndrome de l'Imposteur attribuent souvent leur succès à la chance ou à d'autres facteurs externes, plutôt qu'à leurs propres capacités et à leur travail acharné. Ils peuvent également craindre d'être démasqués comme fraudeurs, ou que d'autres ne découvrent les insuffisances qu'ils perçoivent d'eux-mêmes. Incroyants et chrétiens luttent pareillement contre le doute de soi, l'anxiété et même la dépression. Un des moyens de surmonter ce problème est de reconnaître l'invitation de Dieu dans son royaume: son appel et ses dons uniques qui vous sont donnés dans un but. Voici quelques façons de le faire:

> **Le Syndrome de l'Imposteur fait référence au sentiment d'être un charlatan ou un bluffeur malgré les preuves de ses réalisations.**

- *Acceptez l'appel de Dieu:* Il vous a choisi pour une raison et vous a offert des talents uniques pour mener à bien son plan. Reconnaître cela peut atténuer le sentiment d'infériorité.
- *Embrassez votre identité en Christ:* Votre identité en tant que chrétien vient de Lui, pas de vos victoires ou de vos défaites. En admettant cela, vous aurez moins peur d'être jugé comme étant un imposteur.
- *Réclamez votre héritage spirituel*: Être enfant de Dieu donne accès à toutes les bénédictions accordées par Sa grâce. Réclamer ces avantages peut aider à repousser les pensées d'indignité.
- *Demandez au Saint-Esprit la sagesse et la compréhension*: Des schémas de pensée négatifs pourraient être à l'origine du Syndrome de l'Imposteur. Prier pour avoir de la clairvoyance

peut aider à démasquer ces habitudes de pensée, et à les remplacer par des affirmations positives.

En tant que leader qui réussit, vous ne devez pas laisser le doute vous rabaisser ou vous abattre ; Au lieu de cela, acceptez-les comme étant vos douleurs de croissance et utilisez-les pour renforcer votre force et votre résilience. Surtout, n'ayez pas honte de célébrer les petits succès !

> *« Un temps pour pleurer, et un temps pour rire; un temps pour se lamenter, et un temps pour danser»*
> — (Ecc. 3:4, LSG).

CÉLÉBREZ LE SUCCÈS

Néhémie savait comment gérer le succès et la victoire. Après cinquante-deux jours de dur labeur, de nuits blanches et d'opposition viscérale, le mur de Jérusalem fut finalement construit. Néhémie revendiqua cette victoire en prenant le temps de la célébrer. Il convoqua le peuple à une grande fête, consacrant le mur avec un défilé.

> *« On offrit ce jour-là de nombreux sacrifices, et on se livra aux réjouissances, car Dieu avait donné au peuple un grand sujet de joie. Les femmes et les enfants se réjouirent aussi, et les cris de joie de Jérusalem furent entendus au loin. »*
> — (Ne. 12:43, LSG)

Quand j'étais jeune, je sous-estimais l'importance de célébrer les victoires. Il me fallut près de sept ans pour terminer mes études universitaires: quatre ans pour obtenir mon diplôme en comptabilité, et deux ans d'études paramédicales. Cependant, après tant d'années de travail et d'études, je ne suis pas allé à la cérémonie, lorsque le grand jour de la remise des diplômes arriva. J'étais déjà passé à la prochaine aventure de ma vie.

Tout de suite après ma licence en comptabilité, je suis parti étudier la théologie au Texas. Une maîtrise en théologie exige quatre années d'études à temps plein. J'ai terminé en trois ans et demi, mais encore une fois, quand fut venu le temps de la cérémonie de graduation, j'étais introuvable. J'avais déjà déménagé pour m'installer en France pour ma prochaine aventure: étudier le droit international. Mais quand je me suis mariée, les choses ont changé.

J'avais obtenu une licence en droit international en France. Et ma femme, connaissant mon habitude d'éviter les cérémonies, m'encouragea à assister à la remise des diplômes. Elle m'expliqua qu'il était important pour nos deux enfants de me voir recevoir mon diplôme. Donc, pour eux, j'ai finalement assisté à la cérémonie de célébration. Et ce jour-là, j'ai compris l'importance de prendre un moment pour reconnaître nos réalisations. C'est bon pour nous, pour nos enfants et, en tant que leaders, pour nos équipes de travail.

Célébrer nos réussites en tant que groupe contribue à créer une atmosphère positive, à la maison comme au travail. Le fait d'être satisfaits de nos réalisations nous enseigne que c'est normal, et cela renforce l'estime de soi. De plus, cela permet aux autres qui nous observent de comprendre que le succès n'est pas facile, et de voir qu'il faut travailler dur, faire preuve de dévouement et de persévérance. Réussir à atteindre nos objectifs encouragera et motivera les autres à accomplir davantage pour eux-mêmes, et leur montrera ce que Dieu peut faire lorsque nous nous engageons dans ses plans.

RENDEZ GLOIRE À DIEU

Le Seigneur dit: « Invoque-Moi au jour de la détresse; Je te délivrerai, et tu me glorifieras » (Ps. 50:15, LSG). Lorsque nous sommes en difficulté, Dieu nous dit de l'invoquer pour obtenir la délivrance, et Il agira. Lorsqu'Il nous permet d'obtenir une victoire que nous n'aurions peut-être pas gagnée par nous-mêmes, nous devons prendre le temps de le glorifier. Soyez celui qui revient dire *merci*.

Un jour, Jésus rencontra dix lépreux qui le supplièrent chacun de les guérir. Il leur ordonna d'aller se montrer aux prêtres. Alors qu'ils se rendaient chez les prêtres, ils furent guéris. Tous ces hommes étaient des parias et avaient été bannis de leurs communautés. Ils avaient dû quitter famille, maison et travail. Ils avaient été humiliés et avaient beaucoup souffert des lésions nerveuses causées par les plaies sur leur peau. Mais grâce à Jésus, leurs souffrances étaient terminées. Pourtant, un seul est retourné remercier Jésus de l'avoir délivré. Un seul.

Jésus dit: « Les dix n'ont-ils pas été guéris? Et les neuf autres, où sont-*ils? Ne s'est-il trouvé que cet étranger pour revenir et donner gloire à Dieu?*» (Lc. 17:17-18, LSG).

Dieu vous a-t-Il guéri? Vous a-t-Il délivré? Le Seigneur vous a-t-Il fait prospérer? Vous a-t-Il donné un enfant? Une augmentation? Quelqu'un qui vous aime? Un moyen d'être sauvé de vos péchés? A-t-Il mis un mur de protection autour de vous? Il est le dispensateur de tous les bons dons et vous a frayé un chemin. Serez-vous parmi les neuf qui ont continué leur route, ou serez-vous celui qui est reconnaissant pour ce que le Seigneur a fait dans sa vie?

Humiliez-vous et rendez gloire à Dieu pour votre succès.

RESTEZ HUMBLE

Néhémie a déclaré que tous ceux qui ont vu la muraille « ont reconnu que c'était Dieu qui avait présidé à la réalisation de ce travail » (Ne. 6:16, LSG). Nous avons la capacité d'atteindre nos objectifs non pas par la force, ni par la puissance, mais par l'Esprit du Seigneur (Za. 4:6). Lorsque votre planification et votre travail acharné portent leurs fruits, n'oubliez pas de rester humble.

Au cinquième siècle avant Jésus-Christ, Nebucadnetsar était le roi le plus puissant du monde. Après que le prophète Daniel eut interprété le rêve de Nebucadnetsar, le roi ignora l'avertissement et se vanta avec arrogance de ses réalisations. Regardant Babylone, il dit: « *N'est-ce pas ici Babylone la grande, que j'ai bâtie, comme résidence royale, par la puissance de ma force et pour la gloire de ma magnificence?* » (Dn. 4:30, LSG).

Alors que ces paroles étaient encore sur ses lèvres, il entendit une voix venant du ciel qui lui dit: « Apprends, roi *Nebucadnetsar, qu'on va t'enlever le royaume* » (Dn. 4:31, LSG). Nebucadnetsar devint un fou, habita avec les bêtes des champs et mangea de l'herbe comme un bœuf. Il resta dans cet état pendant sept ans jusqu'à ce que ses cheveux eurent poussé comme des plumes d'aigle et ses ongles comme des griffes d'oiseaux (Dn. 4:33).

Le roi arrogant perdit tout, jusqu'à ce qu'il reconnaisse le Dieu du ciel au bout de sept ans. Le roi Nebucadnetsar est passé d'un homme qui exigeait que tout le monde l'adore comme Dieu à un homme qui soumît sa vie au Dieu de la Bible. Le roi avait appris à ses dépens que le Seigneur donne et que le Seigneur enlève (Jb. 1:21). En fin de compte, la santé mentale de Nebucadnetsar est revenue, ainsi que ses fonctionnaires, ses richesses et son royaume. S'il n'avait pas été orgueilleux, il ne les aurait peut-être jamais perdus.

L'humilité implique le respect spirituel qui naît lorsque nous comprenons notre place dans le monde de Dieu. Cela nous oblige à ne pas trop mettre l'accent sur nos objectifs, nos avancées ou nos faux pas. Les psychologues ont reconnu des liens entre l'humilité, notre capacité à apprendre et à être de bons leaders, et notre inclination à agir avec gentillesse et coopération.[150]

> **Les psychologues ont reconnu des liens entre l'humilité, notre capacité à apprendre et à être de bons leaders, et notre inclination à agir avec gentillesse et coopération.**

L'orgueil ferme la porte à la croissance spirituelle, tandis que l'humilité laisse entrer des quantités abondantes de la grâce de Dieu. Restez humble et reconnaissez que Dieu est responsable de toutes les bonnes choses dans votre vie, même si vous avez travaillé dur pour cela. Les gens Le verront comme votre Source et seront inspirés à Le considérer comme la leur.

ENCOURAGEZ LES AUTRES

Le succès d'un seul représente le succès de tous les membres d'une équipe. Franchir des étapes importantes ensemble nous encourage et nous motive tous. Selon les psychologues, l'encouragement est une action par laquelle nous donnons à quelqu'un du soutien, de la confiance et/ou de l'espoir.

Nous encourager les uns les autres lorsque l'un de nous réussit peut nous faire sentir plus connectés et soutenus, renforçant ainsi la confiance de chacun en soi et en l'équipe. Cela encourage également les autres à continuer à travailler dur pour atteindre leurs objectifs et nous permet d'atteindre de plus hauts sommets. Reconnaître et honorer les réussites des uns et des autres produit une atmosphère positive qui favorise le progrès et la prospérité. Lorsque nous invitons d'autres personnes à se joindre à nous pour célébrer une victoire, elles sont encouragées. Elles peuvent se dire: « Si Dieu l'a fait pour lui, Dieu peut aussi le faire pour moi ».

La Bible dit: « *Tout comme le fer aiguise le fer, l'homme s'aiguise au contact de son prochain.* » (Pr. 27:17, SG21).

Honorer les réalisations des uns et des autres peut être un moyen puissant de renforcer notre foi et notre dynamisme.

ÉVITEZ LE PIÈGE DU PÉCHÉ

La réussite est souvent liée à la richesse et à la notoriété. Celles-ci peuvent donner lieu à un sentiment de supériorité, ce qui peut être moralement dangereux. Dans le couloir du succès, les gens peuvent cesser d'honorer Dieu et commencer à penser que le succès leur est dû. Plutôt que d'être reconnaissants, ils peuvent former un sentiment de fierté et de privilège.

Le succès peut nous rendre plus sensibles à l'orgueil, à la cupidité et à la luxure. L'humilité et la gratitude peuvent nous aider à éviter ces pièges.

ORGUEIL

Ozias était un jeune homme qui devint roi à seize ans. Il cherchait le Seigneur par l'intermédiaire du prophète Zacharie; en conséquence, il prospérait à tous égards. Il construisit une armée forte, ce qui l'aida à vaincre ses ennemis et à subjuguer des nations. Ozias améliora l'agriculture et l'élevage, fortifia des tours, reconstruisit des villes et produisit une technologie de pointe qui fit de lui une merveille pour les nations (2 Ch 26). Et pourtant, « *lorsqu'il fut puissant, son cœur s'éleva pour le perdre* » (2 Ch. 26:16, LSG).

L'orgueil d'Ozias a mis fin à la prééminence d'Israël, tout comme le vôtre peut faire tomber tout ce que vous avez construit et dévaster les gens qui ont travaillé avec vous. Pour éviter ces résultats, restez ancré, reconnaissant et ouvert à la croissance.

CUPIDITÉ

Selon Merriam-Webster, la cupidité est « un désir égoïste et excessif d'avoir plus de quelque chose (comme de l'argent) que nécessaire ». Lorsque la poursuite des richesses devient plus importante que la poursuite de la droiture, nous nous préparons au désastre.

> *« Nul ne peut servir deux maîtres. Car, ou il haïra l'un, et aimera l'autre; ou il s'attachera à l'un, et méprisera l'autre. Vous ne pouvez servir Dieu et Mamon (l'argent) »*
> — (Mt. 6:24, LSG)

Des années de cela, avant que le Seigneur ne me donna de grosses sommes d'argent à gérer pour Lui, Il m'instruisit d'abord à définir mon style de vie. J'avais besoin de calculer ce dont j'avais besoin pour vivre et de plafonner mes dépenses avant d'être exposé à de sérieux montants. Je devais m'autodiscipliner avec la plus petite quantité que j'avais, avant qu'Il ne me confie plus. Sinon, je courais le risque de devenir insatiable, adoptant un style de vie extravagant jusqu'à ce que l'argent devienne mon dieu.

> *« Faites donc mourir les membres qui sont sur la terre, l'impudicité, l'impureté, les passions, les mauvais désirs, et la cupidité, qui est une idolâtrie. »*
> — (Col. 3:5, LSG)

La cupidité est de l'idolâtrie. Protégez-vous et pratiquez la maîtrise de soi dans tous les domaines, sinon votre succès pourrait vous glisser entre les doigts.

LA LUXURE
La Bible dit: « *Car les lèvres de l'étrangère distillent le miel, Et son palais est plus doux que l'huile; Mais à la fin elle est amère comme l'absinthe, Aiguë comme un glaive à deux tranchants. Ses pieds descendent vers la mort, Ses pas atteignent le séjour des morts.* » (Pr. 5:3-5, LSG).

Samson était un juge très efficace en Israël, et l'onction de Dieu reposait sur sa vie. Mais à un moment donné, son succès lui monta à la tête et il tomba dans le piège de la luxure. Il perdit son onction, son pouvoir et sa réputation et mourut dans la honte.

Sans gratitude et humilité, le succès peut nous faire croire que rien n'est hors de notre portée, que nous méritons tout ce que nous voulons, sans égard au bien ou au mal. Nous développons une attitude de « je vois, je veux, je prends » et nous risquons que la main de Dieu soit retirée de nos vies, comme ce fut le cas pour Nebucadnetsar, Ozias et Samson. Pour éviter le piège de l'orgueil, de la cupidité et de la convoitise, protégez votre vie de prière, évitez les tentations et restez responsable.

N'oubliez pas que vos successeurs observent comment vous réussissez, comment vous maintenez votre prospérité, et ils observent votre caractère durant le parcours, de la tête au pied. Vous formez vos successeurs avec chacune de vos décisions, chaque acte de bonté ou de cruauté, chaque décision d'intégrité ou de corruption. Quelqu'un suivra vos traces; soyez intentionnel quant à l'orientation que vous donnez à votre héritage.

LES SUCCESSEURS
Après que Néhémie eut construit la muraille, il établit un successeur nommé Hanani. Il dit: « *Je donnai mes ordres à Hanani, mon frère, et à Hanania, chef de la citadelle de Jérusalem, homme supérieur au*

grand nombre par sa fidélité et par sa crainte de Dieu », (Ne. 7:2, LSG). John C. Maxwell a dit que « le succès sans successeur est un échec », bien que je préfère utiliser le pluriel, *successeurs.*

Par expérience personnelle, j'ai constaté que mettre tous ses œufs dans le même panier n'est pas la meilleure pratique. Pour préparer l'avenir, il faut aussi tenir compte de l'imprévu. Tout peut arriver, donc si vous passez tout votre temps à former un seul successeur et qu'il ne peut pas assumer ses responsabilités, vous n'avez plus personne. Il est préférable de travailler avec de nombreux candidats, et choisir votre bénéficiaire le moment venu. Il ne s'agit pas de choisir au hasard. Vous devez être intentionnel quant à vos options de successeur et à la façon dont vous les formez.

AGISSEZ DE MANIÈRE INTENTIONNELLE

Les grands leaders ne se contentent pas de donner l'exemple, ils inspirent également les autres à devenir eux-mêmes des leaders. Ce faisant, ils créent un héritage qui s'étend au-delà de leur propre mandat et contribue à bâtir un avenir meilleur pour tous. Roy T. Bennett a déclaré: « Les bons leaders ont une vision et inspirent les autres à les aider à transformer leur vision en réalité. Les grands leaders créent des leaders, pas des suiveurs. Les grands leaders ont une vision, partagent cette vision et inspirent les autres à créer la leur ».

De la même manière qu'il est demandé aux parents de former un enfant « dans la voie qu'il doit *suivre; Et quand il sera vieux, il ne s'en détournera pas* » (Pr. 22:6, LSG), de même, vous devez former vos leaders potentiels dans la voie où vous voudriez que votre vision reste vivante lorsque vous ne serez plus là. Au fur et à mesure qu'ils mûrissent, cette empreinte restera dans leur vie. Répliquez vos compétences en leadership à travers des personnes possédant les aptitudes, l'expérience et les qualifications nécessaires pour assumer votre rôle, ainsi que le caractère et l'ouverture d'esprit nécessaires pour tirer parti de votre succès et concrétiser votre vision de l'avenir.

PENSEZ À LONG TERME

Planifier la succession c'est planifier l'avenir de votre organisation. Le processus pour la relève ne doit pas être en fonction des besoins et des règles actuels; au lieu de cela, imaginez quelles pourraient être les exigences de l'avenir. La Bible dit: « L'homme de bien a pour héritiers les enfants de ses enfants » (Pr. 13:22, LSG). En d'autres termes, un homme bon planifie pour trois générations à l'avance.

Aux temps bibliques, une génération durait environ quarante ans. Selon le sage auteur des Proverbes, les justes pensent 120 ans à l'avance. Demandez-vous où vous voulez que votre famille, votre église, votre communauté, votre entreprise, ou votre pays soit dans 100 ans. Commencez à planifier cela dès maintenant, et investissez dans la prochaine génération dans cette perspective.

SOYEZ RESPONSABLE

Si vous êtes devenu un leader à succès, il y a de fortes chances que vous ayez déjà un collègue fidèle et honnête avec qui échanger des idées. Lorsque vous choisissez vos successeurs, assurez-vous de vous placer sous la direction de sages conseils. Discutez de votre plan avec quelqu'un qui a fait ses preuves dans votre vie et dans les affaires. Il est toujours sage d'avoir quelqu'un qui surveille vos angles morts.

CONSIDÉREZ LE SUCCÈS DE LA RELÈVE COMME LE VÔTRE

Le succès de la prochaine génération est votre succès. Ceux qui viendront après vous bâtiront sur vos fondations, votre sang, votre sueur et vos larmes. L'identité ne se limite pas à une seule personne vivant dans le présent, mais à de nombreuses générations vivant dans le passé, le présent et le futur. C'est pourquoi Dieu s'est souvent présenté aux enfants d'Israël comme le Dieu d'Abraham, d'Isaac et de Jacob. Vous réussissez également quand vous contribuez au succès de la prochaine génération.

Faites appel aux visionnaires de votre communauté qui partagent les mêmes idées pour qu'ils se mobilisent. Encadrez-les pour qu'ils deviennent des leaders passionnés. Encouragez-les à penser au-delà de leurs besoins immédiats et à tenir compte du bien-être de la communauté. Demandez-leur d'être prêts à se sacrifier pour le plus grand bien et montrez-leur comment faire.

DIRIGEZ VOTRE HÉRITAGE

En tant que leader de cette nouvelle génération de Néhémie, vous comprenez l'importance de construire une base solide pour l'avenir. Une communauté forte a besoin de leaders prêts à faire passer les besoins des gens avant les leurs, des leaders qui sont prêts à faire des sacrifices pour le bien commun.

Vous l'avez vu dans l'œuvre de Néhémie et de ses compagnons de construction. Ils ont travaillé sans relâche pour reconstruire les murs de Jérusalem, même face à l'opposition et au danger. Ils n'ont pas baissé les bras lorsque le travail était difficile ou lorsque leurs ressources étaient limitées. Ils ont persévéré parce qu'ils croyaient en une vision qui allait au-delà d'eux-mêmes. Leur exemple nous est donc donné pour que nous fassions également une différence positive dans le monde qui nous entoure.

Nous pouvons créer des ponts entre les diverses cultures et favoriser la paix et l'unité dans le monde. Nos actions auront une influence sur de nombreuses générations à venir. Pour actualiser notre potentiel, nous devons opérer à partir d'une compréhension pleinement convaincue que nous sommes des enfants et des serviteurs de Dieu, avec tous les droits et toutes les ressources que notre ADN divin nous confère.

Pour influencer le monde, à commencer par nos communautés, nous devons croire fermement en la puissance de notre Seigneur. Quel que soit l'endroit où l'on vit, un seul Dieu gouverne tout, indépendamment de la race, de l'ethnie ou de la classe sociale. Lorsque vous êtes chargé d'un dessein du Tout-Puissant, faites-Lui confiance pour fournir tout ce qui est nécessaire à son accomplissement. Nous sommes au service d'une génération dont les prières sont exaucées par Dieu; le Seigneur répond à leurs cris à travers vous et moi.

Nous sommes les bâtisseurs et les restaurateurs qui se tiendront côte à côte jusqu'à ce que l'œuvre du Seigneur soit achevée. Nous travaillerons avec caractère et compassion, alimentés par notre fardeau pour les besoins des autres, l'attention fixée sur une vision unie, fermes et confiants que Dieu savait ce qu'il faisait lorsqu'Il nous a choisis. Puisque ce qui pèse sur votre cœur correspond souvent à votre mission dans la vie, n'hésitez pas à assumer les responsabilités que Dieu vous donne, acceptez-les!

Notre estime de soi s'affirme lorsque nous reconnaissons notre statut d'enfants du Seigneur. Si nous nous regardons à travers les yeux de Dieu, la honte et l'insuffisance n'auront plus d'emprise sur nous, car nous nous rendrons compte de notre valeur céleste. N'ayez pas peur d'oser concrétiser votre vision. Demandez conseil à Dieu, Il peut révéler des opportunités dans la vie que vous n'auriez jamais imaginées. Ce ne sera pas une tâche facile, mais avec la direction de Dieu et la force de votre communauté, vous construirez quelque chose de vraiment extraordinaire. Un héritage qui se poursuivra pour les générations à venir.

Dirigez, inspirez et faites des sacrifices pour le bien de votre communauté, comme Néhémie l'a fait pour les élus de Dieu. Vous savez que votre héritage ne sera pas seulement dans les murs que vous reconstruisez, mais dans les cœurs et esprits des mentorés qui poursuivront votre travail longtemps après votre départ.

Les familles sont le fondement de la société. Vous êtes à la tête d'une nouvelle génération de Néhémie, de bâtisseurs et de restaurateurs, accomplissant les promesses de Dieu et établissant ses desseins dans votre communauté.

Dans la lettre du prophète Jérémie aux exilés de Babylone, il les exhorte à construire des maisons, à cultiver des jardins et à œuvrer à la prospérité de cette ville. Il insiste sur l'importance, pour leur population, de continuer à croître et non à diminuer. La croissance étant essentielle à la survie dans un endroit étranger. Ces principes sont également nécessaires pour perpétuer l'héritage divin que vous laisserez derrière vous.

En tant que leader de cette génération de Néhémie, vous comprenez la signification des paroles de Jérémie. Vous savez que pour poursuivre le travail de reconstruction de votre communauté, vous devez créer une base stable pour les familles qui y vivent. Vous vous rendez compte de ce que c'est que d'être un leader - inspirer et encourager les autres à travailler vers un objectif commun - sacrifier vos propres besoins pour le bien de la communauté.

Vous êtes à la tête d'une nouvelle génération de Néhémie, de bâtisseurs et de restaurateurs, qui accomplissent les promesses de Dieu et établissent Ses desseins dans votre communauté.

Maintenant, allez et bâtissez!

APPENDICE

Instructions de Jérémie aux familles

« Prenez des femmes, et engendrez des fils et des filles; prenez des femmes pour vos fils, et donnez des maris à vos filles, afin qu'elles enfantent des fils et des filles; multipliez là où vous êtes, et ne diminuez pas. »
— Jr 29:6 (LSG)

SE MARIER

Les familles sont les fondements des communautés. L'avenir de la famille, c'est l'avenir de la communauté. C'est pourquoi le Seigneur a donné des instructions sur la façon dont la famille d'Israël devait se comporter en exil. Jérémie donne un certain nombre d'instructions concernant les familles. Il dit : « Prenez des femmes », ce qui, en hébreu, signifie « mariez-vous ». Ce conseil a deux implications cruciales:

Tout d'abord, il exhorte les exilés à ne pas rester célibataires, car cela n'est bénéfique ni pour les hommes ni pour les femmes. Selon Genèse 2:18, « Il n'est pas bon que l'homme soit seul », ce qui est encore vrai aujourd'hui.

Dans de nombreuses régions du monde, le fait d'être célibataire expose les femmes à un risque accru de pauvreté, car elles peuvent avoir à supporter tout le fardeau de leur subsistance sans un conjoint pour partager les dépenses. En outre, cela peut rendre certaines femmes plus vulnérables à la victimisation, en particulier dans les régions du monde ravagées par la guerre. Le célibat n'est pas avantageux non plus.[151]

Les recherches indiquent que les hommes mariés gagnent entre 10 % et 40 % de plus que leurs homologues célibataires ayant un niveau d'études et un parcours professionnel similaires.[152] Les hommes célibataires sont également plus susceptibles d'adopter un comportement de promiscuité, ce qui augmente leur risque de contracter des maladies sexuellement transmissibles. Sans les responsabilités d'une femme et d'enfants, ils peuvent être plus enclins à des comportements autodestructeurs tels que la toxicomanie, la consommation excessive d'alcool et les problèmes de santé mentale. Ils sont également plus susceptibles de commettre des délits graves pouvant conduire à l'incarcération. Enfin, ils sont moins enclins à adopter des habitudes saines telles que l'exercice physique régulier et une alimentation saine.[153] Dans l'ensemble, les hommes célibataires ont tendance à avoir une espérance de vie plus courte que les hommes mariés. Au fil du temps, ces comportements auront un effet boule de neige sur l'ensemble de la communauté. Dans l'ensemble, le conseil de Jérémie de prendre femme est enraciné dans la conviction que le mariage procure un sentiment de sécurité et de stabilité crucial pour les individus et leurs communautés.

NE PAS PRATIQUER LA FORNICATION

La deuxième implication de la déclaration de Jérémie est d'éviter la fornication, c'est-à-dire les relations sexuelles en dehors du mariage. Le sexe est un acte sacré qui ne doit être partagé qu'entre un couple marié. La Bible enseigne que le sexe est un don de Dieu dont il faut profiter dans les limites du mariage, et que toute activité sexuelle en dehors de cette alliance est un péché. Selon la Bible, « Ce que Dieu veut, c'est votre progression dans la *sainteté: c'est que vous vous absteniez de l'immoralité sexuelle, c'est que chacun de vous sache garder son corps dans la consécration et la dignité, sans le livrer à la passion du désir comme les membres des autres peuples qui ne connaissent pas Dieu* » (1 Th 4:3-5, SG21). S'engager dans une activité sexuelle en dehors du mariage peut avoir de graves conséquences tant pour les personnes concernées que pour la communauté dans son ensemble.

D'une part, les relations sexuelles en dehors du mariage peuvent avoir des conséquences émotionnelles importantes. Cela peut entraîner des sentiments de culpabilité, de honte et de regret, ce qui peut affecter négativement les relations futures, y compris la possibilité d'un divorce.

En outre, le fait de se livrer à une activité sexuelle en dehors du mariage peut entraîner la perte d'un conjoint potentiel qui attache de l'importance à la pureté sexuelle. De nombreuses personnes souhaitent épouser quelqu'un qui partage leurs valeurs et leurs croyances, et le fait de se livrer à une activité sexuelle en dehors du mariage peut entraîner la perte d'une telle personne. Par ailleurs, les relations sexuelles hors mariage peuvent accroître le risque de maladies sexuellement transmissibles, ce qui peut avoir un impact non seulement sur l'individu, mais aussi sur son futur conjoint et ses enfants, et, en fin de compte, sur la communauté dans son ensemble. Les grossesses non désirées résultant de relations sexuelles hors mariage peuvent également avoir de lourdes conséquences, notamment la stigmatisation sociale, la charge financière et le stress émotionnel. Bien que l'alternative aux grossesses non désirées soit l'avortement, celui-ci est considéré comme un grave péché aux yeux de Dieu.

De plus, l'une des conséquences les plus dévastatrices des relations sexuelles en dehors du mariage est le risque de possession démoniaque. La Bible nous avertit de « se tenir loin des péchés sexuels. Tous les autres péchés qu'une personne commet sont à l'extérieur de son corps. Mais les péchés sexuels sont des péchés contre son propre corps » (1 Co 6:18). Quand quelqu'un commet des péchés sexuels, il pèche contre son propre corps, et le péché expose une personne aux influences démoniaques. La Bible dit: « Celui qui pèche est du diable, car le diable pèche dès le commencement...» (1 Jn 3:8). Ainsi, s'engager dans l'immoralité sexuelle donne accès au diable, mais dans son propre corps. En conclusion, une communauté qui pratique l'immoralité sexuelle a tendance à avoir moins de mariages, plus de divorces, plus de grossesses non désirées, plus d'avortements, plus de pauvreté et plus de personnes sous influences démoniaques. Pour éviter les conséquences négatives que peuvent avoir les relations sexuelles en dehors du mariage, le Seigneur a dit par l'intermédiaire du prophète Jérémie: « Mariez-vous. »

NE PAS PRATIQUER L'HOMOSEXUALITÉ

Jérémie dit aussi: « Prenez des femmes, et engendrez des fils et des filles; et prends des femmes pour tes fils, et donne tes filles à des maris, afin qu'ils aient des fils et des filles...» (Jr 29:6). Il n'a pas dit: « Prenez des maris pour vos fils » ou « des femmes pour vos filles ». La Bible dit clairement: « Tu ne coucheras pas avec un homme comme on couche avec une femme: c'est une pratique abominable » (Lv 18:22; cf. 20:13). Dans le Nouveau Testament, il est dit: « Ne savez-vous pas que les injustes n'hériteront pas du royaume de Dieu? Ne vous y trompez *pas: ni ceux qui vivent dans l'immoralité sexuelle, ni les idolâtres, ni les adultères, ni les travestis, ni les homosexuels* » (1 Co 6:9, SG21). Une vie d'homosexualité est contraire à la loi de Dieu. Oui, Dieu aime le pécheur mais désapprouve son style de vie. Une communauté qui pratique l'homosexualité attire à terme la colère de Dieu sur elle, comme Sodome et Gomorrhe. (Gn 19).

Un mode de vie homosexuel met une communauté en désaccord avec Dieu, ce qui affecte négativement la communauté. Premièrement, l'homosexualité peut sérieusement augmenter le niveau de promiscuité sexuelle dans la communauté. CARM.org rapporte: « Bell et Weinberg ont rapporté des preuves d'une compulsion sexuelle généralisée chez les hommes homosexuels. 83 % des hommes homosexuels interrogés ont estimé avoir eu des relations sexuelles avec 50 partenaires ou plus au cours de leur vie, 43 % ont estimé avoir eu des relations sexuelles avec 500 partenaires ou plus; 28 % avec 1 000 partenaires ou plus. »[154]

De plus, « il y a un taux extrêmement faible de fidélité sexuelle chez les hommes homosexuels par rapport aux hétérosexuels mariés. Parmi les femmes mariées, 85 % ont déclaré avoir une fidélité sexuelle. Parmi les hommes mariés, 75,5 % ont déclaré être fidèles sexuellement. Parmi les hommes homosexuels dans leur relation actuelle, 4,5 % ont déclaré une fidélité sexuelle. »[155]

Deuxièmement, l'homosexualité augmente le risque de maladies dans une communauté. CARM.org affirme dans une étude de 2011 que 2% de la population américaine est gay. Pourtant, il représente 61 % des infections par le VIH: « Les hommes ayant des rapports sexuels avec des hommes [HSH] restent le groupe le plus touché par les nouvelles infections par le VIH. Alors que le CDC estime que les HSH ne représentent que 2 % de la population américaine, ils représentaient la majorité (61 %; 29 300) de toutes les nouvelles infections par le VIH en 2009. Les jeunes HSH (âgés de 13 à 29 ans) ont été les plus gravement touchés, représentant plus d'un quart de toutes les nouvelles infections à VIH à l'échelle nationale (27 pour cent; 12 900 en 2009). »[156]

25 % des personnes infectées par le VIH au Royaume-Uni ne sont pas au courant de leur infection: « Sur les quelque 86 500 personnes vivant avec le VIH au Royaume-Uni, environ 25 % ne savent pas qu'elles sont infectées, a récemment déclaré l'Agence de protection de la santé. »[157]

Troisièmement, l'homosexualité augmente le risque d'agression sexuelle dans les familles. Un article de l'*American Psychological Association* fait état d'une augmentation de l'agression sexuelle avec des parents homosexuels, en disant: « Un pourcentage disproportionné – 29 % – des enfants adultes de parents homosexuels ont été spécifiquement soumis à des agressions sexuelles de la part de ce parent homosexuel, contre seulement 0,6 % des enfants adultes de parents hétérosexuels ayant déclaré avoir des relations sexuelles avec leur parent. Le fait d'avoir un ou plusieurs parents homosexuels semble augmenter le risque d'inceste avec un parent d'un facteur d'environ 50. »[158]

Enfin, l'homosexualité augmente les problèmes de santé mentale dans la société. SAMSHA rapporte que les homosexuels sont environ 50% plus susceptibles de souffrir de dépression et de toxicomanie que le reste de la population; Le risque de suicide doublait si une personne avait été impliquée dans un mode de vie homosexuel.[159]

Soixante-treize pour cent des psychiatres de l'*American Psychiatric Association* qui ont répondu à une enquête de Harold I. Lief ont déclaré qu'ils pensaient que les hommes homosexuels étaient moins heureux que les autres. Soixante-dix pour cent ont déclaré qu'ils croyaient que les problèmes des homosexuels étaient davantage dus à des conflits personnels qu'à la stigmatisation sociale.[160]

En somme, l'homosexualité œuvre contre le bien-être futur de la communauté. C'est ainsi que Jérémie dit aux exilés: « Prenez des femmes pour vos fils et donnez vos filles à des maris ! »

DONNER NAISSANCE À DES ENFANTS

Le prophète Jérémie ne leur a pas seulement dit de se marier, mais aussi de « engendrez des fils et des filles » (Jr 29:5-6). L'une des implications de cette déclaration est de ne pas pratiquer l'avortement.

NE PAS PRATIQUER L'AVORTEMENT

Premièrement, l'avortement est un péché grave aux yeux de Dieu. Un fœtus est une personne. La Bible ne considère pas l'être humain comme une « chose » avant la naissance et une « personne » après la naissance. Regardez le Psaumes 139, qui parle de la vie de David dans le ventre de sa mère, et faites attention à tous les pronoms personnels.

> « *Mon corps n'était point caché devant toi, Lorsque j'ai été fait dans un lieu secret, Tissé dans les profondeurs de la terre. Quand je n'étais qu'une masse informe, tes yeux me voyaient; Et sur ton livre étaient tous inscrits Les jours qui m'étaient destinés, Avant qu'aucun d'eux existât.* »
> — Ps 139:15-16 (LSG)

La Bible ne reconnaît pas de différence entre la vie dans le ventre de sa mère et la vie en dehors du ventre de sa mère. La personne qui a tué quelqu'un dans l'utérus a subi la même punition que celle qui a tué quelqu'un en dehors de l'utérus. Il a dû payer de sa vie la vie qu'il a prise (Ex 21:23). Puisque le bébé dans le ventre de sa mère est une personne, mettre fin à sa vie est un meurtre. La Bible dit clairement: « Tu ne tueras point » (Ex 20:13).

De plus, la vie est un processus de co-création entre l'homme et Dieu (*voir Ps 139:15-16*). Les enfants tués sont des enfants de Dieu. Dieu a dit à Israël, lorsqu'ils pratiquaient l'infanticide: « Tu as égorgé mes fils » (Ez 16:21). Une communauté qui pratique l'avortement viole la loi de Dieu et, par conséquent, invoque le jugement de Dieu. L'avortement met une société en porte-à-faux avec Dieu; cette pratique a également de nombreuses conséquences négatives pour la communauté.

Tout d'abord, elle sape son avenir en s'attaquant à la notion la plus fondamentale qui rend possible la vie communautaire: toutes les vies sont précieuses. L'avortement envoie le message que la vie est jetable et que les relations familiales ne sont pas nécessaires. Cela peut avoir un effet boule de neige sur la communauté, augmentant les problèmes sociaux tels que la toxicomanie et la criminalité. L'avortement favorise une culture de l'égoïsme, de la violence, de l'indifférence et du désespoir plutôt qu'une culture de l'amour, de la compassion, de la solidarité et de l'espoir.

Deuxièmement, l'avortement contribue au déclin démographique d'une communauté. Aux États-Unis, par exemple, l'avortement a éliminé 11 % de la population blanche et 32 % de la population noire.[161] Cela signifie que les personnes qui continuent à pratiquer l'avortement auront moins de pouvoir de vote dans les générations futures. Dans un système démocratique, où chaque vote compte, l'avortement se traduira par moins de pouvoir et moins de représentation pour des groupes spécifiques.

Troisièmement, l'avortement entraîne également la perte de talents potentiels et de contributions de la part de ceux qui ne sont pas nés. Chaque personne possède des compétences et des capacités uniques qui pourraient profiter à sa communauté. Comme le Seigneur l'a dit à Jérémie: « Avant que je t'eusse formé dans le ventre de ta mère, je te connaissais, et avant que tu fusses sorti de son sein, je t'avais consacré, je t'avais établi prophète des nations. » (Jr 1:5). L'avortement prive ces personnes de la possibilité de contribuer à la société. Il interdit à la communauté de bénéficier des contributions que ceux qui ne sont pas encore nés auraient pu apporter.

Imaginez à quel point le monde serait différent si nous n'avions pas eu Edison, qui a inventé l'électricité; si nous n'avions pas eu Ford, qui a créé la première automobile; s'il n'y avait eu pas Martin Luther, qui s'opposait à la ségrégation; si nous n'avions pas eu Toussaint Louverture qui nous a donné la première République noire indépendante.

Enfin, bien qu'un être humain ne puisse pas être évalué en termes d'argent, il convient de noter que l'avortement a un coût économique pour une communauté. Plus il y a d'avortements, moins il y a de personnes sur le marché du travail. Par conséquent, moins de personnes contribuent à supporter le fardeau fiscal. Une enquête menée par le Comité économique mixte du Congrès des États-Unis a révélé que « le coût économique de l'avortement rien qu'en 2019 – en raison de la perte de près de 630 000 vies à naître – était d'au moins 6,9 billions de dollars, soit 32 % du PIB ».[162] Ce coût a un impact non seulement sur l'économie, mais aussi sur le bien-être général de la communauté.

En conclusion, l'avortement a de graves conséquences pour l'avenir d'une communauté. Cela met la communauté en porte-à-faux avec Dieu, sape l'avenir des communautés, entraîne la perte de talents potentiels et a un coût économique. Une société qui pratique l'avortement est en train de se tuer à petit feu. Prévoyant ces conséquences possibles, Jérémie a dit aux Juifs en exil: « engendrez des fils et des filles » (Jr 29:5-6). Nous devrions également suivre ses conseils et travailler à la construction d'une communauté qui valorise chaque vie et favorise l'épanouissement de chaque personne.

NE PAS AVOIR D'ENFANTS HORS MARIAGE

Lorsque vous combinez l'instruction de Dieu de « se marier » et d'avoir des enfants, cela produit un troisième impératif: « N'ayez pas d'enfants hors mariage. » Dans l'Ancien Testament, un enfant né hors mariage était considéré comme impur au point qu'il ne pouvait pas entrer dans la maison de Dieu « même jusqu'à sa dixième génération » (Dt 23:2). Bien que ce ne soit plus le cas aujourd'hui, les conséquences sociales demeurent.

Les recherches indiquent que les enfants nés hors mariage sont 30 % plus susceptibles de manquer les cours, d'être en retard ou de manquer complètement l'école. Ils sont également 50 % moins susceptibles d'obtenir leur diplôme d'études secondaires et 50 % plus susceptibles de sombrer dans l'alcoolisme ou la toxicomanie, de souffrir de graves maladies mentales et de faire des tentatives de suicide. Les filles issues de foyers brisés sont plus susceptibles de souffrir de dépression, d'anxiété et d'une faible estime de soi. Les filles élevées dans des familles monoparentales ou avec des beaux-parents ont plus de chances d'être victimes d'abus sexuels, de grossesse à l'adolescence ou d'avoir un enfant hors mariage. Les garçons élevés dans des familles monoparentales ont tendance à manquer de modèles masculins positifs avec lesquels ils peuvent se connecter. En conséquence, ils sont plus susceptibles d'adopter des comportements négatifs tels que la toxicomanie et les activités criminelles.

Une étude a révélé que les garçons élevés dans des foyers monoparentaux ou avec des beaux-parents ou des familles recomposées sont deux fois plus susceptibles de se retrouver en prison. Charles Murray, de l'American Enterprise Institute, conclut: « Des études révèlent que les enfants sans père sont plus susceptibles de grandir dans la pauvreté, d'avoir des problèmes à l'école et de commettre des crimes [...] L'illégitimité est le problème majeur de notre temps en matière d'éducation - plus important que la criminalité, la drogue, la pauvreté, l'analphabétisme, l'aide sociale ou le sans-abrisme.[163] Pourquoi ?

Parce que l'illégitimité est le moteur de tout le reste. Les enfants qui manquent de conseils finiront par manquer de direction et de discipline dans leur vie. La réduction du nombre de foyers sans père est essentielle pour prévenir certains des crimes les plus préjudiciables qui affectent notre société aujourd'hui. Pour éviter ces problèmes, Dieu a instruit, par l'intermédiaire du prophète Jérémie, que nous commencions par « nous marier » et ensuite « avoir des enfants ».

AVOIR BEAUCOUP D'ENFANTS

Jérémie a donné à la communauté exilée l'ordre d'avoir des enfants, expliquant « multipliez là où vous êtes, et ne diminuez pas. » (Jr 29:6). Le développement de la communauté est lié à l'épanouissement de ses familles. Par conséquent, l'ordre original de Dieu à Adam et Ève est « Soyez féconds, multipliez, remplissez la terre, et l'assujettissez » (Gn 1:28). Les familles sont les éléments constitutifs de base des communautés. Tout le monde compte. C'est pourquoi Moïse a donné des instructions lors du dénombrement de la nation: « Faites le dénombrement de toute l'assemblée des enfants d'Israël, selon leurs familles, selon les maisons de leurs pères, en comptant par tête les noms de tous les mâles, » (Nb 1:2).

Malheureusement, les familles sont de plus en plus petites en raison de divers facteurs, tels que l'évolution des normes culturelles, les contraintes économiques et les choix de mode de vie. L'un des facteurs clés qui contribuent à la force d'une nation est la taille de sa population. Les nations les plus peuplées du monde sont aussi les plus prospères et les plus puissantes. Par exemple, la Chine et l'Inde, deux des pays les plus peuplés, sont des puissances économiques à croissance rapide, tandis que les États-Unis, avec une population de 331 millions d'habitants, restent la première puissance économique du monde. Les avantages d'une population nombreuse ne se limitent pas aux seuls pays. Les communautés à forte population bénéficient également de nombreux avantages.

Une communauté très peuplée dispose d'un énorme marché potentiel pour les biens et les services, ce qui lui confère un poids économique important. Cela peut attirer des entreprises et des entrepreneurs, qui peuvent créer des emplois et stimuler la croissance économique. De plus, une communauté avec une population croissante aura une main-d'œuvre importante, offrant de nombreuses possibilités d'emploi et d'entrepreneuriat. Un autre avantage d'une population nombreuse est qu'elle peut contribuer à un bassin florissant de recrues militaires. Les communautés à forte population auront plus de jeunes, souvent des candidats de choix pour le service militaire. Cela peut garantir qu'une communauté dispose d'une force de défense forte, vitale pour la sécurité nationale. En plus des avantages économiques et militaires, une population nombreuse peut créer une assiette fiscale solide pour soutenir les programmes sociaux et les générations plus âgées. Il peut s'agir de programmes tels que les soins de santé, l'éducation et les prestations de retraite, qui sont essentiels au bien-être des citoyens d'une communauté.

Enfin, une population croissante peut se traduire par un plus grand pouvoir politique par le biais du vote. Une communauté avec une population plus importante aura plus de représentants au gouvernement, ce qui lui donnera une influence plus importante sur les décisions qui affectent ses citoyens.

En conclusion, la taille d'une population peut avoir un impact significatif sur la force et la prospérité d'une nation ou d'une communauté. Une population nombreuse peut créer des avantages économiques, militaires et politiques. C'est pourquoi Jérémie a encouragé les Juifs exilés à se marier et à avoir beaucoup d'enfants.

CONSTRUIRE UNE MAISON, PLANTER UN JARDIN

Avant de clore cette section, nous devons revenir sur les deux commandements de Jérémie à la population exilée. Il dit: « Bâtissez des maisons, et habitez-les; plantez des jardins, et mangez-en les fruits. » (Jr 29:5).

Tout d'abord, remarquez qu'il n'a pas dit de « louer des maisons », il a dit de « construire des maisons ». Une communauté qui veut progresser doit s'assurer que ses membres sont propriétaires de leur maison. Être propriétaire d'une maison n'est pas seulement un accomplissement personnel, mais contribue également à la stabilité et à la prospérité de la communauté dans son ensemble. Examinons les avantages sociaux de la possession d'une maison pour les individus et les collectivités.

Être propriétaire d'une maison est un gage de stabilité. Une personne qui est propriétaire de sa maison est plus établie qu'une personne qui loue. À moins de faire l'objet d'une saisie, elle ne peut pas être expulsée. De plus, les propriétaires sont plus susceptibles d'investir dans leur communauté en entretenant leurs propriétés et en participant à des événements et à des organisations locales. Cet investissement peut contribuer à créer un sentiment de communauté et d'appartenance, ce qui se traduira par un plus grand engagement civique et une plus grande cohésion sociale. D'un point de vue économique, une société où une partie importante de la population vit dans des logements locatifs qui n'appartiennent pas à des membres de la communauté peut avoir des conséquences négatives. Le capital généré par ces immeubles locatifs peut provenir de la collectivité plutôt que d'être réinvesti dans l'économie locale.

Par exemple, lorsqu'un membre de la communauté possède des propriétés locatives, il peut utiliser les bénéfices pour démarrer une nouvelle entreprise, faire un don à des organisations locales ou investir dans des projets qui profitent à la communauté dans son ensemble. De plus, le fait d'être propriétaire d'une maison permet aux particuliers d'accumuler de la valeur nette au fil du temps, c'est-à-dire la différence entre la valeur marchande actuelle de la maison et le montant d'argent dû sur l'hypothèque. L'équité est une forme d'actif, ce qui signifie qu'au fil du temps, la puissance économique des membres de la communauté peut augmenter, ce qui rend la communauté plus prospère. De plus, lorsque les particuliers sont propriétaires de leur maison, ils ont le potentiel de générer des revenus locatifs à partir d'un espace supplémentaire, comme un sous-sol ou un logement séparé. Cela peut constituer une source de revenus précieuse non seulement pour les individus, mais aussi pour la communauté. Lorsque les propriétaires louent de l'espace dans leur maison, cela peut créer des options de logement abordable pour d'autres membres de la communauté qui n'ont peut-être pas les moyens d'acheter leur propre maison.

Enfin, l'accession à la propriété peut être un héritage qui offre aux générations futures un endroit stable et sûr où vivre et prospérer. Comme le dit la Bible: « L'homme de bien laisse un héritage aux enfants de ses enfants » (Pr 13:22).

DÉMARRER SA PROPRE ENTREPRISE

Jérémie n'a pas seulement dit de « bâtir des maisons », il a aussi dit « plantez des jardins » (Jr 29:5). Nous avions souligné précédemment que les sociétés primitives étaient les plus agricoles. La plupart des gens travaillaient dans le jardin. Mais le Seigneur n'a pas dit: « Va travailler dans un jardin. » Il a dit à la place: « Plantez des jardins » (Jr 29:5). Dans le jargon d'aujourd'hui, « démarrez votre propre entreprise ». Cela ne signifie pas que vous ne devriez pas trouver d'emploi, mais cela signifie que même lorsque vous occupez un emploi, vous devriez avoir quelque chose que vous faites à côté qui vous apporte un revenu supplémentaire. Examinons les conséquences positives de la création d'une entreprise.

D'un point de vue personnel, le démarrage d'une entreprise peut être un moyen pour les individus d'utiliser leurs dons et leurs talents pour créer un environnement de travail qui correspond à leurs valeurs, intérêts et compétences personnels. Ce faisant, les individus peuvent éprouver une plus grande satisfaction et un plus grand épanouissement au travail tout en profitant à la communauté en créant de nouveaux emplois, des produits et services sur mesure et des dons de bienfaisance. En fin de compte, la création d'une entreprise peut être un moyen puissant pour les individus d'avoir un impact positif sur le monde qui les entoure tout en atteignant leurs objectifs personnels et professionnels.

D'un point de vue financier, la propriété d'une entreprise peut être un moyen puissant pour les particuliers de créer un revenu passif et de se constituer un patrimoine au fil du temps. En démarrant une entreprise, les individus ont le potentiel de générer des revenus qui ne sont pas liés à un emploi ou à un employeur spécifique, ce qui leur procure une stabilité et une sécurité financières plus excellentes. De plus, la propriété d'une entreprise peut permettre aux particuliers de se constituer un patrimoine au fil du temps grâce à l'accumulation et à l'appréciation des capitaux propres. Cela peut être particulièrement important pour les communautés ayant un accès limité aux sources traditionnelles de capitaux ou d'investissements.

De plus, lorsque les individus d'une communauté peuvent créer de la richesse grâce à la propriété d'une entreprise, cela peut avoir un impact positif sur la communauté dans son ensemble. Comme nous l'avons déjà mentionné, plus la richesse des membres individuels de la communauté augmente, plus la richesse collective de la communauté augmente également. Cela peut mener à des possibilités économiques accrues et à un meilleur accès aux ressources pour tous les membres de la communauté. De plus, la propriété d'une entreprise peut permettre aux particuliers d'investir dans leur communauté par la création d'emplois, les dons de bienfaisance et les investissements locaux. En créant des emplois et des possibilités pour les autres membres de la collectivité, les propriétaires d'entreprise peuvent contribuer à promouvoir la croissance économique et la prospérité.

De plus, en redonnant à la communauté par le biais de dons de bienfaisance et d'investissements locaux, les propriétaires d'entreprise peuvent contribuer à bâtir des collectivités plus fortes et plus dynamiques qui profitent à tous. Enfin, d'un point de vue communautaire, lorsque les individus possèdent des entreprises dans leur communauté, cela peut créer des emplois, stimuler la croissance économique et fournir des biens et des services adaptés aux besoins de la communauté. Cela peut aider à développer un sentiment de fierté et d'appartenance au sein de la communauté, ce qui conduit à un plus grand engagement civique et à une plus grande cohésion sociale.

> « L'âme bienfaisante sera rassasiée, Et celui qui arrose sera lui-même arrosé. »
>
> Pr 11:25 (LSG)

La propriété d'une entreprise peut être un moyen d'apporter des bénédictions aux autres en créant des emplois et en contribuant au bien-être de la communauté. De plus, lorsque les entreprises réussissent, elles peuvent utiliser leurs ressources pour soutenir des organismes de bienfaisance et des organisations locales, contribuant ainsi à créer une communauté plus compatissante et bienveillante. C'est pour ces raisons que le Seigneur a dit à Jérémie de dire aux enfants d'Israël de « planter des jardins ».

En résumé, le message du Seigneur à une communauté vivant en diaspora est de tirer le meilleur parti de leur situation et de créer un sentiment d'appartenance où qu'ils soient. Cela implique d'observer les lois de Dieu, de trouver un travail intéressant, de fonder une famille et de posséder une maison et une entreprise pour prospérer socialement et financièrement. Les individus et les communautés qui suivent ces principes peuvent créer un sentiment de stabilité et de sécurité dans un monde qui peut être incertain et difficile. Grâce à un travail acharné, à un dévouement et à un engagement envers le plan de Dieu, les individus peuvent bâtir des communautés fortes et prospères qui profitent à tous.

PLANIFIER POUR LES ENFANTS DE SES ENFANTS

Quand le Seigneur a parlé aux enfants d'Israël par l'intermédiaire de Jérémie, il leur a demandé de planifier pour trois générations. Il a dit: « Prenez des femmes, et engendrez des fils et des filles; prenez des femmes pour vos fils, et donnez des maris à vos filles, afin qu'elles enfantent des fils et des filles; multipliez là où vous êtes, et ne diminuez pas. » (Jr 29:6). Remarquez que « Prenez des femmes et engendrez des fils et des filles » est la première génération. Deuxièmement, « Prenez des femmes pour vos fils et donnez vos filles à des maris » est la deuxième génération. Et « afin qu'ils aient des fils et des filles » est la troisième génération.

Or, dans la Bible, une génération dure généralement quarante ans (Ps 95:10 et Nb 32:13). Dieu disait donc aux expatriés que s'ils ne voulaient pas que leur communauté dépérisse, ils devaient planifier pour les 120 prochaines années.

Chaque groupe vivant dans un pays étranger est à une génération de l'extinction. La vigilance doit être de mise. La pérennité d'un peuple n'est pas automatique; c'est intentionnel. Chaque génération doit planifier sa présence pour les 100 prochaines années. Chaque communauté immigrée d'un pays d'accueil doit se poser la question suivante: « Où en serons-nous en tant que peuple dans 100 ans ? » et « Qu'est-ce que je fais à ce sujet ? »

NOTES DE RÉFÉRENCE

1   Faulkner, William. Requiem for a Nun. Vintage, 2015.

2   (Feinberg, Charles L. 1986. 'Jeremiah.' In The Expositor's Bible Commentary: Isaiah, Jeremiah, Lamentations, Ezekiel, edited by Frank E. Gaebelein, 6:554. Grand Rapids, MI: Zondervan Publishing House).

3   (McConville, J. Gordon. 1994. "Jeremiah." In New Bible Commentary: 21st Century Edition, edited by D. A. Carson, R. T. France, J. A. Motyer, and G. J. Wenham, 4th ed., 694. Leicester, England; Downers Grove, IL: Inter-Varsity Press).

4   Bah, Abdoulaye. "Israel Appoints Its First Ethiopian-Born Minister, Pnina Tamano-Shata." Translated by Emma Dewick, Global Voices, 8 June 2020, globalvoices.org/2020/06/08/ israel-appoints-its-first-ethiopian-born-minister-pnina-tamano-shata/.

5   Ibid.

6   "List of Israeli Ethiopian Jews." Wikipedia, Wikimedia Foundation, 3 Aug. 2023, en.wikipedia.org/wiki/List_of_Israeli_Ethiopian_Jews.

7   Ibid.

8   Azizollah, Arbabisarjou. "(PDF) Interdisciplinary Journal of Contemporary Research in Business ..." ResearchGate, 27 Oct. 2014, www.researchgate. net/publication/267394210_INTERDISCIPLINARY_JOURNAL_OF_ CONTEMPORARY_RESEARCH_IN_BUSINESS_Education_in_Ancient_Iran.

9   "Achaemenid Empire." Wikipedia, Wikimedia Foundation, 1 Sept. 2023, en.wikipedia. org/wiki/Achaemenid_Empire#cite_note-schmitt-24.

10   Schroeder, Sylvia. "What Is Hesed Love in the Bible - Is It the Same as Agape?" Christianity.Com, Christianity.com,14June2021, www.christianity.com/wiki/ christian-terms/what-is-hesed-love-and-what-does-it-tell-us-about-gods-love-for-us. html#:~:text=Hesed%20appears%20about%20250%20times%20in%20the%20 Old,own%20description%20of%20himself%20included%20the%20attribute%20 %E2%80%9Chesed.%E2%80%9D.

11   Zondervan Illustrated Bible Backgrounds Commentary of the Old Testament. Grand Rapids, MI: Zondervan, 2002.

12   John F. Walvoord. "The New Covenant" in Integrity of Heart, Skillfulness of Hands, pp. 191-92.

13 Weinstein, Shelia. "Shaping the Story of My Life in the World." Psychology Today, Sussex Publishers, 1 July 2016, www.psychologytoday.com/us/blog/what-do-i-do-now/201607/shaping-the-story-my-life-in-the-world#:~:text=%22Acceptance%20in%20human%20psychology%20is%20a%20person%27s%20assent,from%20the%20Latin%20%27acqui%C4%93scere%27%E2%80%94to%20find%20rest%20in.%22%20Wikipedia.

14 Lange, John Peter, Philip Schaff, W. Schultz, and Howard Crosby. 2008. A Commentary on the Holy Scriptures: Nehemiah. Bellingham, WA: Logos Bible Software

15 Achtemeier, Elizabeth Rice. 1986. Nahum–Malachi. Interpretation, a Bible Commentary for Teaching and Preaching. Atlanta, GA: John Knox Press

16 Armerding, C. E., and R. K. Harrison. 1979–1988. "Nehemiah." In The International Standard Bible Encyclopedia, Revised, edited by Geoffrey W Bromiley, 3:513. Wm. B. Eerdmans

17 Silva, Moisés, and Merrill Chapin Tenney. 2009. In The Zondervan Encyclopedia of the Bible, M-P, Revised, Full-Color Edition, 4:445. Grand Rapids, MI: The Zondervan Corporation

18 Martin, D. C. 2003. 'Nehemiah.' In Holman Illustrated Bible Dictionary, edited by Chad Brand, Charles Draper, Archie England, Steve Bond, E. Ray Clendenen, and Trent C. Butler, 1182. Nashville, TN: Holman Bible Publishers

19 Throntveit, Mark A. 1992. Ezra-Nehemiah. Interpretation, a Bible Commentary for Teaching and Preaching. Louisville, KY: John Knox Press.

20 Williamson, H. G. M. 1985. Ezra, Nehemiah. Vol. 16. Word Biblical Commentary. Dallas: Word, Incorporated

21 See Yamauchi, ZAW Zeitschrift für die alttestamentliche Wissenschaft 92 (1980) 132–42

22 "Emma Lazarus." Wikipedia, Wikimedia Foundation, 11 Oct. 2023, en.wikipedia.org/wiki/Emma_Lazarus.

23 Anthony, Scott D. "Kodak's Downfall Wasn't about Technology." Harvard Business Review, 24 Apr. 2017, hbr.org/2016/07/kodaks-downfall-wasnt-about-technology.

24 "Economic Growth and Agricultural Development: Haiti." U.S. Agency for International Development, 3 May 2023, www.usaid.gov/haiti/our-work/agriculture-and-food-security.

25 "Nearly Half of Haiti Going Hungry, New Food Security Report Warns | UN News." United Nations, United Nations, 30 May 2023, news.un.org/en/story/2023/05/1137152.

26 Reuters. "Haiti Puts Deaths from Flooding Just over 3,000 (Published 2004)." The New York Times, The New York Times, 6 Oct. 2004, www.nytimes.com/2004/10/06/world/americas/haiti-puts-deaths-from-flooding-just-over-3000.html.

27 "Haiti: All Eyes on the New Paternity Act." Health Policy Project, Health Policy Project, 16 Sept. 2014, www.healthpolicyproject.com/index.cfm?id=HaitiPaternityAct.

28 "Haitian Children Face Greatest Challenges to Life in Western Hemisphere – Un | UN News." United Nations, United Nations, 22 Mar. 2006, news.un.org/en/story/2006/03/173032.

29 Wyss, Jim. "Gangs Now Run Haiti, Filling a Vacuum Left by Years of Collapse." Bloomberg.Com, Bloomberg, 2 Sept. 2021, www.bloomberg.com/news/articles/2021-09-02/gangs-now-run-haiti-filling-a-vacuum-left-by-years-of-collapse.

30 Wiersbe, Warren W. 1996. Be Determined. "Be" Commentary Series. Wheaton, IL: Victor Books

31 "1904–1905 Welsh Revival." Wikipedia, Wikimedia Foundation, 26 Apr. 2023, en.wikipedia.org/wiki/1904%E2%80%931905_Welsh_revival.

32 Yates, Kyle M. 1975. "Nehemiah." In The Wycliffe Bible Encyclopedia, edited by Charles F. Pfeiffer, Howard F. Vos, and John Rea. Moody Press

33 Wiersbe, Warren W. 1996. Be Determined. "Be" Commentary Series. Wheaton, IL: Victor Books

34 Ibid.

35 Exell, Joseph S. n.d. The Biblical Illustrator: First Chronicles, Second Chronicles, Ezra, Nehemiah, and Esther. Vol. 4. The Biblical Illustrator. New York; Chicago; Toronto: Fleming H. Revell Company

36 editors, Biography.com. "Toussaint L'Ouverture - Death, Revolution & Facts - Biography." Biography, biography.com, 22 June 2021, www.biography.com/political-figures/toussaint-louverture.

37 Ryken, Leland, Jim Wilhoit, Tremper Longman, Colin Duriez, Douglas Penney, and Daniel G. Reid. 2000. In Dictionary of Biblical Imagery, electronic ed., 592-93. Downers Grove, IL: InterVarsity Press.

38 Ryken, Leland, Jim Wilhoit, Tremper Longman, Colin Duriez, Douglas Penney, and Daniel G. Reid. 2000. In Dictionary of Biblical Imagery, electronic ed., 923. Downers Grove, IL: InterVarsity Press.

39 Ibid.

40 Elwell, Walter A., and Barry J. Beitzel. 1988. "Nehemiah (Person)." In Baker Encyclopedia of the Bible, 2:1536. Grand Rapids, MI: Baker Book House

41 "Redeemed Christian Church of God." Wikipedia, Wikimedia Foundation, 5 Oct. 2023, en.wikipedia.org/wiki/Redeemed_Christian_Church_of_God.

42 "Steve Jobs vision for Apple." Bing Chat, 2023, Microsoft, September 23, 2023, https://www.bing.com/search?q=steve+jobs+vision+for+apple&qs=n&form=QBRE&sp=-1&ghc=1&lq=0&pq=steve+jobs+vision+for+apple&sc=7-27&sk=&cvid=E348134FCADD4F1AA0351F4D7687C752&ghsh=0&ghacc=0&ghpl=

43 "Umuganda." Wikipedia, Wikimedia Foundation, 16 Oct. 2023, en.wikipedia.org/wiki/Umuganda.

44 "Montgomery Bus Boycott." The Martin Luther King, Jr. Research and Education Institute, Stanford University, kinginstitute.stanford.edu/montgomery-bus-boycott. Accessed 23 Sept. 2023.

45 "60 Years Ago: President Kennedy Reaffirms Moon Landing Goal in Rice University Speech." NASA, NASA, 21 Sept. 2023, www.nasa.gov/history/60-years-ago-president-kennedy-reaffirms-moon-landing-goal-in-rice-university-speech/.

46 Covey, Stephen R. The 7 Habits of Highly Effective People: 30th Anniversary Edition (The Covey Habits Series) (pp. 18-19). Simon & Schuster. Kindle Edition

47 Jay Kesler, Being Holy, Being Human cited in Swindoll, Charles R. 2016. The Tale of the Tardy Oxcart and 1501 Other Stories. Nashville, TN: Thomas Nelson in Logos

48 Lange, John Peter, Philip Schaff, Tayler Lewis, and A. Gosman. 2008. A Commentary on the Holy Scriptures: Genesis. Bellingham, WA: Logos Bible Software

49 "Henry Van Dyke." AZQuotes.com. Wind and Fly LTD, 2023. 25 September 2023. https://www.azquotes.com/author/4271-Henry_Van_Dyke

50 "Sometimes He(Jesus) Likes to Look out of Your Windows"- Reinhard Bonnke." Edited by Victor Oluwaska, END TIMES, 27 Feb. 2019, endtimes822.wordpress.com/2019/02/27/sometimes-hejesus-likes-to-look-out-of-your-windows-reinhard-bonnke/.

51 "Abraham Lincoln and Emancipation : Articles and Essays : Abraham Lincoln Papers at the Library of Congress : Digital Collections : Library of Congress." The Library of Congress, www.loc.gov/collections/abraham-lincoln-papers/articles-and-essays/abraham-lincoln-and-emancipation/. Accessed 25 Sept. 2023.

52 The courage of Rosa Parks, ChatGTP 2023

53 projects, Contributors to Wikimedia. "J. P. Morgan." Wikiquote, Wikimedia Foundation, Inc., 8 June 2023, en.wikiquote.org/wiki/J._P._Morgan.

54 Swindoll, Charles R. 2016. The Tale of the Tardy Oxcart and 1501 Other Stories. Nashville, TN: Thomas Nelson

55 Guzik, David. "Judges 14 – Samson's First Failed Marriage." Enduring Word, 1 Mar. 2023, enduringword.com/bible-commentary/judges-14/.

56 Nicholes, Lou. "The Bus Driver Who Tested the Pastor on Honesty." Family Times, 2023, www.family-times.net/illustration/Honesty/201010/domdocument.load.

57 Bing Chat. Microsoft; 2023. Accessed September 27, 2023. https://www.bing.com/search

58 "A Quote by Lao Tzu." Goodreads, Goodreads, www.goodreads.com/quotes/8203490-watch-your-thoughts-they-become-your-words-watch-your-words. Accessed 27 Sept. 2023.

59 "John C. Maxwell - Everything Rises and Falls on Leadership. - Brainyquote." Brainy Quote, www.brainyquote.com/quotes/john_c_maxwell_600859. Accessed 28 Sept. 2023.

60   Wiersbe, Warren W. *The Integrity Crisis, Thomas Nelson, Nashville, TN, 1988, pp. 42–42.*

61   King, Martin Luther. *Stride toward Freedom: The Montgomery Story. Harpercollins Childrens Books , 1987.*

62   Eusebius Caesariensis – Vita Constantini, The Life Of The Blessed Emperor Constantine External Link: http://www.documentacatholicaomnia.eu/03d/0265-0339,_Eusebius_Caesariensis,_Vita_Constantini_%5BSchaff%5D,_EN.pdf]

63   Mop. "Prayers from Our Founding Fathers - George Washington -." *Missionaries Of Prayer, 20 May 2017, www.missionariesofprayer.org/2016/02/prayers-from-our-founding-fathers-george-washington/#:~:text=Almighty%20God%2C%20and%20most%20merciful%20father%2C%20who%20didst,the%20light%20of%20the%20day%2C%20and%20the%20comforts.*

64   Mason Locke Weems. The Life of George Washington: With Curious Anecdotes, Equally Honourable to Himself, and Exemplary to His Young Countrymen: Embellished with Six Engravings. Joseph Allen. Kindle Edition

65   Hodge, Bryan. "The Battle of Monongahela: God's Providence?" Bryan Hodge, 14 July 2020, bryanhodge.net/2020/07/14/the-battle-of-monongahela-gods-providence/.

66   Hodge, Bryan. "The Battle of Monongahela: God's Providence?" Bryan Hodge, 14 July 2020, bryanhodge.net/2020/07/14/the-battle-of-monongahela-gods-providence/.

67   Porter, Tom. "How FDR Kept His Partial Paralysis a Secret from the American Public - Even While He Was on the Campaign Trail." Business Insider, Business Insider, 10 May 2019, www.businessinsider.com/how-fdr-hid-his-paralysis-from-american-public-even-while-campaigning-2019-4.

68   King Jr., Martin Luther. "I've Been to the Mountaintop." Mason Temple, Memphis, Tennessee, 3 Apr. 1968. Speech.

69   Breneman, Mervin. 1993. Ezra, Nehemiah, Esther. Electronic ed. Vol. 10. The New American Commentary. Nashville: Broadman & Holman Publishers

70   Myatt, Mike. "10 Communication Secrets of Great Leaders." Forbes, Forbes Magazine, 12 Oct. 2022, www.forbes.com/sites/mikemyatt/2012/04/04/10-communication-secrets-of-great-leaders/.

71   Panel, Expert. "Council Post: Nine Communication Habits of Great Leaders (and Why They Make Them so Great)." Forbes, Forbes Magazine, 15 Jan. 2021, www.forbes.com/sites/theyec/2021/01/19/nine-communication-habits-of-great-leaders-and-why-they-make-them-so-great/.

72   Covey, Stephen R. The 7 Habits of Highly Effective People. Simon & Schuster UK Ltd., 2020.

73   Dean, Zero. Lessons Learned from the Path Less Traveled . Vol. 1, Lessons Learned from the Pass Less Traveled Publishing, 2018.

74   Sharer, Kevin, and Adam Bryant . "Are You Really Listening?" Harvard Business Review, 23 Feb. 2021, hbr.org/2021/03/are-you-really-listening.

75   Ibid

76   Staff, Stanford GSB. "When CEOS Are Paid for Bad Performance." Stanford
     Graduate School of Business, 1 Feb. 2005, www.gsb.stanford.edu/insights/
     when-ceos-are-paid-bad-performance.

77   AMA Council on Ethical and Judicial Affairs. "AMA Code of Medical
     Ethics' Opinion on Physicians Treating Family Members." Journal
     of Ethics | American Medical Association, American Medical
     Association, 1 May 2012, journalofethics.ama-assn.org/article/
     ama-code-medical-ethics-opinion-physicians-treating-family-members/2012-05.

78   Loken, Israel. 2011. Ezra & Nehemiah. Edited by H. Wayne House and William D.
     Barrick. Evangelical Exegetical Commentary. Bellingham, WA: Lexham Press.

79   Burke, Edmund. Edmund Burke "Reflections on the Revolution in France." Oxford
     University Press, 1999.

80   Swindoll, Charles R.. The Tale of the Tardy Oxcart (Swindoll Leadership Library.
     Thomas Nelson. Kindle Edition

81   Martin, D. C. 2003. "Nehemiah." In Holman Illustrated Bible Dictionary, edited by
     Chad Brand, Charles Draper, Archie England, Steve Bond, E. Ray Clendenen, and Trent
     C. Butler, 1183. Nashville, TN: Holman Bible Publishers

82   Coren, Michael J. "The Days and Nights of Elon Musk: How He Spends His
     Time at Work and Play." Quartz, Quartz, 8 June 2017, qz.com/1000370/
     the-days-and-nights-of-elon-musk-how-he-spends-his-time-at-work-and-play.

83   "A Quote by Vidal Sassoon." Goodreads, Goodreads, www.goodreads.com/
     quotes/16380-the-only-place-where-success-comes-before-work-is-in. Accessed 30
     Sept. 2023.

84   Duckworth, Angela & Seligman, Martin. (2006). Self-discipline gives girls the edge:
     Gender in self-discipline, grades, and achievement test scores. Journal of Educational
     Psychology. 98. 198-208. 10.1037/0022-0663.98.1.198.

85   Frankl, Viktor E., et al. Man's Search for Meaning. Beacon Press, 2006.

86   "Structural Integrity and Failure." Wikipedia, Wikimedia Foundation, 18 Sept. 2023,
     en.wikipedia.org/wiki/Structural_integrity_and_failure.

87   Goodreads. (n.d.). John D. MacDonald Quotes. Retrieved October 11, 2023, from
     https://www.goodreads.com/author/quotes/24690.John_D_MacDonald

88   News, Guinness World Records. "Darlene Flynn - Owner of the World's Largest
     Collection of Shoe-Related Items - Video." Guinness World Records, Guinness World
     Records, 13 Sept. 2012, www.guinnessworldrecords.com/news/2012/9/record-holder-
     profile-darlene-flynn-worlds-largest-collection-of-shoe-related-items-video-44748.

89   "What Is Collaboration in Organizations?: Wrike Guide." Versatile & Robust
     Project Management Software, www.wrike.com/collaborative-work-guide/what-is-
     collaborative-work/. Accessed 13 Oct. 2023.

90   Burnison, Gary. "Why Communication Is Essential for Great Leaders." The Globe and Mail, The Globe and Mail, 5 Apr. 2012, Burnison, Gary. "Why Communication Is Essential for Great Leaders." The Globe and Mail, The Globe and Mail, 5 Apr. 2012, www.theglobeandmail.com/report-on-business/careers/careers-leadership/why-communication-is-essential-for-great-leaders/article4098019/.

91   Amalancei, B. M. (2015). Eye Contact in Interpersonal Communication. Global Journal on Humanities and Social Sciences, 1(2).

92   Panel®, Expert. "Council Post: 20 Ways Nonprofit Professionals Can Rekindle Joy in Their Work." Forbes, Forbes Magazine, 31 July 2023, www.forbes.com/sites/forbesnonprofitcouncil/2023/07/27/20-ways-nonprofit-professionals-can-rekindle-joy-in-their-work/?sh=5f823b274bd9.

93   "A Quote by George Bernard Shaw." Goodreads, Goodreads, www.goodreads.com/quotes/178425-the-single-biggest-problem-in-communication-is-the-illusion-that. Accessed 14 Oct. 2023.

94   Myatt, Mike. "10 Communication Secrets of Great Leaders." Forbes, Forbes Magazine, 12 Oct. 2022, www.forbes.com/sites/mikemyatt/2012/04/04/10-communication-secrets-of-great-leaders/?sh=42c891e422fe.

95   "Leadership Flexibility: The Ultimate Beginner's Guide." Managing Life at Work, 4 Aug. 2023, managinglifeatwork.com/leadership-flexibility-the-ultimate-beginners-guide/.

96   Garcia, Omar C. "Nehemiah 4." Bible Teaching Notes, 14 Oct. 2021, bibleteachingnotes.blog/2019/01/17/nehemiah-4/.

97   Ennos, Roland. "Overstory #144 - How Trees Stand Up." Agroforestry.Org - Overstory #144 - How Trees Stand Up, www.agroforestry.org/the-overstory/128-144-how-trees-stand-up. Accessed 14 Oct. 2023.

98   "A Quote by Albert Einstein." Goodreads, Goodreads, www.goodreads.com/quotes/85475-the-measure-of-intelligence-is-the-ability-to-change. Accessed 14 Oct. 2023.

99   Jordan, Jennifer, et al. "Finding the Right Balance - and Flexibility - in Your Leadership Style." Harvard Business Review, 11 Jan. 2022, hbr.org/2022/01/finding-the-right-balance-and-flexibility-in-your-leadership-style.

100   Javidan, M., Dorfman, P. W., de Luque, M. S., and House, R. J. (2006). "In the eye of the beholder: Cross cultural lessons in leadership from project GLOBE". Academy of Management Perspectives, 20, 67–90.

101   "Law of the Instrument." Wikipedia, Wikimedia Foundation, 25 Aug. 2023, en.wikipedia.org/wiki/Law_of_the_instrument.

102   "John C. Maxwell Quotes (Author of the 21 Irrefutable Laws of Leadership)." Goodreads, Goodreads, www.goodreads.com/author/quotes/68.John_C_Maxwell. Accessed 14 Oct. 2023.

103   Niccolo Machiavelli - the First Method for Estimating the... - Brainyquote, www.brainyquote.com/quotes/niccolo_machiavelli_130630. Accessed 15 Oct. 2023.

104 Khan, Rukham. "The 28 Most Powerful Quotes on Servant Leadership." All New Business, 1 Mar. 2023, www.allnewbusiness.com/servant-leadership-quotes/.

105 "Exponential Growth." Wikipedia, Wikimedia Foundation, 30 Sept. 2023, en.wikipedia.org/wiki/Exponential_growth.

106 Landry, Lauren. "How to Delegate Effectively: 9 Tips for Managers: HBS Online." Harvard Business School Online, 14 Jan. 2020, online.hbs.edu/blog/post/how-to-delegate-effectively.

107 Dixon, Stacy Jo. "Meta Global Workforce 2022." Statista, 25 Aug. 2023, www.statista.com/statistics/273563/number-of-facebook-employees/.

108 Zwilling, Martin. "How to Delegate More Effectively in Your Business." Forbes, Forbes Magazine, 2 Oct. 2013, www.forbes.com/sites/martinzwilling/2013/10/02/how-to-delegate-more-effectively-in-your-business/?sh=784a06ed69bc.

109 "Green and Clean." FranklinCovey, resources.franklincovey.com/mkt-7hv1/green-and-clean. Accessed 15 Oct. 2023.

110 Rath, T., & Conchie, B. (2009). Strengths-based leadership: Great leaders, teams, and why people follow. Gallup Press

111 "A Quote by Ronald Reagan." Goodreads, Goodreads, www.goodreads.com/quotes/234584-surround-yourself-with-great-people-delegate-authority-get-out-of. Accessed 15 Oct. 2023.

112 "A Quote by Ronald Reagan." Goodreads, Goodreads, www.goodreads.com/quotes/234584-surround-yourself-with-great-people-delegate-authority-get-out-of. Accessed 15 Oct. 2023.

113 Thomas Nelson Publishers. *Que dit la Bible à propos de... : L'ultime ressource de A à Z. Thomas Nelson, 2001. p74.*

114 Thomas Nelson Publishers. *Que dit la Bible à propos de... : The Ultimate A to Z Resource. Thomas Nelson, 2001. p75.*

115 Rédacteurs de History.com. « Pyramides égyptiennes ». *History, A&E Television Networks, 14 octobre 2009, www.history.com/topics/ancient-egypt/the-egyptian-pyramids#section_4.*

116 « Le premier pas : Langley's Contributions to Apollo ». *NASA, 26 juillet 2023, www.nasa.gov/history/the-first-step-langleys-contributions-to-apollo/#section-1.*

117 Spell, Chester, et al. «What Apollo 11 Can Teach Us about Team Building». *Psychology Today, Sussex Publishers, 17 juillet 2019, www.psychologytoday.com/us/blog/team-spirit/201907/what-apollo-11-can-teach-us-about-team-building.*

118 Équipe, OM. « 65 meilleures citations d'Orchestra sur le succès dans la vie ». *OverallMotivation, 25 juillet 2022, www.overallmotivation.com/quotes/orchestra-quotes/.*

119   Schuhmann, John. « Les classements de l'intersaison : Celtics, Bucks Keep Top Spots in Eastern Conference ». *NBA.Com, NBA.com, 16 oct. 2022, www.nba.com/news/offseason-power-rankings-east-2022.*

120   Mitchell, Travis. « 11. l'économie et le bien-être chez les juifs américains ». *Pew Research Center's Religion & Public Life Project, Pew Research Center, 11 mai 2021, www.pewresearch.org/religion/2021/05/11/economics-and-well-being-among-u-s-jews/.*

121   Tracy Brower, PhD. « How to Build Community and Why It Matters so Much ». *Forbes, Forbes Magazine, 25 octobre 2020, www.forbes.com/sites/tracybrower/2020/10/25/how-to-build-community-and-why-it-matters-so-much/?sh=3099f864751b.*

122   Loken, Israël. 2011. *Esdras et Néhémie.* Édité par H. Wayne House et William D. Barrick. Evangelical Exegetical Commentary. Bellingham, WA : Lexham Press

123   «Haitians : FDA Policy Racist Agency Prohibits Them from Doning Blood Because of AIDS» (La politique de la FDA est raciste : l'agence leur interdit de donner du sang à cause du sida). *Sun Sentinel, Sun Sentinel, 25 sept. 2021, www.sun-sentinel.com/1990/02/16/haitians-fda-policy-racist-agency-prohibits-them-from-donating-blood-because-of-aids/.*

124   «George Floyd Protests». *Wikipedia, Wikimedia Foundation, 18 oct. 2023, en.wikipedia.org/wiki/George_Floyd_protests.*

125   Dolsten, Josefin. «La famille Sulzberger : Un héritage juif compliqué au New York Times». *The Times of Israel, 20 décembre 2017, www.timesofisrael.com/the-sulzberger-family-a-complicated-jewish-legacy-at-the-new-york-times/.*

126   Bhasin, Sonu. «Comment les plus anciennes entreprises familiales du monde ont survécu pendant des siècles». *Business Today,* 21 nov. 2017, www.businesstoday.in/opinion/columns/story/how-worlds-oldest-family-businesses-have-survived-for-centuries-89400-2017-11-21.)

127   Brown, Erica, et Misha Galperin. *The Case for Jewish Peoplehood : Can We Be One ? Jewish Lights Pub.,* 2009.

128   « Vision 2020 (Rwanda) » *Wikipedia, Wikimedia Foundation, 6 mars 2023, en.wikipedia.org/wiki/Vision_2020_%28Rwanda%29.*

129   Lewis, Clive S. *Le problème de la douleur. Collins, 1983.*

130   Maxwell, John C. *Les 21 lois irréfutables du leadership. Thomas Nelson, 2007.*

131   Hyatt, Michael, et Daniel Harkavy. «Chapitre huit : The Power of a Life Plan «. *Living Forward - a Proven Plan to Stop Drifting and Get the Life You Want, Baker Publishing Group, 2016, p. 86.*

132   «Carpe Diem». *Encyclopædia Britannica, Encyclopædia Britannica, inc. 22 septembre 2023, www.britannica.com/topic/carpe-diem.*

133   Loken, Israël. *Esdras et Néhémie : Evangelical Exegetical Commentary. Édité par H. Wayne House et William D. Barrick, Lexham Press, 2011.*

134 Williamson, H. G. (1985). *Esdras/Néhémie (Vol. 16, Ser. Word Biblical Commentary)*. *Word Books*.

135 Wiersbe, Warren W. *Be Determined : Tenir bon face à l'opposition : OT Commentary : Néhémie. David C. Cook, 2009.*

136 Team, The STRIVE. «100 citations sur l'élan pour vous inspirer à aller de l'avant. *The STRIVE, 29 juillet 2023, thestrive.co/best-quotes-about-momentum/.*

137 «Histoire I Folkes Holdings». *Folkes Holdings, 24 janvier 2023, folkesholdings.com/ history/.*

138 Engel, Jacob M. «Council Post : Why Does Culture 'Eat Strategy for Breakfast' ?» (Pourquoi la culture mange-t-elle la stratégie pour le petit-déjeuner ?) *Forbes, Forbes Magazine, 12 septembre 2023, www.forbes.com/sites/forbescoachescouncil/2018/11/20/ why-does-culture-eat-strategy-for-breakfast/?sh=1f338d331e09.*

139 Fensham, F. Charles. *Les livres d'Esdras et de Néhémie. William B. Eerdmans Publishing Company, 2022, p. 202.*

140 « Si vous ne pouvez pas voler, alors courez - Signification et usage «. *Literary Devices, 10 sept. 2017, literarydevices.net/if-you-cant-fly-then-run/.*

141 «Une citation de George Moore *Goodreads, Goodreads, www.goodreads.com/ quotes/897172-a-winner-is-just-a-loser-who-tried-one-more. Consulté le 31 octobre 2023.*

142 «Lire l'intégralité du discours 'I Have a Dream' de Martin Luther King Jr. *NPR, NPR, 16 janvier 2023, www.npr. org/2010/01/18/122701268/i-have-a-dream-speech-in-its-entirety.*

143 "A Quote by Samuel Adams." Goodreads, Goodreads, www.goodreads.com/ quotes/33685-it-does-not-take-a-majority-to-prevail-but. Accessed 6 Oct. 2023.

144 John Wesley, Letter to Alexander Mather, quoted in Luke Tyerman, The Life and Times of the Rev. John Wesley (London, 1871), III:632

145 "A Quote by Ferdinand Foch." Goodreads, Goodreads, www.goodreads.com/ quotes/32911-the-most-powerful-weapon-on-earth-is-the-human-soul. Accessed 7 Oct. 2023.

146 National Geographic Society. "The Underground Railroad." Education, National Geographic, education.nationalgeographic.org/resource/underground-railroad/. Accessed 7 Oct. 2023.

147 "Arthur Schopenhauer - All Truth Passes through Three... - Brainyquote." Brainy Quote, www.brainyquote.com/quotes/arthur_schopenhauer_103608. Accessed 7 Oct. 2023.

148 Yilmaz H. Fear of success and life satisfaction in terms of self-efficacy. University Journal of Educational Research. 2018;6(6):1278-1285. doi:10.13189/ujer.2018.060619

149 Neureiter M, Traut-Mattausch E. An inner barrier to career development: preconditions of the impostor phenomenon and consequences for career development. Front Psychol. 2016;7:48. doi:10.3389/fpsyg.2016.00048

150 Schaffner, Anna Katharina. "What Is Humility & Why Is It Important? (Incl.. Examples)." PositivePsychology.Com, 18 Sept. 2023, positivepsychology.com/humility/.

151 "Women Still Suffering in War Zones, Special Representative Tells Security Council, Highlighting Unmet Global Commitments to Victims of Sexual Violence | UN Press." United Nations Meetings Coverage and Press Releases, United Nations, 14 Apr. 2021, press.un.org/en/2021/sc14493.doc.htm.

152 Avner Ahituv and Robert I. Lerman, "How Do Marital Status, Labor Supply, and Wage Rates Interact?" Demography 44, no 3 (Aug. 2007): 623-47. See also: Robert I. Lerman, "Economic Perspectives on Marriage: Causes, Consequences, and Public Policy," in Research Handbook on the Economics of Family Law, ed. Lloyd R. Cohen and Joshua D. Wright (Cheltenham, UK: Edward Elgar, 2011): pg. 72.

153 Avner Ahituv and Robert I. Lerman, "How Do Marital Status, Labor Supply, and Wage Rates Interact?" Demography 44, no 3 (Aug. 2007): 623-47. See also: Robert I. Lerman, "Economic Perspectives on Marriage: Causes, Consequences, and Public Policy," in Research Handbook on the Economics of Family Law, ed. Lloyd R. Cohen and Joshua D. Wright (Cheltenham, UK: Edward Elgar, 2011): pg. 72.

154 Slick, Matt. "Statistics on Sexual Promiscuity among Homosexuals." Christian Apologetics & Research Ministry, 11 Mar. 2021, carm.org/homosexuality/statistics-on-sexual-promiscuity-among-homosexuals/.

155 Slick, Matt. "Statistics on Sexual Promiscuity among Homosexuals." Christian Apologetics & Research Ministry, 11 Mar. 2021, carm.org/homosexuality/statistics-on-sexual-promiscuity-among-homosexuals/.

156 "Estimates of New HIV Infections in the United States, 2006-2009." Center for Disease Control, Aug. 2011, www.cdc.gov/nchhstp/newsroom/docs/hiv-infections-2006-2009.pdf.

157 "AIDS in the United Kingdom." Wikipedia, Wikimedia Foundation, 17 Sept. 2013, en.wikipedia.org/wiki/HIV/AIDS_in_the_United_Kingdom.

158 Cameron, P., and K. Cameron. "'Homosexual Parents,' Adolescence 31 ." American Psychological Association, American Psychological Association, 1996, psycnet.apa.org/psycinfo/1996-07024-001.

159 Medley, Grace, et al. "Sexual Orientation and Estimates of Adult Substance Use and Mental Health: Results from the 2015 National Survey on Drug Use and Health." Samhsa.Gov, Oct. 2016, www.samhsa.gov/data/sites/default/files/NSDUH-SexualOrientation-2015/NSDUH-SexualOrientation-2015/NSDUH-SexualOrientation-2015.htm.

160 Rekers, George Alan. Growing up Straight: What Families Should Know about Homosexuality. Moody Press, 1982.

161 Clowes, Brian, and Marisa Cantu. "How Does Abortion Affect the United States." Human Life International, 25 Sept. 2023, www.hli.org/resources/abortion-affect-united-states/.

162 Committee, United States Joint Economic. "The Economic Cost of Abortion."
     The Economic Cost of Abortion - The Economic Cost of Abortion - United States
     Joint Economic Committee, 15 June 2022, www.jec.senate.gov/public/index.cfm/
     republicans/analysis?id=3B0FACF9-0443-4C52-B6FC-F38A94FED199%29.

163 "Charles Murray | American Enterprise Institute - AEI." AEI.Org, www.aei.org/profile/
     charles-murray/. Accessed 17 Oct. 2023.

BIOGRAPHIE

Gregory Toussaint est un PDG, entrepreneur, philanthrope, auteur de best-sellers et orateur haïtiano-américain. En tant que pasteur titulaire de l'église Tabernacle de Gloire, il dirige plus de 50 campus avec 25 000 membres actifs. Il est le PDG et fondateur de *Shekinah.fm*, qui compte plus de 4 millions de followers sur les médias sociaux et une moyenne de 4 millions de vues par semaine. Le programme radio de Bishop Gregory touche 5 millions de foyers en Haïti. Il fondé le mouvement *"Souf Pou Ayiti"* (Secours pour Haïti) et a dirigé une marche internationale le 9 juillet 2023. Organisée en collaboration avec des personnalités politiques et religieuses, 1 000 églises et 700 organisations de la société civile, la marche s'est étendue dans les 10 départements d'Haïti, dans 50 États américains et a attiré plus de 500 000 participants. Cette oeuvre remarquable de Bishop Greg a fait l'objet d'une couverture médiatique de la part d'organismes tels que NBC, Yahoo et Fox News. Bishop Greg est également le producteur exécutif de *Bishop G Live*, qui touche plus de 500 millions de foyers dans le monde entier grâce à des partenariats avec des chaînes de télévision. Il parle couramment l'anglais, le français, l'espagnol et le créole haïtien. Gregory est diplômé en commerce (BS), en droit (LL.M) et en théologie (Th.M., D.E.A). Il a deux fils avec sa femme Patricia qu'il a épousée il y a 20 ans et vit avec sa famille à Miami, en Floride.

SUIVEZ-MOI

SCANNEZ LE CODE QR CI-DESSOUS POUR ME SUIVRE SUR LES RÉSEAUX SOCIAUX

AUTRES OUVRAGES DE GREGORY TOUSSAINT

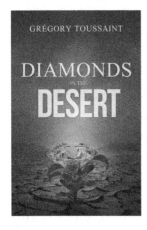

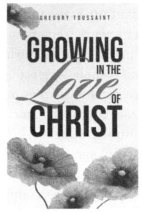

DISPONIBLE SUR AMAZON

https://amzn.to/45qIL0l